GW00645592

POLDARK

WINSTON GRAHAM

POLDARK

LES FALAISES DE CORNOUAILLES

*

*traduit de l'anglais
par Simonne Huinh*

ARCHIPOCHE

Ce livre a été publié sous le titre
Ross Poldark
par Sourcebooks, Inc., en 2015.

Traduction : tous droits réservés.

Première édition française :
Sur les falaises de Cornouailles : 1. Romain Poldark,
Éditions Mondiales, 1972.

Notre catalogue est consultable à l'adresse suivante :
www.editionsarchipel.com

Éditions de l'Archipel
34, rue des Bourdonnais
75001 Paris

ISBN 978-2-3773-5270-8

Copyright © Winston Graham, 1945, 2009 et 2015.
Copyright © L'Archipel, 2017, pour la présente édition.

PROLOGUE

Joshua Poldark mourut en mars 1783. En février, sentant sa santé décliner, il fit venir son frère de Trenwith. Charles arriva à cheval, sans hâte, par un après-midi froid et gris. Prudie Paynter – cheveux gris, visage sombre – l'introduisit aussitôt dans la chambre où Joshua était couché dans un grand lit-armoire. Charles examina du coin de ses petits yeux bleus la chambre sale et en désordre. Relevant les pans de son habit, il s'affala dans un fauteuil d'osier qui craqua sous son poids.

— Eh bien, Joshua… Quand penses-tu être de nouveau sur pied ?

— J'imagine que c'est le cimetière qui aura l'avantage !

— Sottises ! dit Charles, se voulant rassurant. La goutte n'a jamais tué personne.

Joshua haussa un sourcil ironique. Il y avait des années que les deux frères avaient peu à se dire et, pour leur dernière rencontre, la conversation était difficile à alimenter. L'aîné, Charles, chef de famille et personnalité respectée dans le comté, qui avait reçu en héritage la maison, les terres et la majorité des intérêts miniers, n'avait jamais pu tout à fait chasser l'impression que son frère cadet le méprisait. Pour lui, Joshua avait toujours été une épine dans son pied.

Joshua, esprit cynique et sans illusions, n'avait pas eu à se plaindre de la vie ou de son frère.

— Enfin, mon vieux, reprit Charles, tu es encore jeune. Deux ans de moins que moi! Et je me porte bien!

— Oui, deux ans nous séparent, mais j'ai vécu deux fois plus que toi.

— Cette maudite guerre n'est pas encore terminée. Les prix ont subi une hausse, mais j'aimerais que celui du cuivre monte de la même façon que le beurre ou la farine! Nous envisageons de creuser une nouvelle galerie à Grambler, à cent quarante mètres. Cela couvrira peut-être la première mise de fonds, mais j'en doute. Comment ont été tes récoltes, cette année?

— C'est à propos de la guerre que je voulais te voir, dit Joshua, s'efforçant de retrouver son souffle. Dans quelques mois, la paix sera revenue, Ross reviendra et je ne serai probablement plus là pour l'accueillir. Je voudrais que tu veilles à tout jusqu'à son retour.

— Je dispose de peu de temps, tu sais…

— Cela ne t'en prendra pas beaucoup, je n'ai pratiquement rien à laisser. Sur la table, près de toi, il y a une copie de mon testament dont Pearce détient l'original. Lis-le.

De sa grosse main maladroite, Charles saisit une feuille de parchemin.

— Quand as-tu eu des nouvelles de Ross pour la dernière fois? demanda-t-il. Que faut-il faire s'il ne revient pas?

— Le domaine ira à Verity. Qu'elle vende si elle trouve des acquéreurs. Elle héritera également de ma part sur Grambler. Elle est la seule de la famille qui m'ait témoigné de la sollicitude depuis le départ de Ross… Mais Ross reviendra, affirma Joshua en s'essuyant le nez sur le drap douteux. J'ai eu de ses nouvelles depuis que le combat a cessé.

— Il y a encore des risques.

— J'ai une impression, une conviction. Tu veux prendre un pari qui se terminera quand nous nous retrouverons ? Je suis persuadé qu'il y aura une sorte d'unité dans le Nouveau Monde.

Charles scruta le visage raviné au teint brouillé qui avait autrefois été si beau. Il était un peu soulagé que Joshua ne se montrât pas plus exigeant, mais il mit un certain temps à se détendre. Cette insouciance sur un lit de mort le choquait.

— Le cousin William est venu nous voir l'autre jour, dit-il. En apprenant ta maladie, il a proposé de t'apporter sa consolation spirituelle, car tu ne te soucies sans doute pas d'appeler le révérend Odgers. Après tout, William est de la famille.

— C'est bien de lui ! grimaça Joshua. Je ne veux pas le voir. Si cela me soulageait de confesser mes péchés, je préférerais me confier à Odgers, ce pauvre diable mort de faim ! En fait, je ne veux voir ni l'un ni l'autre.

— Si tu changes d'avis, envoie Jud avec un message.

— J'ai vécu à ma façon et, par Dieu, j'en ai profité ! Pourquoi vouloir maintenant pleurnicher hypocritement ? Je ne regrette rien pour moi et je ne veux pas que quelqu'un le fasse à ma place. Je me charge de ce qui va arriver, c'est tout.

Un silence plana dans la chambre. Dehors, le vent remuait les ardoises du toit.

— Les Paynter négligent ta maison, observa Charles. Pourquoi n'engages-tu pas quelqu'un de confiance ?

— Je suis trop vieux pour changer d'âne. Ross aura tôt fait de remettre de l'ordre.

Charles bougonna, l'air incrédule. Il n'avait pas une très haute opinion des capacités de Ross.

— Il est à New York, tout à fait remis de ses blessures, expliqua Joshua. Par chance, il a échappé au siège de Yorktown. Tu sais qu'il est capitaine au 62ᵉ régiment d'infanterie.

— Francis m'est d'une grande aide, riposta Charles. Ross en ferait autant pour toi s'il était ici au lieu de gambader en Amérique.

— As-tu vu Elizabeth Chynoweth ces jours-ci, ou entendu parlé d'elle ?

— Qui est-ce ?

— La fille de Jonathan Chynoweth. Tu la connais. Une enfant mince et blonde. Ross parle toujours d'elle. Il espère qu'elle sera ici à son retour et je crois que ce serait une bonne chose. Un mariage le stabiliserait et elle ne pourra trouver garçon plus convenable – ce que je ne devrais pas dire puisque je suis son père !

— Il faut que je te quitte, dit Charles en se levant péniblement. J'espère que ton fils s'assagira, avec ou sans mariage. Il avait de mauvaises fréquentations.

— Tu vois les Chynoweth ? insista Joshua, qui refusait de se laisser détourner de ses idées par des allusions à ses propres faiblesses.

— On les rencontre ici et là ! Verity et Francis les ont aperçus à une réception, cet été… Dieu me damne si ce n'est pas Choake, ajouta-t-il en regardant par la fenêtre. Il faut que je m'en aille, mais je ne te laisse pas seul.

— Il ne vient que pour constater à quelle vitesse ses pilules m'achèvent. À moins que ce ne soit pour me parler politique, ce dont je me moque totalement !

Pour une fois, Charles déplaça rapidement son gros ventre, ramassa son chapeau et ses gants à crispins.

Debout, mal à l'aise près du lit, il s'interrogeait sur la façon convenable de prendre congé, tandis que le cliquetis des sabots d'un cheval se faisait entendre.

— Dis-lui que je ne veux pas le voir, pesta Joshua. Qu'il donne ses potions à Prudie !

— Alors, au revoir, dit Charles hâtivement en sortant de la chambre.

Joshua resta seul. Il avait vécu de nombreuses années seul après le départ de Ross. Mais, depuis des mois qu'il était alité, ces heures commençaient à le déprimer.

Il évoqua Grace, sa femme depuis longtemps disparue. Elle avait été son porte-bonheur. De son vivant, tout avait bien marché. La mine avait été prospère, la construction de la maison avait été entreprise dans l'orgueil et l'espérance, deux fils solides avaient agrandi la famille, Joshua s'était assagi, se promettant de rivaliser avec Charles dans tous les domaines. Il avait édifié sa maison avec la volonté d'enraciner la branche cadette des Poldark aussi solidement que possible à Trenwith.

Avec la mort de Grace, la chance s'était envolée. La maison était inachevée lorsque la mine s'était tarie, et Grace avait emporté le stimulant qui encourageait Joshua. La maison était restée en l'état, puis la mine de Wheal Vanity avait été fermée et le petit Claude était mort.

Joshua entendait son frère discuter avec le docteur Choake à la porte d'entrée. La colère l'envahit. Ils parlaient de lui, sans doute, en hochant la tête et en disant qu'on ne pouvait s'attendre à autre chose de sa part. Il secoua la cloche placée près de son lit et guetta avec impatience le claquement des savates de Prudie.

Quand elle parut, hésitante, sur le seuil, il cligna vers elle ses yeux de myope dans la lumière qui diminuait.

— Apporte des chandelles. Tu veux que je crève dans l'obscurité ? Et dis à ces deux bonshommes de partir.

Prudie se voûta comme un oiseau de mauvais augure et sortit. Joshua chercha sa canne, prêt à se lever pour marcher jusqu'à ses visiteurs. Mais les voix s'élevèrent pour des adieux, et Joshua perçut le bruit des sabots d'un cheval s'éloignant vers le ruisseau.

Restait Choake. Un manche de cravache heurta le battant de la porte et le médecin entra. Originaire de Bodmin, Choake avait exercé à Londres, épousé la fille d'un brasseur et était rentré dans son comté natal après avoir acheté une petite propriété près de Sawle. C'était un homme de haute taille aux sourcils épais et gris, à la bouche nerveuse. Dans la petite société locale, son expérience de la capitale lui conférait un certain prestige. On avait l'impression qu'il avait adopté les idées scientifiques modernes. Il était le médecin de plusieurs sociétés minières régionales et maniait le bistouri sans hésiter.

— Eh bien, dit Choake. Nous avons eu une visite ? Nous nous sentirons certainement mieux après avoir vu notre frère.

Il prit le pouls de son malade entre ses doigts épais.

— Toussez…

Joshua obéit à contrecœur.

— Notre état n'a pas changé, constata le médecin. La température est stationnaire. Avons-nous pris nos pilules ?

— Charles est deux fois plus gros que moi, pourquoi ne le soignez-vous pas ?

— C'est vous qui êtes malade, monsieur Poldark.

Soulevant le drap, il se mit à palper la jambe enflée de son malade.

— Notre jambe gauche a nettement diminué de volume, mais il y a encore trop d'eau dans les deux jambes. Si seulement nous pouvions arriver à la faire pomper par le cœur… Voyons, vous ai-je fait une saignée la dernière fois ?

— Oui.

— Bon, c'est inutile aujourd'hui. Notre cœur a tendance à s'accélérer. Contrôlez votre bile, monsieur Poldark. Un caractère égal aide le corps à sécréter les sucs nécessaires.

— Dites-moi, savez-vous quelque chose des Chynoweth ? J'ai posé la question à mon frère, mais il m'a répondu de façon évasive.

— Les Chynoweth ? Je les vois de temps à autre, mais je ne suis pas leur médecin traitant et nous ne nous fréquentons pas.

— Je pressens une entourloupe de Charles, dit Joshua à haute voix. Voyez-vous Elizabeth ?

— Leur fille ? Elle va bien.

— Nous avons, son père et moi, conclu un accord à son sujet.

— Vraiment ? Je n'en ai pas entendu parler.

Joshua se redressa sur ses oreillers. Sa conscience avait commencé à le tourmenter. Il était tard pour développer cette faculté longtemps endormie, mais il aimait Ross et, durant sa maladie, il s'était interrogé s'il n'aurait pas dû mieux préserver les intérêts de son fils.

— Demain, j'enverrai Jud demander à Jonathan de venir me voir, murmura-t-il.

13

— Je doute que M. Chynoweth soit libre, c'est l'époque des sessions trimestrielles. Ah ! voici la lumière !

Prudie Paynter entra à pas pesants, portant deux chandelles. La lumière éclairait son visage rouge et transpirant.

Après le départ du médecin, Joshua resta seul une fois de plus. S'il insistait sur la sonnette, Jud ou Prudie se présenterait avant l'heure du coucher et, après cela, il n'y aurait plus personne. Joshua savait qu'ils passaient la majeure partie de leurs soirées à boire et que, parvenus à un certain stade, rien ne les ferait bouger. Mais il n'avait plus comme autrefois l'énergie de les secouer.

Tout aurait été différent si Ross avait été là et, sur ce point, Charles avait en partie raison. C'était Joshua qui avait encouragé son fils à s'en aller. Selon lui, il fallait laisser les garçons creuser leur propre chemin. Il se refusait aussi à voir son fils traîné en justice pour voies de fait, ivresse et tout le reste, car alors aurait été soulevée la question des dettes de jeu.

Voilà pourquoi Joshua était seul. Il rejoindrait bientôt sa femme.

Le vent se levait. Au froid paisible allaient succéder la pluie et l'orage.

Joshua s'assoupit. Il rêva qu'il marchait au bord de Long Field, avec la mer à sa droite et un vent fort qui soufflait dans son dos. Le soleil le réchauffait et l'air apportait l'odeur du vin échappée d'une cave.

Dehors, les dernières lueurs du jour quittaient le ciel. Le vent d'ouest fraîchit, s'immisçant dans les mines en ruine, sur la colline, faisant bruisser les pommiers, soulevant un coin de chaume dans une grange, chassant une éclaboussure de pluie à travers un volet brisé de la bibliothèque où des rats méfiants furetaient parmi les vieux meubles. Une grille battait sur ses gonds. Dans la cuisine, Jud déboucha la seconde bouteille de gin et Prudie jeta une bûche dans l'âtre.

1

Le vent soufflait. Le ciel pâle de l'après-midi était parsemé de nuages, la route poussiéreuse était jonchée de feuilles. Cinq personnes occupaient le coche. Un homme mince, style employé de bureau, au visage maigre et au costume lustré, était assis près d'une femme replète qui serrait contre elle un paquet de lainages rose et blanc d'où surgissaient les traits boudeurs et fripés d'un bébé. Les autres voyageurs étaient un ecclésiastique d'un certain âge et un autre homme plus jeune.

Le pasteur était un petit homme sec, sévère dans son costume de clergyman de belle qualité. Son visage allongé, dénué d'humour, aux lèvres minces, était couronné de cheveux tirés en arrière qui bouclaient derrière les oreilles.

À un quart d'heure de Truro, les chevaux ralentirent pour monter au pas la pente raide de la colline, le jeune homme leva le nez de son livre et croisa le regard du pasteur.

— Excusez-moi, monsieur, dit le clergyman d'une voix coupante, votre visage m'est familier, mais je ne parviens pas à me rappeler où nous nous sommes rencontrés. Oxford, peut-être ?

Le jeune homme était grand et mince, une cicatrice lui barrait la joue. Il portait une jaquette croisée, plus courte devant, et une culotte de cheval marron. Ses cheveux aux reflets de cuivre sombre étaient coiffés en arrière et noués par un ruban noir.

— Vous êtes le révérend Halse, n'est-ce pas ? dit-il.

L'employé de bureau qui les avait écoutés adressa une grimace expressive à sa femme. Recteur de Towerdreth, vicaire de Saint Erme, directeur de l'école secondaire de Truro, grand bourgeois de la ville et ancien maire, le révérend Halse était une personnalité.

— Ah ! vous me connaissez ! dit-il, flatté. J'ai habituellement la mémoire des physionomies... Mais la maturité change les traits et j'ai eu tant d'élèves... Êtes-vous Hawkey ?

— Poldark.

Les yeux du pasteur se plissèrent dans l'effort qu'il faisait pour se souvenir.

— Francis, n'est-ce pas ? Je pensais...

— Non, Ross. Francis, mon cousin, est toujours resté ici. Quant à mon éducation, elle s'est, je le crains, terminée quand j'avais treize ans.

Les souvenirs affluèrent.

— Ross Poldark, oui ! Vous avez changé. Vous étiez indiscipliné, je devais fréquemment vous corriger. Puis vous vous êtes enfui.

Le petit employé de bureau avait entendu parler des Poldark, de Joshua surtout qui, dans les années 1850, avait la réputation d'être un danger pour toute femme, mariée ou non. Celui-ci devait être son fils. Un visage insolite aux pommettes hautes et à la bouche large qui donnaient à Ross un air faussement endormi.

— Francis va bien, je suppose ? dit Halse revenant à l'attaque. Est-il marié ?

18

— Pas à ma connaissance, mais je viens de passer quelque temps en Amérique.

— Mon Dieu! Quelle erreur déplorable, cette guerre! J'y étais absolument opposé. Vous y avez assisté?

— J'y ai participé!

— Vous êtes un conservateur, remarqua Halse.

— Un soldat.

— Ce n'est pas la faute des soldats si nous avons perdu. En fait, le cœur de l'Angleterre n'y était pas. Chez nous règne un vieillard abandonné qui ne durera plus longtemps. Le prince a des vues différentes.

Le coche se mit à cahoter dans les ornières. Le bébé pleura. Au pied de la colline, le cocher donna un coup de trompe, et tourna dans Saint Austell Street. Il y avait peu de monde dans les boutiques, comme tous les mardis après-midi. La voiture tourna pour franchir la rivière sur un pont étroit, rebondit sur les pavés et s'arrêta enfin devant l'auberge du Lion-Rouge.

Dans la bousculade qui s'ensuivit, le révérend Halse sortit le premier et, après un salut sec, s'éloigna à pas rapides entre les flaques d'eau. Poldark se leva pour le suivre et l'employé de bureau remarqua pour la première fois qu'il boitait.

— Puis-je vous aider, monsieur? offrit-il en posant ses colis.

Le jeune homme refusa en remerciant et descendit de voiture en s'appuyant sur l'épaule du postillon.

La pluie commençait à tomber, fine, balayée par le vent qui soufflait en rafales intermittentes. Ross regarda autour de lui. Tout lui était si familier. Truro avait autrefois été un centre vital pour Ross et sa famille. À la fois port, place de commerce et lieu de rencontre à la mode, la ville s'était rapidement développée au cours des dernières années, de nouvelles maisons imposantes avaient poussé au milieu des anciennes, témoignant qu'elle avait été adoptée comme cité résidentielle par quelques familles puissantes de Cornouailles.

Ross entra en boitillant dans l'auberge.

— Mon serviteur devait venir à ma rencontre, dit-il. Jud Paynter, de Nampara.

Le patron le scruta de ses yeux de myope.

— Oui, nous le connaissons bien, monsieur, mais nous ne l'avons pas vu aujourd'hui ! Gamin, tu connais Paynter, va voir s'il est à l'écurie ou demande s'il y est venu aujourd'hui.

Ross commanda un verre de cognac et il buvait quand le garçon revint dire que personne n'avait vu Paynter.

— C'était pourtant entendu. Enfin, tant pis ! Pouvez-vous me louer un cheval de selle ?

Le patron frotta le bout de son long nez.

— On a une jument qui nous a été laissée il y a trois jours pour paiement d'une dette. Je ne vois pas d'inconvénient à vous la prêter si vous pouvez me fournir des références.

— Je m'appelle Poldark, je suis le neveu de M. Charles Poldark, de Trenwith.

— Ah bon ! J'aurais dû vous reconnaître, monsieur… Je vais vous faire seller la jument tout de suite.

— Non, attendez… Il fait encore jour. Qu'elle soit prête dans une heure.

Ross sortit et tourna dans l'étroite ruelle. Au bout, il prit à droite et, après avoir dépassé l'école où il avait fait de médiocres études, il s'arrêta devant une porte marquée « Nat G. Pearce, Notaire ». Il sonna. Une femme vint lui ouvrir.

— Maître Pearce n'est pas bien aujourd'hui, je vais voir s'il peut vous recevoir.

Elle grimpa l'escalier de bois et, un instant plus tard, par-dessus la rampe d'acajou rongé, elle invita Ross à monter.

Nat Pearce était assis dans un fauteuil du salon en face d'une large cheminée. C'était un gros homme au visage lourd, au teint coloré dont la rougeur s'accentuait sous l'effet de la chaleur.

— En voilà une surprise, monsieur Poldark ! Quel plaisir ! Pardonnez-moi de rester assis. Toujours la même histoire et chaque accès de goutte semble pire que le précédent. Prenez un siège.

Ross serra sa main moite et choisit le fauteuil le plus éloigné du feu. La chaleur était intolérable et l'atmosphère sentait le renfermé.

— Vous rappelez-vous que je vous ai écrit pour vous annoncer mon retour cette semaine ?

— Ah, oui !... Capitaine Poldark ! Cela m'avait échappé. C'est gentil de me rendre visite en passant.

Pearce ajusta sa perruque courte qui, selon la tradition de sa profession, comportait un toupet haut sur le devant et une longue boucle nouée à l'arrière.

— Je vis seul, capitaine. Depuis que ma fille s'est tournée vers une secte méthodiste, elle se rend presque chaque soir à une réunion de prières. Voulez-vous partager un verre avec moi ?

— Je ne peux pas rester longtemps, refusa Ross. J'ai hâte de me retrouver chez moi, mais j'ai préféré venir vous voir avant. J'ai reçu votre lettre quinze jours seulement avant de quitter New York.

— Quel retard ! Quel choc vous avez dû éprouver ! Et vous avez été blessé. Sérieusement ?

Ross étendit sa jambe et demanda :

— D'après votre lettre, mon père est mort en mars. Qui a géré la propriété depuis, mon oncle ou vous ?

Pearce lissa d'un air distrait les parements de sa veste.

— Vous tenez à ce que je sois franc ?

— Bien entendu.

— Eh bien, quand nous nous sommes occupés des affaires de votre père, nous nous sommes aperçus qu'il n'y avait pas grand-chose à gérer… Tout vous était naturellement légué. Je vous remettrai une copie du testament. Au cas où vous auriez disparu avant votre père, tout devait revenir à sa nièce Verity. Oh, cette jambe m'élance affreusement.

— Je n'ai jamais tenu mon père pour un homme riche. Il a été enterré à Sawle ?

Le notaire considéra son visiteur avec acuité.

— Vous envisagez de vous installer à Nampara, capitaine ?

— Oui.

— Si je peux vous aider, j'en serais très heureux. Vous trouverez sans doute le domaine un peu négligé… Je n'y suis pas allé moi-même, à cause de ma jambe, mais mon clerc y a fait un tour. Votre père était en mauvaise santé ces derniers mois et rien n'était entretenu comme cela aurait dû l'être. Votre oncle non plus n'est plus tout jeune. Paynter est-il venu vous chercher avec un cheval ?

— Je l'attendais, mais il ne s'est pas montré.

— Pourquoi ne pas passer la nuit chez nous, cher monsieur ? Ma fille sera de retour à temps pour nous préparer un petit souper. Nous avons du porc, je le sais. Et un excellent lit à vous offrir. Que dites-vous de mon idée ?

Ross sortit un mouchoir et s'épongea le front.

— C'est très gentil à vous mais, si près de chez moi, je préfère me rendre tout de suite à Nampara.

Pearce soupira et tenta de se redresser.

— Aidez-moi, voulez-vous ? Je vais vous remettre une copie du testament que vous pourrez emporter.

À cette heure, le dîner aurait normalement dû être terminé à Trenwith. Quand les Poldark étaient seuls, il durait peu de temps, mais les circonstances étaient exceptionnelles. À cause des invités, le repas avait été servi dans le hall, une pièce trop vaste et exposée aux courants d'air.

Dix personnes étaient assises autour de la longue table de chêne étroite. À l'extrémité, Charles, avec sa fille Verity à sa gauche. À sa droite, Elizabeth Chynoweth et, auprès d'elle, Francis, le fils de Charles. Il y avait ensuite M. et Mme Chynowet, et au bout de la table, tante Agatha émiettait des sucreries pour les mâchonner entre ses mâchoires édentées. De l'autre côté, le cousin William était en conversation avec le docteur et Mme Choake.

— Je me demande pourquoi nos tourtereaux ne se marient pas demain au lieu d'attendre plus d'un mois, s'écria Charles, rompant le silence qui accompagnait la dégustation des desserts. Que vous manque-t-il ? Avez-vous peur de changer d'avis ?

— Pour ma part, je suivrais volontiers ton conseil, avoua Francis, mais cela concerne aussi Elizabeth.

— Le délai d'un mois est déjà assez court, intervint Mme Chynoweth en tripotant le médaillon posé sur les belles incrustations de dentelle de sa robe.

Ses jolis traits étaient gâchés par un long nez âpre au gain. À première vue, on éprouvait un choc devant tant de beauté gaspillée.

— Jamais je n'arriverai à accepter d'abandonner ma pauvre enfant! Une femme revit chez sa fille le jour de son propre mariage. Je désire seulement que les préparatifs soient faits avec soin.

— Qu'a-t-elle dit? s'enquit Agatha.

— Bon, montrons-nous patients puisque les intéressés le sont, admit Charles. Et portons un toast à cet heureux couple!

— Tu en as déjà porté trois, observa Francis.

— Quatre est un chiffre porte-bonheur!

Les verres furent vidés au milieu des rires.

— N'y a-t-il pas quelqu'un à la porte? dit Verity.

Tabb n'était pas dans la pièce mais sa femme n'avait rien entendu. Les chandelles clignotèrent dans le courant d'air et les rideaux de soie rouge damassée remuèrent devant les hautes fenêtres comme agités par une main.

— Vous attendez quelqu'un, ma chère? demanda Mme Chynoweth.

Verity ne réagit pas. Petite et brune, au teint mat, elle avait la grande bouche si caractéristique des Poldark, mais elle n'avait pas l'allure de son frère.

— Ce doit être la porte de l'étable, dit Charles en avalant une gorgée de porto. Tabb devait s'en occuper hier, mais il m'a accompagné à cheval à Saint Ann.

Sans erreur possible, cette fois, on avait cogné à la porte d'entrée. Mme Tabb posa le plateau chargé de tartes et alla ouvrir.

Le vent fit ondoyer rideaux et flammes des chandelles.

— Dieu nous préserve! s'exclama la femme de charge comme si elle avait vu un fantôme.

Ross surgit au milieu de ce groupe nullement préparé à le voir apparaître. Lorsque sa silhouette se découpa sur le seuil de la porte, les assistants poussèrent l'un après l'autre des exclamations de surprise. Elizabeth, Francis, Verity et Choake se dressèrent. Charles se rejeta en arrière en grommelant. Le cousin William nettoya ses lunettes à monture d'acier, pendant qu'Agatha tirait sur ses manches en marmonnant:

— Qu'est-ce que c'est? Que faut-il faire? Le repas n'est pas terminé!

Ross cligna des yeux avant de s'accoutumer à la lumière. Trenwith était presque sur le chemin de Nampara et il n'avait pas cru être impoli en s'y arrêtant. La première à se ressaisir fut Verity qui courut lui jeter les bras autour du cou.

— Ross, mon cher Ross, ce n'est pas possible! bégaya-t-elle sans trouver autre chose à dire.

— Verity! fit-il en l'étreignant.

Puis il vit Elizabeth.

— Ainsi te voilà revenu, mon garçon, observa Charles. Tu es en retard pour dîner, mais il y a des restes en cuisine.

— Sommes-nous revenu boiteux, Ross? s'enquit Choake. Ah! Cette guerre était vouée à l'échec! Dieu merci, elle est terminée.

Après une brève hésitation, Francis s'approcha en contournant la table et serra la main de son cousin.

— C'est bon de te revoir, Ross! Tu nous as manqué.

— C'est bon d'être de retour, avoua Ross, de vous revoir tous et…

25

— Voici une occasion solennelle, déclara William dont les mains osseuses s'étaient agrippées au dossier de la chaise. Une réunion de famille dans le plein sens du terme. Cette cicatrice te change beaucoup, Ross.

— C'est sans importance comparé à la claudication dont je souffre ! rétorqua Ross. Mais j'ai interrompu une réception. Est-ce la célébration de la paix ou l'attente d'une prochaine guerre ?

— Non, répondit Francis, je… euh !… en réalité…

— Nous fêtons un tout autre événement, coupa Charles en faisant signe à sa fille de remplir son verre. Francis va se marier.

— Très bien ! fit Ross en découpant sa viande. Et qui est… ?

— Elizabeth ! répondit Mme Chynoweth.

Au bout d'un instant de silence, Ross posa son couteau.

— Eli…

— Ma fille, oui.

— Puis-je vous servir à boire ? murmura Verity à Elizabeth qui venait d'atteindre le bas de l'escalier.

— Non… Non, merci.

— Je lève mon verre… à Elizabeth, bégaya Ross.

— Ce mariage nous enchante, déclara Mme Chynoweth. L'union de nos deux familles si anciennes nous emplit de joie et de fierté. Vous vous joindrez certainement à nous, pour souhaiter à Francis et à Elizabeth tout le bonheur possible.

Marchant avec précaution comme si elle manquait d'assurance, Elizabeth s'approcha de sa mère.

— Voici ton châle, maman.

— Merci, ma chérie.

— Je ne sais ce que vous en pensez, dit Charles avec vivacité après un temps mort, mais pour ma part

26

je raffole de ce porto. Il est arrivé de Cherbourg en 1779. Hélas, il ne m'en reste que douze bouteilles.

Il posa ses mains pour étaler sa bedaine contre la table.

— Dommage ! approuva Choake, secouant la tête. Il a un bouquet, vraiment !

— Alors, tu vas t'installer, Ross ? demanda Agatha en posant sur la manche du jeune homme une main ridée. Et tu vas te trouver une petite femme, hein ? Nous nous occuperons de t'en présenter une.

Ross fixa le docteur.

— Vous avez soigné mon père ? A-t-il beaucoup souffert ?

— À la fin, mais ce fut bref.

— C'est étrange qu'il ait été emporté si brutalement !

— Il n'y avait rien à faire. Il était dans un état hydropique que le pouvoir de l'homme ne parvient pas à améliorer.

— Je suis allé le voir deux fois, intervint William. Mais il n'était, hélas, pas d'humeur à accepter le réconfort spirituel que je pouvais lui offrir. J'ai été peiné de ne pouvoir être d'aucun secours à quelqu'un de mon sang.

— Goûte cette tarte, Ross, dit Verity à mi-voix derrière le jeune homme. Je l'ai moi-même préparée cet après-midi.

— Il ne faut pas que je m'attarde, je comptais ne m'arrêter que quelques instants pour vous voir et reposer mon cheval qui boite.

— Tu ne vas pas repartir ce soir. Mme Tabb t'a préparé une chambre. Ton cheval peut trébucher dans la nuit et te jeter à terre.

Ross sourit à sa cousine. Au milieu de tous ces gens, ils ne pouvaient échanger aucune réflexion intime. Francis et son père, avec moins de chaleur, se joignirent à la discussion, mais Ross avait pris sa décision.

— Bon, fais comme tu l'entends, mon garçon, dit enfin Charles. Pour ma part, je ne serais pas tenté d'arriver à Nampara en pleine nuit, dans une maison froide et humide, sans doute peu accueillante. Emmagasine un peu de chaleur pour résister au froid.

Ross obéit en buvant coup sur coup trois verres d'alcool. Après le quatrième, il se leva.

— À Elizabeth, dit-il lentement, et à Francis ! Puissent-ils trouver le bonheur ensemble…

Le toast fut porté avec moins d'enthousiasme que les autres. Elizabeth était restée debout derrière sa mère, Francis s'était rapproché d'elle pour la prendre par le bras.

— Comme ce doit être agréable, l'idée de rentrer chez soi ! s'exclama Mme Choake. Moi, je ne m'absente jamais sans éprouver une certaine allégresse à l'idée du retour. À quoi ressemble l'Amérique, capitaine ? On a l'impression que le soleil ne se lève ni ne se couche jamais de la même façon à l'étranger.

La remarque de Polly détendit un peu l'atmosphère et les bavardages recommencèrent. Plus d'un fut soulagé de constater que Ross prenait au fond assez calmement les nouvelles. Décidément, le fils de Joshua était resté énigmatique et imprévisible dans ses réactions.

— Tu reviendras dans un jour ou deux, n'est-ce pas ? lui dit Francis d'une voix bourrue quand il prit congé. Nous ignorons à peu près tout de tes expériences et de la façon dont tu as été blessé. Elizabeth rentrera chez elle demain, notre mariage doit être célébré dans un mois. Si tu as besoin de moi à Nampara, envoie-moi un message, je serai content de venir. Te revoir nous ramène au bon vieux temps! Nous avons eu peur pour ta vie, tu sais, n'est-ce pas, Elizabeth?

— Oui, répondit la jeune fille.

Ross attrapa son chapeau. Ils attendaient côte à côte que Tabb eût amené la jument de Ross. Il avait refusé le cheval frais qu'on lui avait proposé pour les quelques kilomètres qu'il lui restait à parcourir.

Francis ouvrit la porte. Le vent amena quelques bourrasques de pluie. Plein de tact, il alla voir si Tabb était là.

— J'espère que ma résurrection imprévue n'a pas assombri votre soirée, remarqua Ross.

Elizabeth le dévisagea un instant. La lumière venant de l'intérieur éclairait ses yeux gris, laissant des ombres qui lui donnaient un air maladif.

— Je suis heureuse que vous soyez revenu, Ross. J'ai eu si peur, nous avons tous eu peur... Que pouvez-vous penser de moi?

— Deux ans, c'est très long, n'est-ce pas? Trop long, peut-être.

Les soirées humides d'octobre étaient déprimantes, mais elles adoucissaient par leurs ombres les angles aigus de la ruine et de la décadence, ce qui n'était pas le cas de la lumière du jour. Après avoir parcouru l'ensemble du domaine pendant deux heures, Ross fit sortir Jud et Prudie Paynter qu'il avait découverts ivres dans la maison et qu'il avait réveillés sans ménagement, à l'aide de seaux d'eau. Ils se sentirent mal à l'aise sous son regard.

— Vous devez être fatigués après une dure journée de labeur ! railla Ross.

La tête basse, Jud le lorgna du coin de l'œil. Il avait toujours redouté Joshua mais il ne s'était jamais méfié de Ross, ce jeune homme nerveux, grand et maigre. Deux années de guerre avaient transformé le garçon.

— C'est aussi propre que possible, répondit Jud à contrecœur. J'ai ramassé des échardes à nettoyer ce maudit plancher. Je vais peut-être avoir une plaie infectée. Le poison, ça court le long du bras, dans les veines et, pfutt, vous voilà mort !

Ross posa son regard froid sur Prudie.

— Ta femme n'a pas souffert d'avoir été trempée ? Mieux vaudrait ne pas oublier le goût de l'eau ni sa sensation, on en utilise peu en prison.

— Qui parle de prison ? dit vivement Jud. Prudie n'ira pas en prison, qu'est-ce qu'elle a fait ?

— Rien de plus que toi. Dommage que vous ne puissiez partager la même cellule.

— Vous ne pouvez pas nous faire condamner pour un peu de négligence, protesta Jud. Ce n'est pas la loi, ça n'a pas de sens, ce n'est pas gentil. Vous oubliez ce qu'on a fait pour vous.

— Vous étiez les serviteurs personnels de mon père. À sa mort on vous a fait confiance. Mais je vous propose une guinée pour chaque champ qui ne sera pas envahi de mauvaises herbes, pour chaque grange qui ne tombera pas en ruine faute d'avoir été réparée à temps. Quant au verger, les pommes y pourrissent au milieu des feuilles mortes parce que personne ne s'est donné la peine de les ramasser…

— L'été a été mauvais pour les fruits, les pommes tombaient. Une horreur ! On ne peut rien faire d'une pomme qui a une bête dedans, sinon tuer la bête et manger la pomme, et à deux, on ne pouvait pas tout manger !

— Paresseux en tout, mais jamais à court d'excuses ! persifla Ross. Deux vieux porcs dans une porcherie et aussi lents à se mouvoir au milieu de leur propre crasse !

— On croyait que… on nous avait dit que…, bégaya Jud qui claqua la langue.

— Que j'étais mort ? Qui l'a prétendu ?

— Tout le monde le pensait, répondit Prudie, lugubre.

— C'est vous qui avez fait courir ce bruit ?

— Non, non, jamais ! Vous devriez même nous remercier, parce que nous, on a dit que c'étaient des histoires. Laissez tomber, que je disais. Moi, j'ai confiance, que j'ai expliqué. Et Prudie m'a soutenue. Est-ce qu'on a cru à un mensonge pareil, Prudie ?

— Grand Dieu, non !

— Mon oncle vous a toujours considérés comme des bons à rien et des parasites. Je m'arrangerai pour que votre cas soit jugé par lui.

Ils se tenaient là, hésitants, mi-furieux, mi-inquiets. Quel que fût leur sentiment de culpabilité, il était depuis longtemps noyé sous les justifications qu'ils ne parvenaient pas à formuler. Il ne leur restait plus que l'indignation d'être si rudement attaqués.

— Nous n'avons pas quatre mains chacun, s'écria Jud.

— Il y a eu beaucoup d'attaques de fièvre en prison cette année, observa Ross qui n'était pas d'humeur à rire. Et vous manquerez de gin, là-bas.

Il se détourna, les abandonnant à leurs terreurs.

31

Dans l'obscurité des écuries du Lion-Rouge, Ross avait cru que sa jument de location était blessée. À la lumière du jour, il constata qu'elle n'était que mal ferrée. Le lendemain, il se rendit à Truro pour traiter avec le patron du Lion-Rouge. Celui-ci n'était pas certain d'avoir le droit après un délai aussi court de disposer d'un cheval qui lui avait été remis en garantie, mais il finit par céder devant l'obstination de Ross.

Profitant de son passage en ville, Ross dépensa une partie de son maigre capital à l'achat de deux jeunes bœufs, que Jud viendrait prendre plus tard. Pour exploiter les champs, des bêtes de labour étaient nécessaires.

Après quelques autres achats, il rentra une heure plus tard et trouva Verity qui l'attendait. L'espace d'une seconde, il l'avait prise pour Elizabeth.

— Tu n'es pas venu me voir, mon cousin, lui reprocha la jeune fille, c'est donc moi qui me suis déplacée.

Il se pencha pour l'embrasser sur la joue.

— Tu aurais dû m'envoyer un mot. J'étais à Truro, Jud te l'a dit ?

— Oui, il m'a proposé un fauteuil de jardin, mais j'ai craint de le faire craquer en m'asseyant. Ta pauvre maison !

Il considéra le bâtiment. La serre était recouverte de volubilis géants qui, après avoir fleuri, commençaient à pourrir.

— On peut la remettre en état.

— J'ai honte parce que nous ne nous en sommes pas suffisamment occupés, avoua-t-elle. J'aurais dû venir plus souvent. Ces Paynter…

— Tu avais tes propres activités.

— Oui, bien sûr, mais ce n'est pas une excuse. Maintenant que les récoltes sont rentrées, nous pouvons enfin un peu respirer.

Il baissa les yeux pour la regarder. Elle n'avait pas changé, petite silhouette soignée, à la grande bouche généreuse et aux cheveux ébouriffés. Venue à pied de Trenwith, elle avait jeté un manteau sur son costume de travail et n'avait pas mis de chapeau.

Ils marchèrent vers les écuries.

— Je viens d'acheter une jument, dit-il. Tu vas la voir. Le vieux Sire est irrémédiablement perdu et le grand Ramoth ne voit pas suffisamment pour éviter pierres et ornières.

— Parle-moi de ta blessure. En souffres-tu encore beaucoup ? Quand as-tu été blessé ?

— Oh ! il y a longtemps, à James River, mais ce n'est rien !

— Tu as toujours dissimulé tes blessures, n'est-ce pas ? dit-elle en le fixant.

— Voici la jument. Je l'ai payée six guinées, une bonne affaire, non ?

— Mais… elle boite… Francis disait que… cette jambe droite…

— Elle sera rétablie plus vite que la mienne. Dommage qu'on ne puisse guérir toutes les blessures en changeant de sabot !

— Comment s'appelle-t-elle ?

— À toi de la baptiser !

Verity rejeta d'un geste ses cheveux en arrière et fronça le sourcil.

— Voyons… je l'appellerai Ténébreuse.

— Pour quelle raison ?

33

— À cause de cette raie sombre. Et aussi en hommage à son nouveau propriétaire !

Il éclata de rire et se mit à desseller Ramoth et à le bouchonner pendant que sa cousine bavardait, adossée à la porte de l'écurie. Charles se plaignait que sa fille manquât de grâce, voulant dire qu'elle était incapable de ce babillage aimable qui donne du piment à la vie. Avec Ross, Verity ne restait jamais muette.

Il l'invita à dîner, mais elle refusa.

— Je ne vais pas tarder à te quitter, j'ai beaucoup à faire maintenant que papa est moins valide.

— Et tu t'en réjouis, je suppose, tu as toujours été si active ! Viens d'abord jusqu'à la mer avec moi. Tu ne reviendras peut-être pas de sitôt.

Elle accepta, contente de voir sa compagnie appréciée. Ils partirent bras dessus, bras dessous comme dans leur enfance, mais comme la claudication de Ross se remarquait davantage ainsi, il se libéra et prit la jeune fille par les épaules.

Pour gagner la mer depuis la maison, le plus court était d'escalader un mur de pierre et de sauter sur la plage. Mais ce jour-là, ils choisirent de grimper le long du champ qui s'étendait derrière la maison et de suivre le chemin que Joshua avait arpenté en rêve peu de temps avant sa mort.

— Tu auras du mal à remettre tout en ordre, observa Verity en regardant autour d'elle. Il faut te faire aider.

— On y passera l'hiver.

Elle le scruta, cherchant à deviner ce qu'il pensait.

— Tu ne songes pas à repartir, Ross ?

— Je le ferais rapidement si j'avais de l'argent ou si je ne boitais pas ! Mais, avec ces deux handicaps…

— Comptes-tu garder Jud et Prudie ?

— Ils ont accepté de travailler sans gages. Je les garderai jusqu'à ce qu'ils aient sué une partie du gin qu'ils ont absorbé ! Ce matin, j'ai aussi engagé un gars du nom de Carter, qui cherchait du travail. Tu le connais ?

— Un des enfants de Constance Carter, de Grambler ?

— Je crois. Il a travaillé à Grambler, mais le travail en sous-sol était trop pénible pour lui. Il n'y a pas assez d'air à cent mètres de profondeur pour chasser la poudre de mine et il m'a expliqué qu'il s'était mis à tousser le matin. Il est donc obligé d'accepter un travail à l'extérieur.

— Ce doit être Jim, l'aîné ! Son père est mort jeune.

— Je ne peux m'offrir le luxe d'entretenir des impotents, mais il me paraît honnête et courageux. Il débutera demain matin à 6 heures.

Ils parvinrent au bord de la falaise, à quelque vingt-cinq mètres au-dessus de la mer. Sur la gauche, les falaises descendaient dans la crique de Nampara avant de remonter en pente plus escarpée vers Sawle. À l'est, au-dessus de la plage de Hendrawna, la mer paraissait ce jour-là très calme, d'un gris fumé avec des taches mouvantes mauves et vertes. Les vagues formaient des ombres, semblables à des serpents, presque imperceptibles jusqu'au moment où elles se transformaient en ondulations blanches d'écume.

La douce brise marine effleurait la chevelure de Verity, la marée se retirait. Plus loin, la mer s'agita et se troubla sous les nuages qui arrivaient. Ross avait mal dormi la veille. Sous cet éclairage, avec ses prunelles gris-bleu à demi cachées sous ses lourdes paupières et la cicatrice qui lui barrait la joue, son visage revêtait une expression d'étrange inquiétude.

— Tu as été surpris d'apprendre… pour Francis et Elizabeth…, murmura Verity en détournant le regard.

— Je n'avais aucun droit sur elle.

— C'est arrivé d'une façon bizarre, reprit-elle en hésitant. Francis l'avait à peine vue jusqu'à l'été dernier. Ils se sont rencontrés chez les Pascoe et dès lors, il n'a plus eu… d'autre sujet de conversation. Naturellement, je lui ai raconté que tu avais été… très lié avec elle, mais elle le lui avait déjà révélé.

— Gentil de sa part…

— Ross… Je suis certaine qu'aucun d'eux n'a voulu être déloyal. Simplement… C'est arrivé. Cela ne dépendait pas d'eux et c'est ainsi. Je… je connais Francis, il n'a pas pu s'en empêcher.

— Les prix ont terriblement augmenté en mon absence, remarqua Ross. J'ai payé trois shillings et trois pence le mètre de toile de Hollande aujourd'hui. Toutes mes chemises ont été mangées par les mites.

— Ensuite, le bruit a couru que tu avais été tué, poursuivit Verity. Je ne sais d'où c'est venu, mais les Paynter étaient ceux qui en tiraient le plus d'avantages.

— Ainsi que Francis !

— C'est vrai, mais ce n'est pas lui.

Le regard tourmenté de Ross restait fixé sur la mer.

— J'aimerais pouvoir t'aider, Ross, dit Verity en lui serrant le bras. Tu viendras souvent, n'est-ce pas ? Pourquoi ne viendrais-tu pas dîner avec nous tous les soirs ? Ma cuisine est meilleure que celle de Prudie.

— Non, il faut que je m'en sorte seul. Quand doivent-ils se marier ?

— Le 1er novembre.

— Si vite ? Je croyais que ce ne serait pas avant un mois.

— Ils en ont décidé ainsi hier au soir. Le mariage aura lieu à Trenwith, car cela convient mieux à tout le monde. Elizabeth et ses parents arriveront en voiture le matin.

Elle poursuivit son bavardage, consciente d'être à peine écoutée, mais désireuse d'aider Ross en cette période difficile. Puis elle se tut, comme lui, et contempla la mer.

— Si j'étais certaine de ne pas te déranger cet hiver, dit-elle, je viendrais aussi souvent que je pourrais. Si...

— Cela m'aiderait plus que n'importe quoi.

Ils retournèrent vers la maison, sans que Ross se fût aperçu que Verity avait rougi jusqu'à la racine des cheveux.

Ainsi, le mariage aurait lieu dans moins de quinze jours. Ross accompagna sa cousine jusqu'à l'orée du bois et la regarda s'éloigner rapidement vers Grambler.

Au-delà de la montée qui bordait Nampara Combe, au sud-est, s'étendait une vallée où se blottissait le petit village de Mellin. La terre appartenait aux Poldark et les six maisons étaient disposées de telle sorte que chacun surveillait les allées et venues de ses voisins. Il y avait là les Triggs, les Clemmow, les Martin, les Daniel et les Vigus. Ce fut à eux que Ross s'adressa, en quête de main-d'œuvre.

En se rendant chez les Martin, Ross passa devant trois pavillons. Devant la porte du premier, Joe Triggs prenait le soleil en fumant. C'était un mineur d'une cinquantaine d'années, paralysé par ses rhumatismes et entretenu par sa tante qui gagnait tout juste de quoi vivre en vendant du poisson à Sawle. Triggs ne paraissait pas avoir bougé pendant les vingt-huit mois d'absence de Ross. L'Angleterre avait cependant perdu un empire à l'ouest, assuré son emprise sur un autre à l'est, combattu seule contre les Américains, les Français, les Hollandais, les Espagnols et Hyder Ali de Mysore. Des gouvernements, des flottes et des nations s'étaient affrontés et avaient été détruits. En France, des ballons s'étaient élevés dans les airs. Tant d'événements s'étaient produits, mais Triggs, lui, n'avait pas changé. Chaque jour pour lui ressemblait tant au précédent que tous se confondaient en un dessein immuable et s'écoulaient avec monotonie.

Tout en parlant au vieil homme, Ross examinait les autres maisons. Celle d'à côté était vide depuis que la famille qui l'occupait avait été décimée en 1779 par la variole, et elle avait maintenant perdu une partie de son toit. La suivante, occupée par les Clemmow, avait un peu meilleure allure, mais Elie, le plus jeune et le plus intelligent des deux frères, avait pris un emploi de laquais à Truro.

Les trois maisons d'en face étaient en bon état. Les Martin et les Daniel étaient des gens corrects et Nick Vigus était assez malin pour veiller à l'entretien de son logis. Mme Martin, au visage jovial, l'introduisit dans la pièce unique et sombre du rez-de-chaussée. Trois enfants jouaient en gazouillant sur le sol en terre battue. Ross constata la présence de deux nouveaux venus, ce qui portait à onze le nombre des enfants, et Mme Martin était de nouveau enceinte ! Quatre des enfants travaillaient déjà à la mine de Grambler, où Jinny, la fille aînée, était employée au broyage du minerai. Les trois suivants étaient justement ceux dont Ross avait besoin pour nettoyer ses champs.

Par cette matinée ensoleillée, avec le bruit, l'odeur et la vue de ses terres autour de lui, la guerre dont il avait été un des acteurs paraissait imaginaire et lointaine. Il se demanda si le monde réel était celui dans lequel des hommes combattaient au nom de principes, mouraient ou survivaient glorieusement, mais souvent misérablement, pour l'amour d'un mot abstrait tel que patriotisme ou indépendance, ou plutôt si la réalité appartenait à l'humble peuple et à la terre commune.

À cet instant, Jinny rentra après la relève de son équipe. Elle apparut hors d'haleine et fut sur le point de dire quelque chose lorsqu'elle vit Ross. Elle se tut en exécutant une révérence maladroite.

— Ma fille aînée, présenta Mme Martin, croisant les bras sur son giron plantureux. Dix-sept ans le mois dernier. Qu'y a-t-il, petite, as-tu oublié M. Ross ?

— Non, maman, bien sûr. Ce n'est pas ça.

S'approchant du mur, elle dénoua son tablier et retira son gros bonnet de toile.

— C'est une belle fille, remarqua Ross, l'air absent, vous pouvez être fière d'elle.

Jinny rougit sous le regard de sa mère.

— Robert t'a encore chahutée ? demanda-t-elle.

Une ombre se déplaça devant la maison et Ross distingua la haute silhouette de Robert Clemmow marchant à grands pas vers son pavillon. Il était vêtu de son treillis de mineur, coiffé du chapeau rigide avec une chandelle piquée devant dans de l'argile. Il portait quatre outils d'excavation, dont une lourde foreuse.

— Il me suit tous les jours, se plaignit la jeune fille avec des larmes d'exaspération. Il m'ennuie à marcher près de moi, sans rien dire, en me regardant. Pourquoi ne me laisse-t-il pas tranquille ?

— Allons, du calme, dit la mère. Va dire aux trois jeunes diablotins de rentrer s'ils veulent manger quelque chose.

Ross saisit l'occasion pour se lever et la jeune fille sortit en courant pour appeler d'une voix aiguë les trois petits qui travaillaient dans le carré de pommes de terre.

— Robert la suit partout et c'est pour nous un grand souci, confia Mme Martin. Jackie lui a déjà donné deux avertissements.

Debout à la porte de sa maison, Robert guettait Jinny, la suivait de son regard pâle et trouble. Les Clemmow avaient toujours été un souci pour leurs voisins. Le père, sourd-muet, souffrait de crises d'épilepsie qui lui avaient laissé un visage tordu dont se moquaient les gosses. La mère, sous une apparence convenable, recelait en elle les pires instincts. Ross se souvenait de l'avoir vue publiquement fouettée pour avoir vendu des mélanges de sorcière. Elle et son mari étaient morts depuis quelques années, mais les Clemmow n'en avaient pas pour autant cessé d'avoir des ennuis.

— Il vous a fait des histoires pendant mon absence ?

— Robert ? Non, si ce n'est qu'il s'est un jour jeté sur Nick Vigus qui le tourmentait. Nous ne pouvons pas l'en blâmer, car je serais moi-même capable de le faire parfois.

Ross songea qu'en revenant à la simple existence de paysan on ne pouvait échapper à ce genre de tracas. Il avait troqué la responsabilité d'une compagnie d'infanterie pour celle du bien-être du peuple vivant sur sa terre. Il ne serait pas un châtelain au plein sens du terme, mais il n'en gardait pas moins les responsabilités.

— Vous croyez qu'il veut du mal à Jinny ?

— On ne peut le dire, avoua Mme Martin. Mais, si cela arrivait, il ne passerait pas en justice. Pourtant, admettez-le, monsieur, c'est une angoisse pour une mère.

Robert s'aperçut qu'il était observé. Il fixa bêtement Ross et Mme Martin, se détourna et entra dans sa maison en claquant la porte derrière lui.

Jinny revint accompagnée des trois enfants. Elle était propre et soignée, avec de beaux yeux noisette, un teint clair légèrement tacheté de son sur le nez, une épaisse chevelure auburn. Cette jolie créature devait avoir de nombreux admirateurs dans la région. Il était peu surprenant qu'elle dédaignât Robert qui était faible d'esprit et avait près de quarante ans.

— Si Robert vous ennuie, prévenez-moi, j'irai lui parler, dit Ross.

— Merci, monsieur, nous vous en serions reconnaissants. Peut-être que, si vous lui parliez, il en tiendrait compte.

2

Ross passa devant le bâtiment des machines de Wheal Grace, la mine qui avait fait, puis englouti, la prospérité de son père. Elle se trouvait sur la colline, sur le flanc opposé à Wheal Maiden, et avait été exploitée des siècles plus tôt. Joshua s'était servi des installations anciennes et avait rebaptisé l'entreprise du nom de sa femme. Ross se dit qu'il allait reprendre l'affaire ; tout travail en effet valait mieux que de broyer du noir à longueur de journée.

Dans l'après-midi, revêtu d'une des tenues que son père utilisait pour aller visiter les mines, Ross s'apprêtait à quitter la maison quand il vit un cavalier descendre dans la vallée : c'était Francis.

Élégamment vêtu, le jeune homme montait un beau cheval bai. Quand il s'arrêta devant Ross, sa monture se cabra.

— Allons, Rufus, du calme, mon vieux. Salut, Ross !

Il mit pied à terre, souriant, amical.

— Du calme, Rufus ! Tu as à faire à Grambler, Ross ?

— Non, je vais examiner Wheal Grace.

— C'est une vieille loque ! Tu n'espères pas la remettre en activité ?

— Même les loques ont leur utilité. Je fais l'inventaire de mes biens, qu'ils aient ou non de la valeur.

— Tu as raison, admit Francis en rougissant. Tu es pressé ?

— Descends avec moi, suggéra Ross. Mais peut-être ne te soucies-tu plus de pareilles aventures, dans cette tenue, surtout ?

— Je t'accompagne, bien entendu, protesta Francis. Prête-moi un vieux costume de ton père.

Francis confia son cheval à Jud qui rentrait des champs. Ils pénétrèrent dans la maison et Ross alla chercher des vêtements convenables parmi ceux que les Paynter n'avaient pas vendus.

En se rendant à la mine, Ross se força, pour rompre la gêne, à parler de son expérience américaine. Après un mois passé en Irlande avec son régiment, il avait été expédié comme enseigne. Il avait vécu trois mois trépidants à combattre sous le commandement de lord Cornwallis. Il évoqua l'avance vers Portsmouth, la soudaine attaque des Français au moment où ils traversaient la James River, l'aventure de La Fayette. Il raconta comment une balle de mousquet l'avait blessé à la cheville et expédié à New York, lui permettant ainsi d'échapper au siège de Yorktown. Plus tard, il avait été atteint au visage par une baïonnette au cours d'une escarmouche tandis qu'étaient signés les accords préliminaires de paix.

Ils arrivèrent au bâtiment des machines et Francis scruta le puits.

— À quelle profondeur sont-ils descendus ? demanda-t-il.

— Pas plus de cinquante mètres, je crois. La plus grande partie doit actuellement être sous l'eau, mais je me souviens que mon père disait que, généralement, l'assèchement se faisait tout seul.

— Nous avons commencé à travailler au niveau de treize mètres et les perspectives s'annoncent belles. Depuis quand n'a-t-on pas utilisé cette échelle ?

— Dix ans, probablement. Abrite-moi, veux-tu ?

La forte brise les gênait pour allumer les chandelles fixées sur leurs chapeaux. Quand ils furent prêts, Ross tint à essayer l'échelle le premier.

Les douze premiers barreaux semblaient assez solides et Francis suivit son cousin. Le puits était suffisamment large et l'échelle, fixée sur le côté, supportait par intervalles des plates-formes de bois. Une partie de l'équipement de pompage était en place mais, plus bas, il avait disparu. À mesure que les deux jeunes gens s'éloignaient de la lumière, leur parvenait une forte odeur d'eau stagnante.

Ils atteignirent sans incident le premier niveau. À la lueur fumante et clignotante de sa chandelle, Ross examina la petite ouverture du tunnel. Il décida de descendre d'un niveau, et le cria à Francis avant de reprendre la descente. À un moment, ce dernier délogea une pierre qui dégringola sur la plate-forme inférieure et atterrit avec un plouf dans l'eau invisible.

Les barreaux devenaient dangereux. Il fallait en franchir plusieurs à la fois et l'un céda au moment où Ross s'appuyait de tout son poids. Son pied se posa sur le suivant qui était sain.

— Si jamais j'ouvre une mine, j'installerai des échelles métalliques, cria-t-il, et l'écho de sa voix se répercuta dans l'espace confiné.

— C'est ce que nous comptons faire quand la situation s'améliorera à Grambler, répondit Francis. Le père de Bartle s'est tué à cause d'un barreau cassé.

Ross sentit ses pieds se glacer. Il se pencha pour scruter l'eau huileuse qui lui obstruait le passage. Le niveau de l'eau avait dû baisser dernièrement car, autour, les murs étaient couverts d'une vase verte.

Ross descendit deux barreaux plus bas, jusqu'à ce que l'eau lui vînt aux genoux, et quitta l'échelle pour se retrouver dans le tunnel.

— Quelle puanteur! s'exclama Francis. Il doit y avoir des rats crevés là-dedans!

Les murs étaient tachés par l'eau de vert et de marron et, par endroits, le plafond était si bas que les jeunes gens durent se baisser pour passer. Dans l'air vicié et humide, les chandelles menacèrent une ou deux fois de s'éteindre. Francis rattrapa son cousin là où la galerie s'élargissait en caverne. Ross examinait le mur où une excavation avait été commencée.

— Regarde, fit-il, le doigt pointé. Regarde ce sillon d'étain... Ils ont pris la mauvaise galerie. Nous savons comme les obstacles ont été grands à Grambler.

Francis trempa son doigt dans l'eau et frotta la roche où apparaissait une légère tache sombre d'étain.

— Tu n'as pas vu nos chiffres de dépenses depuis ton retour? Les bénéfices ont une fâcheuse tendance à sauter du mauvais côté du registre.

— À Grambler, vous êtes allés trop profondément. Les moteurs coûtaient une fortune quand je suis parti. Ici, une petite machine suffirait et la galerie serait exploitable même sans pompage.

— N'oublie pas que c'est l'automne.

Ross fixa l'eau croupissante et leva les yeux vers le plafond. Son cousin avait raison. Ils avaient pu progresser aussi loin à cause de la sécheresse de l'été. L'eau montait maintenant et dans quelques jours, quelques heures peut-être, il ne serait plus possible de venir.

— Ross… tu sais, n'est-ce pas, que je dois me marier la semaine prochaine ?

Ross se raidit.

— Verity me l'a dit, répondit-il.

— Elle m'a déclaré que tu ne voulais pas assister à la cérémonie.

— Oh ! je ne l'ai pas dit en ces termes ! En fait, ma maison ressemble à Carthage après un pillage et, de plus, je n'ai jamais apprécié les cérémonies… Je me demande s'il ne serait pas possible d'assécher ces vieilles installations au moyen d'une galerie qui partirait au-delà de Marasanvose.

Il repartit et Francis le suivit. Çà et là, les chandelles projetaient des ombres enfumées et des reflets sur l'eau noire. Le tunnel se rétrécit en forme de tube d'environ un mètre cinquante de haut sur un mètre de large.

Francis éprouva bientôt le besoin de respirer l'air frais, de redresser son dos, de se libérer du poids des tonnes de roches au-dessus de lui.

— Il faut que tu viennes à notre mariage, dit-il. Nous serions peinés de ne pas t'y voir.

Sa chandelle grésilla sous l'effet d'une goutte d'eau.

— Oh ! tu sais, la population se fatiguera vite de commenter mon absence ! persifla Ross.

— Tu es bien amer, aujourd'hui ! C'est pour nous qu'il faut que tu viennes. Pour moi et…

— Pour Elizabeth ?

— Elle tient particulièrement à ta présence.

— Très bien, répondit Ross après réflexion. À quelle heure ?

— Midi. George Warleggan sera mon garçon d'honneur. Si j'avais su que tu...

Les deux hommes continuaient péniblement leur progression. Ross remarqua :

— Tiens, le sol monte un peu. Tournons vers le nord.

— Ce ne sera pas un grand mariage, reprit Francis. Il n'y aura que nos familles et quelques amis proches. C'est le cousin William qui officiera, assisté de M. Odgers. Ross, je voudrais t'expliquer...

— L'air s'assainit, coupa Ross, sinistre, en continuant à avancer.

En contournant l'angle du tunnel, il fit dégringoler une pluie de pierres qui clapotèrent dans l'eau. Ils montèrent de quelques mètres et se trouvèrent presque sortis de l'eau. Sans cesser de grimper, ils atteignirent un puits d'aération creusé pour améliorer un peu les conditions de travail. Comme le puits principal, celui-ci descendait profondément, il était empli d'eau et traversé par un étroit pont de planches. Aucune échelle ne donnait accès à ce puits.

Les deux hommes levèrent la tête vers le petit cercle de jour au-dessus d'eux.

— Nous sommes probablement du côté du chemin de Reen-Vollas, remarqua Ross.

— Ou à l'extrémité des dunes. Écoute, Ross, je voudrais t'expliquer... La première fois que j'ai rencontré Elizabeth, au printemps dernier, je n'avais aucune intention de m'insinuer entre elle et toi. Ce fut un coup de foudre entre nous...

Ross tourna vers lui un visage crispé et menaçant.

— Par le diable ! cria-t-il. Ne suffit-il pas que... ?

Son expression était telle que Francis recula sur le pont qui s'effondra. Francis se débattit dans l'eau. Tout s'était produit en un éclair. Ross n'eut que le temps de songer : « Il ne sait pas nager. »

Dans la semi-obscurité, Francis réapparut à la surface, un bras, des cheveux blonds, le chapeau qui flottait. Penché sur le bord du puits, presque déséquilibré, Ross ne put l'atteindre. Il ne voyait qu'un visage désespéré dans l'eau visqueuse. Il tira un bout de planche et le lança vers son cousin. Un clou s'accrocha à l'épaule de la veste de Francis et la déchira. Une main attrapa le bout de bois et Ross tira à nouveau. Les deux hommes s'agrippèrent l'un à l'autre avant que le bois ne cassât. Ross banda ses muscles en s'appuyant sur la roche glissante et hala son cousin pour le sortir du puits.

Ils restèrent quelques instants assis sur le bord de la fosse, Francis haletant et crachant l'eau qu'il avait ingurgitée.

— Mais enfin, pourquoi cette colère ? bafouilla-t-il, furieux.

— Et toi, pourquoi n'apprends-tu pas à nager, bon sang ?

Un autre silence s'ensuivit. L'accident avait libéré en eux des émotions qui demeurèrent un moment suspendues dans les airs comme un gaz dangereux, impossibles à définir mais réelles.

Francis regarda son cousin du coin de l'œil. Le premier soir du retour de Ross, il s'attendait à le voir déçu et amer, ce qui était compréhensible. Mais, avec son insouciance habituelle, il n'avait pas mesuré l'intensité du bouleversement de Ross derrière son expression énigmatique. Maintenant, il savait.

Les deux hommes avaient perdu leurs chandelles et n'en avaient pas de rechange. Francis regarda le disque de jour au-dessus d'eux. Mais aucune échelle ici n'y conduisait. Le trajet du retour, en tâtonnant dans le noir, serait fort désagréable…

Dans la semaine qui précéda le mariage de Francis, Ross ne quitta qu'une fois son domaine, pour se rendre au cimetière de Sawle. Joshua ayant exprimé le désir d'être enterré avec sa femme, Ross n'avait donc qu'une tombe à visiter.

Quatre jours plus tard, Ross retournait à l'église pour enfouir les espoirs qu'il avait nourris pendant plus de deux ans. Il n'avait cessé de garder en arrière-plan dans son esprit la vague conviction que d'une façon ou d'une autre ce mariage ne se ferait pas.

L'église de Sawle se dressait à un kilomètre du village, à l'entrée de la route. L'autel avait été décoré de chrysanthèmes dorés, et quatre musiciens jouaient des hymnes sur des violons et des basses de viole. Il y avait une vingtaine d'invités. Ross s'assit en avant, sur un de ces bancs hauts si pratiques si l'on voulait sommeiller, et il garda les yeux fixés sur les deux silhouettes agenouillées tout en écoutant la voix monotone de William prêcher et forger les liens de cette union.

Ce fut très vite fini et, peu après, tous se retrouvèrent dehors où s'étaient rassemblés une cinquantaine d'habitants de Sawle, de Trenwith et de Grambler. Ils se tenaient à distance respectueuse et acclamèrent spontanément les mariés quand ils apparurent sur le seuil de l'église.

Le ciel était clair et le soleil intermittent entre les nuages gris-blanc que le vent frais poussait avec nonchalance. Un voile de dentelle ancienne ondulait autour d'Elizabeth, la faisant paraître irréelle et éthérée. Elle ressemblait à un petit nuage qui aurait perdu son chemin et se serait trouvé pris dans une procession de terriens. Le jeune couple prit place dans un coche qui partit, précédant les invités à cheval.

Elizabeth était arrivée avec ses parents dans le coche de la famille Chynoweth, après un voyage cahotant sur les routes étroites et parsemées d'ornières, au milieu d'une brume de poussière qui se posait sur les curieux attardés sur le bord de la chaussée. L'apparition d'un tel véhicule dans cette région stérile était en effet un événement d'importance; on connaissait surtout le cheval et les équipages de mules en fait de moyens de transport. La nouvelle se répandit plus vite que ne roulaient les larges roues cerclées de fer.

Parvenu à la route, le cocher mit ses chevaux au trot. Sur le siège arrière, Bartle actionna une trompe. L'équipage se présenta en beau style devant la maison de Trenwith, parmi quelques-uns des cavaliers qui avaient suivi.

Le banquet qui avait été préparé rejeta au second plan les autres festivités.

Après avoir quitté Trenwith beaucoup plus tard dans la soirée, Ross parcourut des kilomètres à cheval, en aveugle, cependant que la lune grimpait dans le ciel. Quand Ténébreuse claudiqua de nouveau, il se décida à rentrer. La nuit était bien entamée lorsque la cheminée brisée de Wheal Grace apparut. Il descendit dans la vallée, dessella Ténébreuse et entra dans la maison. Il avala un verre de rhum et, dans sa chambre, s'étendit tout habillé. Mais ses yeux n'étaient pas fermés quand l'aube parut, blanchissant les fenêtres.

Pour lui c'était l'heure la plus sombre.

3

Le début de l'hiver parut à Ross interminable. Les brumes envahissaient la vallée au point de couvrir d'humidité les murs de la maison de Nampara et la rivière était en crue.

Seule Verity vint souvent, représentant le lien de Ross avec sa famille. Ils parcouraient ensemble des kilomètres à pied, parfois sous la pluie, le long des falaises quand le ciel et la mer étaient assombris par des nuages bas, parfois sur la plage où les vagues les éclaboussaient. Ross marchait à grandes enjambées, écoutant, parlant plus rarement, et Verity trottinait à ses côtés, les cheveux dans la figure et les joues colorées par le vent.

Un jour de la mi-mars, elle s'attarda plus que de coutume.

— Comment va ta cheville, Ross ?

— Je la sens un peu.

Ce n'était pas tout à fait exact, mais il se contraignait à marcher normalement malgré la douleur.

Elle avait apporté quelques conserves qu'elle se mit à aligner sur les étagères.

— Si tu es à court de fourrage, tu peux te servir chez nous. Nous avons aussi des graines de radis et d'oignons, si tu en veux.

— Merci, répondit-il après avoir hésité. J'ai planté des petits pois et des haricots, la semaine dernière.

— Crois-tu pouvoir danser, Ross ? demanda-t-elle en étudiant une étiquette sur un pot.

— Pour quelle raison ?

— Je ne parle pas de la danse écossaise ou de la matelote, mais d'un bal. Il y en a un à Truro lundi prochain, ce sera le lundi de Pâques.

— Je pourrais si j'en avais envie, avoua-t-il. Comme ce n'est pas le cas…

Elle le dévisagea un instant. Le rude travail de l'hiver avait rendu Ross plus pâle et plus mince. Il buvait et pensait trop. Elle se le rappela quand il était exalté, insouciant, bavard et joyeux. Il avait alors l'habitude de chanter. Mais cet homme sombre et décharné était pour elle un étranger, et de cela, la guerre était responsable autant qu'Elizabeth.

— Tu es encore jeune, insista-t-elle. Il y a de la vie en Cornouailles, si tu le veux. Pourquoi ne viendrais-tu pas ?

— Tu iras ?

— Si quelqu'un m'y emmène.

La Salle des Conseils était pleine quand Ross et Verity y arrivèrent, toute l'élite de Cornouailles était là.

Ross s'était vêtu avec soin d'un costume de velours noir orné de boutons d'argent. Verity avait aussi fait un effort inattendu de coquetterie. Le brocart cramoisi de sa robe l'éclairait et adoucissait le hâle de son visage ouvert. Ross ne l'avait jamais vue aussi jolie.

Mme Teague et ses cinq filles étaient là, dans le groupe réuni par Jane Pascoe auquel devaient se joindre Ross et sa cousine. Tandis qu'on échangeait des politesses, le jeune homme posa tour à tour son regard nostalgique sur les cinq jeunes filles, se demandant pourquoi aucune d'elles n'était encore mariée. Fanny, l'aînée, était blonde et jolie, mais les autres étaient brunes et de moins en moins séduisantes par ordre d'âge décroissant, comme si l'inspiration avait peu à peu quitté Mme Teague à mesure qu'elle procréait !

Pour une fois, les hommes étaient assez nombreux, et Mme Teague les observait avec complaisance. Ils étaient sept dans le groupe et Ross était le plus âgé. Il ressentit cette différence d'âge – les autres paraissaient si jeunes avec leurs poses artificielles et leurs compliments stupides. Ils l'appelèrent capitaine Poldark et le traitèrent avec un respect qu'il ne recherchait pas.

Comme il était là pour faire plaisir à Verity, Ross décida d'entrer dans le jeu et il alla d'une jeune fille à l'autre, présentant les compliments attendus pour recevoir des réponses tout aussi banales. Il se retrouva bavardant avec Ruth, la plus jeune et la moins jolie des sœurs Teague. Elle se tenait un peu à l'écart de ses sœurs et de sa toute-puissante mère. C'était son premier bal et elle paraissait nerveuse et désemparée.

— Puis-je avoir le plaisir de la seconde danse ? demanda Ross.

— Merci, monsieur, balbutia Ruth, écarlate. Si maman me le permet…

— J'y veillerai, riposta-t-il en souriant et en s'éloignant pour présenter ses respects à lady Whitworth.

Quelques instants plus tard, il se tourna vers Ruth et vit qu'elle avait blêmi. Était-il si horrible avec son visage balafré ? Ou était-il poursuivi par la réputation que son père avait attachée à leur nom et qui flottait comme un relent de péché? Un autre homme venait de se joindre au groupe et discutait avec Verity. Cette silhouette musclée et calme, aux cheveux coiffés sans recherche, lui était familière… Ross reconnut le capitaine Blamey, le marin de Falmouth, rencontré au mariage de Francis.

— Capitaine, dit-il, c'est une surprise de vous voir ici.

Ils parlèrent un moment de bateaux, Blamey s'exprimant surtout par monosyllabes sans quitter Verity des yeux. Quand l'orchestre attaqua, Ross entraîna sa cousine.

— Danses-tu la suivante avec Blamey? s'enquit-il.

— Oui. Cela t'ennuie?

— Pas du tout. J'ai invité Ruth Teague.

— Quoi! la plus jeune? Comme tu es gentil!

Quand Ross vint chercher la jeune fille, il sentit sa main glacée sous le gant de dentelle rose. Elle restait nerveuse et il se demanda comment il pouvait la mettre à l'aise. Une pauvre et simple petite créature, mais à mieux la regarder – ce qu'il pouvait se permettre puisqu'elle gardait les yeux baissés – elle méritait quelque attention. Elle avait un menton étrangement volontaire, un éclat surprenant sous son teint jaunâtre, des yeux en amande qui lui donnaient une certaine originalité. Sa cousine mise à part, c'était la première femme que Ross rencontrait qui n'usait pas d'un parfum violent. Il éprouva de la sympathie pour cette jeune fille qui était saine et naturelle comme Verity.

En bavardant, il réussit à la faire sourire et, aussitôt, oublia sa cheville douloureuse. Ils dansèrent une fois encore ensemble et Mme Teague haussa un sourcil étonné.

— Quelle belle assistance ! observa lady Whitworth assise auprès d'elle. Nos enfants doivent beaucoup s'amuser. Qui est cet homme qui a distingué la petite Ruth ? J'ai oublié son nom.

— Le capitaine Poldark, le neveu de Charles.

— Quoi ! Le fils de Joshua ! Et je ne le reconnaissais pas ! Il ne ressemble pas du tout à son père, il n'est pas aussi beau. Et pourtant, on le remarque… sa cicatrice, peut-être. Il s'intéresse à la petite ?

— C'est ainsi que naît l'intérêt, non ? riposta Mme Teague.

— Bien entendu, ma chère. Mais comme ce serait embarrassant pour vos deux aînées si Ruth se fiançait avant elles.

Après la danse, Ruth revint s'asseoir auprès d'elles. Son visage était maintenant animé, ses yeux brillaient. Mme Teague mourait d'envie de l'interroger, mais elle ne pouvait rien dire en présence de lady Whitworth. Elle connaissait aussi bien que son amie la réputation de Joshua. Ross représentait une proie de choix pour la petite Ruth.

— Verity est tout à fait gracieuse ce soir, dit Mme Teague pour distraire l'attention de sa voisine. Je ne l'ai jamais vue aussi resplendissante.

— La compagnie des jeunes, sans doute. Je constate également la présence du capitaine Blamey.

— Un cousin de Roseland Blamey, je suppose.

— Ils préfèrent, paraît-il, parler d'une parenté éloignée. Il circule beaucoup de bruits sur lui…

Le capitaine Blamey s'inclinait devant sa cavalière.

— Il fait chaud ici, observa-t-il. Voulez-vous un rafraîchissement ?

Aussi peu loquace que lui, Verity approuva d'un signe de tête. Ils se réfugièrent dans un coin où ils burent du vin clairet tout en regardant les gens aller et venir.

« Il faut que je trouve un sujet de conversation, songeait la jeune fille. Si je pouvais l'aider à parler, je lui plairais davantage. Il est timide, c'est à moi de lui faciliter les choses. Que puis-je dire pour lui plaire ? »

— Et si nous allions danser ? lui proposa-t-elle.

— Vous évoluez avec tant de grâce, admira Blamey, trempé de sueur. Je n'ai jamais rencontré quelqu'un qui… euh !…

— J'adore danser, mais j'en ai peu l'occasion à Trenwith. Cette soirée me procure un plaisir particulier.

— Et à moi, donc ! Je ne me souviens pas d'avoir connu une si grande joie…

Dans le silence qui suivit, ils écoutèrent les couples qui flirtaient dans la pièce voisine. « Comme elle a de belles épaules ! pensait-il. Il faut que je saisisse l'occasion de tout lui dire. Mais pourquoi cela l'intéresserait-il ? Et je risque de la heurter par ma maladresse. Comme son teint est frais ! On dirait un vent d'ouest qui, au lever du soleil, emplit les poumons et le cœur. »

— Quand repartez-vous pour Lisbonne ? questionna-t-elle.

— Avec la marée de l'après-midi de vendredi.

— Ruth, dit Mme Teague dans la salle voisine, va tenir compagnie à Fanny… Quels sont ces bruits sur le capitaine Blamey ? reprit-elle après le départ de la jeune fille.

— Ma chère, il serait méchant d'accorder crédit à des ragots ! protesta lady Whitworth. Mais je les tiens de source autorisée, sinon je ne vous les rapporterais pas.

À l'abri de son éventail, lady Whitworth chuchota à l'oreille de sa voisine. À mesure qu'elle parlait, les yeux de Mme Teague s'arrondissaient.

— Non ! s'exclama-t-elle. Mais on ne devrait pas le tolérer dans ce bal, le coquin ! Il est de mon devoir de prévenir Verity.

— Attendez, je vous prie, une autre occasion pour le faire. Je ne tiens pas à être mêlée à la querelle qui pourrait s'ensuivre. D'ailleurs, elle est peut-être déjà au courant. Après tout, elle a vingt-cinq ans – l'âge de votre aînée – et peu de chances s'offrent à elles de se marier.

En allant rejoindre sa sœur, Ruth rencontra Ross. Il l'invita pour la gavotte qui commençait. Cette fois, la jeune fille sourit plus volontiers. D'abord un peu effrayée par ses attentions, elle en avait ensuite été flattée. Une jeune fille nantie de quatre sœurs à marier ne se présente pas à son premier bal avec beaucoup d'assurance. Il était grisant d'être remarquée par un homme aussi distingué. Ross aurait dû s'en souvenir, mais il était bon et ne cherchait que la satisfaction de rendre la soirée agréable à quelqu'un. Il s'étonna de s'amuser, de danser, de se mêler avec plaisir à ces gens qu'il avait tenté de fuir.

Dans la salle du buffet, Blamey avait sorti un croquis qu'il expliquait à Verity et soudain, il lui demanda :

— Mademoiselle, quand puis-je vous revoir ?

— Je ne sais pas, capitaine.

— C'est tout ce que je souhaite au monde ! Est-ce que… Puis-je oser espérer… que vous m'accordez un tant soit peu d'intérêt… si c'était possible… ?

— C'est possible, capitaine.

Bouleversé, il lui effleura la main.

— Vous me laissez un espoir… une perspective encourageante. Je crois que… Mais avant que je voie votre père, maintenant que votre gentillesse m'y aide, il faut que je vous révèle…

Cinq personnes entrèrent. Verity se leva précipitamment – c'était Francis, sa femme et les Warleggan. Elizabeth la vit aussitôt et s'approcha, souriante.

— Nous n'avions pas l'intention de venir, ma chère, confia-t-elle devant la surprise de sa belle-sœur. Comment allez-vous, capitaine ?

— Mes hommages, madame.

— C'est vraiment la faute de George, poursuivit Elizabeth, radieusement belle. Nous soupions avec lui et il a dû nous trouver peu distrayants !

— Que ces belles lèvres sont cruelles ! protesta George avec suavité. La faute en est à votre mari qui voulait danser cette barbare écossaise.

Francis les rejoignit, plus séduisant que jamais.

— Nous n'avons rien manqué, déclara-t-il. C'est maintenant que la fête va commencer. Rien ne pouvait m'assagir cette nuit !

— Moi non plus ! s'écria Elizabeth en souriant à Blamey. J'espère que notre humeur tapageuse ne vous dérange pas, monsieur.

— Pas du tout, madame, affirma le marin après avoir repris son souffle. J'ai moi-même toutes les raisons d'être joyeux.

Dans la salle de bal, Ruth avait repris sa place et lady Whitworth était partie.

— Ainsi, le capitaine Poldark t'a abandonnée, mon petit. Pour quelle raison ? demanda Mme Teague.

— Aucune, maman, répondit-elle en s'éventant.

— Il est agréable d'être remarquée par un gentilhomme, mais toute chose a sa raison d'être. Les gens bavardent déjà.

— Vraiment ? Mais je ne peux pas refuser de danser avec lui, il est poli et aimable.

— Sans doute, mais il n'est pas convenable de se déprécier, et tu devrais penser à tes sœurs.

— Il m'a invitée pour une prochaine danse.

— Oh ! s'exclama sa mère, pas aussi mécontente qu'elle voulait le prétendre. C'est bon, mais tu ne devras pas souper avec lui.

— Oh, non, maman, tu ne peux pas me faire cela !

— Nous verrons, concéda Mme Teague qui n'avait pas l'intention de décourager un prétendant.

Sa protestation n'était destinée qu'à affirmer que c'était elle qui avait raison. Son attitude aurait été différente si elle n'avait eu qu'une fille à marier et une fortune de dix mille livres sterling. Avec cinq filles sur les bras et nulle dot à leur offrir, les possibilités se restreignaient. Mais les deux femmes n'eurent pas besoin de se tracasser. Au moment du souper, Ross avait bizarrement disparu. Au cours de sa dernière danse avec Ruth, il s'était montré préoccupé et crispé, et elle se demanda avec anxiété si certaines critiques de sa mère lui étaient parvenues.

Sitôt la danse terminée, il avait quitté la salle et était parti dans la douce nuit. À l'apparition inattendue d'Elizabeth, la fausse gaieté qu'il avait affichée s'était envolée. Il voulut par-dessus tout disparaître et oublia les obligations qu'il avait prises en devenant le cavalier de Verity et l'invité du groupe des Pascoe.

Deux ou trois voitures avec des laquais, ainsi qu'une chaise à porteurs, attendaient dehors. Les lumières de la salle de bal éclairaient les pavés inégaux et les arbres du cimetière de Saint Mary. Ross prit cette direction. La beauté d'Elizabeth le bouleversait de nouveau. Le fait qu'elle appartenait à un autre lui était une torture infernale. Il lutta pour dominer sa jalousie et son chagrin. Cette fois, il devait les détruire définitivement ou quitter le comté. Il avait sa propre existence à vivre et, dans le monde, il existait d'autres femmes, assez charmantes à leur façon.

Il s'éloigna, repoussa un mendiant qui le suivait et se retrouva devant l'auberge de l'Ours. Il poussa la porte, descendit les trois marches qui menaient à l'estaminet bondé de gens au milieu des barriques cerclées de cuivre empilées jusqu'au plafond, des bancs et des tables basses. En cette soirée de lundi de Pâques, la salle était pleine et, à la lumière clignotante des chandelles, Ross eut du mal à trouver un siège disponible. Il finit par en prendre un dans un angle et commanda du cognac. Ross constata que son entrée avait provoqué le silence.

Les conversations reprirent quand on comprit que le nouveau venu était trop absorbé par ses pensées pour se soucier des autres. Il ne bougeait pas, sinon pour faire signe au garçon de remplir son verre.

— Payez-moi un verre, monseigneur, dit une voix proche de l'oreille de Ross. Ça porte malheur de boire seul, vous savez.

Il plongea son regard dans les yeux sombres de la femme venue s'asseoir auprès de lui. Grande et maigre, elle pouvait avoir vingt-cinq ans et portait un costume d'amazone assez masculin qui avait dû être élégant, mais qui était râpé et sale. Elle avait les pommettes hautes, une bouche large, des dents éclatantes, d'immenses yeux sincères. Ses cheveux noirs avaient été maladroitement teints en auburn. Dans son attitude à la fois masculine et hardie, il y avait quelque chose de félin.

Avec indifférence, Ross fit signe au garçon.

— Merci, monsieur, dit-elle en bâillant. À votre santé. Vous avez l'air triste, un peu de compagnie ne vous fera pas de mal.

Elle posa sa main sur celle de Ross qui l'écarta.

— La solitude, monseigneur. C'est de cela que vous souffrez. Donnez-moi votre main… Oui. Déçu en amour, voilà ! Une jolie femme vous a trahi ? Mais je vois ici une femme brune, regardez… tout près de vous. Elle vous réconfortera, monseigneur. Elle n'est pas comme ces petites filles à qui les hommes font peur. Vous me plaisez, j'ose le dire. Vous devez être gentil pour les femmes, mais méfiez-vous, que ces délicates ne vous trompent pas en vous faisant croire que l'amour est un jeu de salon. Ce n'en est pas un, monseigneur, et vous le savez.

Ross commanda un autre cognac.

La femme vida son verre d'un trait, sans lâcher sa main.

— Je vois une petite maison confortable près de la rivière, monseigneur. Nette et propre, comme vous le souhaitez. Vous me plaisez, car vous savez ce que vous voulez et connaissez la vie. Moi, je sais deviner le caractère.

Ross la dévisagea, elle ne baissa pas les yeux. Il se leva et dégagea sa main, posa une pièce de monnaie pour le garçon et se dirigea vers la porte.

Dehors, la nuit était noire et il crachinait. Il hésita. En se retournant, il vit la femme quitter l'auberge. Elle le rattrapa vivement, marcha près de lui, et lui reprit la main. D'instinct, il eut envie de la repousser, mais la solitude et la nostalgie l'envahirent comme une brume angoissante.

Il suivit la femme.

4

Heureusement, Verity avait prévu de passer la nuit chez Jane Pascoe, car Ross ne reparut pas au bal. De chez la femme, qui s'appelait Margaret, il rentra droit chez lui et arriva à Nampara aux premières lueurs du jour.

C'était mardi, le jour de la foire de Redruth. Il descendit à la plage, retira ses vêtements et courut dans la mer. L'eau froide et tumultueuse chassa une partie des miasmes de la nuit. Quand il en sortit, les falaises blanchissaient et le ciel se teintait d'un jaune brillant. Ross se sécha, s'habilla et réveilla Jud. Ils déjeunèrent quand les premiers rayons de soleil percèrent aux fenêtres.

Ils arrivèrent à Redruth avant 10 heures, traversèrent la rivière et remontèrent l'autre colline vers les champs où se tenait la foire. Il fallut quelque temps à Ross pour trouver ce qu'il désirait, car il n'avait pas d'argent à gaspiller, et quand les achats furent faits, l'après-midi était entamé. Dans le deuxième champ, chaque marchand avait installé une échoppe. Les commerçants les plus importants, avec la sellerie, les vêtements, les bottes et les chaussures, se tenaient dans la partie supérieure du champ.

Il faudrait quelques heures à Jud pour ramener les bœufs nouvellement acquis, et Ross se promena à travers la foire.

Il se trouvait dans la dernière baraque au bout du terrain. Le bruit et l'odeur étaient ici moins accablants, mais au moment où il commandait un verre un grand vacarme se produisit derrière la tente. Des gens se rassemblèrent pour voir ce qui se passait. Certains se mirent à rire, comme devant un spectacle gratuit. Le tapage où se mêlaient cris et aboiements se poursuivait. Ross se leva, sourcils froncés, et regarda par-dessus les têtes de ses voisins.

Derrière la tente, il y avait une clairière où, un peu plus tôt, on avait parqué des moutons. On n'y voyait plus qu'un groupe de jeunes garçons en contemplation devant une boule de poils qui se roulait sur le sol. Ross distingua un chien et un chat dont les garnements avaient noué les queues ensemble. Les deux bêtes étaient à peu près de la même taille et après une bataille, où aucun d'eux ne prit l'avantage, ils voulurent se séparer. Le chien tira d'abord et le chat s'étala en crachant. Puis le chat se redressa péniblement et, grattant la terre de ses griffes avec de lents mouvements convulsifs, tira le chien en arrière.

Les spectateurs hurlèrent de rire. Ross sourit, mais ce n'était vraiment pas un beau spectacle. Il allait se rasseoir quand un garçon plus petit que les autres se précipita vers les bêtes. Il esquiva une main qui tentait de l'arrêter au passage et s'approcha des animaux, s'agenouilla et essaya de dénouer les queues sans se préoccuper des griffes du chat. Quand on comprit ce qu'il voulait faire, un murmure s'éleva de la foule mécontente de se voir privée d'un spectacle inédit — murmure qui couvrit les cris de fureur des autres garçons qui, d'un seul coup, se ruèrent sur celui qui leur gâchait leur plaisir. Le petit tenta de résister, mais succomba bientôt sous l'assaut.

Ross vida son verre et se dirigea vers la foule.

— Le Ciel nous protège! s'exclama une femme. C'est une fille qu'ils sont en train de rosser! Aucun d'entre vous n'ira donc les arrêter?

Sortant la cravache enfoncée dans sa botte, Ross marcha dans l'arène. Trois des galopins le virent arriver, deux s'enfuirent, le troisième resta, dents découvertes. Ross le cravacha au visage, le garçon s'enfuit en hurlant.

Sur les trois qui restaient, deux étaient assis sur la silhouette à terre que le troisième frappait à coups de pied dans le dos. Ils ne virent pas approcher l'ennemi. Ross assena un coup sur la tête de l'un et l'assomma. Il souleva l'un des autres par le fond de son pantalon et le jeta dans un bassin plein d'eau à proximité. Le troisième s'enfuit, abandonnant sa victime qui gisait face contre terre.

Les vêtements de l'enfant étaient ceux d'un garçon, une chemise ample et une veste, un pantalon trop long. Un bonnet rond et noir traînait dans la poussière. Les cheveux foncés étaient ébouriffés.

L'enfant était consciente, mais trop assommée pour parler, son souffle était un halètement pénible.

— T'ont-ils blessée? demanda Ross.

Elle s'agenouilla et, en se tortillant, parvint à s'asseoir.

— Seigneur! balbutia-t-elle enfin. Quelle pourriture, ces gars…

Il emporta l'enfant qui ne pesait presque rien dans la baraque et s'aperçut que des fermiers s'étaient groupés pour courir, armés de bâtons, après les garnements.

Il posa la fillette au bout de la table qu'il venait de quitter. L'enfant laissa tomber sa tête sur la table. Maintenant que le danger de recevoir des projectiles était écarté, les gens se rapprochèrent.

Ross commanda deux verres de rhum.

— Donnez-lui de l'air, s'impatienta-t-il. Qui est-ce ?

— On ne l'a jamais vue avant.

— Moi, je la connais, déclara une femme. C'est la fille de Tom Carne, ils habitent à Illuggan.

— Bois ceci, ordonna Ross en poussant un verre contre le coude de la fillette qui le prit et en avala le contenu.

C'était une enfant maigre comme un épouvantail, qui pouvait avoir douze ans. Sa chemise était sale et déchirée, la masse de ses cheveux lui cachait le visage.

— Tu es avec quelqu'un ? demanda Ross. Où est ta mère ?

— Elle n'en a pas, reprit la femme dont l'haleine empestait le gin. Enterrée depuis six ans !

— Ce n'est pas ma faute, protesta la fillette, retrouvant sa voix.

— Personne ne prétend le contraire, grogna la femme. Que fais-tu dans les vêtements de ton frère ? Tu vas recevoir une raclée pour ça !

— Il n'y a personne avec toi ? demanda Ross à la fillette. Que faisais-tu ?

— Où est Garrick ? dit-elle en se redressant. Ils lui faisaient du mal.

— Garrick ?

— Mon chien. Où est-il ? Garrick, Garrick !

— Le voilà, dit un fermier en sortant de la foule. Je l'ai attrapé, ce n'était pas facile !

Elle se leva pour recevoir une boule de poils noirs qui se tortillait, et retomba sur son siège, le chien sur ses genoux. Elle se pencha sur lui pour s'assurer qu'il n'était pas blessé et vit ses mains couvertes de sang. Elle leva soudain un regard humide et brillant derrière ses cheveux.

— Les voyous ! Ils lui ont coupé la queue !

— C'est moi, avoua le fermier avec calme. Tu croyais que j'allais me laisser griffer pour un roquet ? Et puis, il sera mieux ainsi !

— Finis ton verre, ordonna Ross. Ensuite, tu me diras si tu as quelque chose de cassé.

Il donna une pièce au fermier et la foule, considérant le spectacle terminé, se dispersa, mais certains demeurèrent à distance respectueuse, intrigués par ce gentilhomme.

— Tiens, dit Ross en tendant son mouchoir à la fillette. Essuie-toi et regarde si tes plaies sont profondes.

Elle s'examina de la tête aux pieds et considéra le carré de toile avec hésitation.

— Je vais le salir, murmura-t-elle.

— Obéis et ne discute pas.

D'un coin de mouchoir, elle frotta son coude anguleux.

— Comment es-tu venue ici ?

— À pied.

— Avec ton père ?

— Il est à la mine. Je suis venue avec Garrick.

— Tu ne peux pas rentrer à pied dans cet état. As-tu des amis ici ?

— Non… Je me sens faible.

— Bois encore un peu.

— Non… Je n'ai rien avalé avant…

Elle se leva et boitilla jusqu'au coin de la baraque. Là, pour la plus grande joie des assistants, elle rendit le rhum qu'elle avait bu et s'évanouit. Ross la souleva pour la porter sous sa tente. Lorsqu'elle reprit ses esprits, il l'emmena dans la baraque voisine et lui fit avaler un solide repas.

La chemise de l'enfant portait autant de déchirures anciennes que de nouvelles. Le pantalon était de velours côtelé marron. La petite était nu-pieds et avait perdu son bonnet. Maigre et pâle, elle avait des yeux très noirs qui paraissaient trop larges pour son visage.

— Comment t'appelles-tu ?

— Demelza Carne.

— Je vais rentrer, petite. Si tu ne peux pas marcher, je vais d'abord te déposer à Illuggan.

Une ombre voila le regard de la fillette qui ne souffla mot. Ross paya et fit seller son cheval.

Dix minutes plus tard, ils partaient. Assise devant Ross, la fillette était silencieuse. Garrick suivait, s'arrêtant de temps à autre pour s'asseoir et regarder avec inquiétude ce qu'était devenue sa queue.

Ils coupèrent à travers la lande par une piste ravinée par le passage de nombreuses générations de mules.

C'était la première fois que Ross empruntait ce chemin pour se rendre à Illuggan.

— Pouvez-vous me laisser ici ? demanda la fillette en s'agitant sur le cheval.

— Tu n'es qu'à mi-chemin de chez toi.

— Je ne veux pas rentrer tout de suite.

— Pourquoi ? Ton père ne sait pas que tu es sortie ?

— Si, mais j'avais emprunté les vêtements de mon frère. Papa m'a ordonné d'aller à la foire et de prendre les affaires du dimanche de Luc. Je ne rapporte pas ce que j'allais chercher et mes vêtements sont en loques.

— Pourquoi ne portais-tu pas une robe ?

— Papa me l'a déchirée hier en me battant.

Ils avancèrent un moment. Demelza se retourna pour s'assurer que Garrick suivait.

— Ton père te bat souvent ?

— Seulement quand il a trop bu... Une ou deux fois par semaine, quand il a de l'argent.

L'après-midi était avancé, dans deux heures, il ferait nuit. L'enfant dénoua la ficelle nouée autour du col de sa chemise :

— Regardez, dit-elle, il s'est servi de la lanière hier soir.

La chemise glissa et dégagea une épaule. Le dos de Demelza était zébré de coups. Par endroits, la peau avait éclaté, certaines plaies étaient cicatrisées en partie et barbouillées de terre. Ross remit la chemise en place.

— Et ce soir ? demanda-t-il.

— Oh ! je recevrai une raclée ! C'est pour ça que je préfère rester dehors et ne rentrer que lorsqu'il sera endormi.

Le cheval continua à avancer. Ross s'inquiétait peu du sort réservé aux animaux, mais la cruauté gratuite à l'égard des enfants le révoltait.

— Quel âge as-tu ?

— Quatorze ans, monsieur.

C'était la première fois qu'elle disait « monsieur ».

— Quel travail fais-tu ?

— Je m'occupe de la maison et du jardin, je nourris les cochons.

— Combien de frères et sœurs as-tu ?

— Six frères, plus jeunes que moi.

— Tu aimes ton père ?

— Euh ! oui…, fit-elle en le fixant avec surprise. La Bible dit qu'il le faut.

— Tu te plais chez toi ?

— J'en suis partie quand j'avais douze ans, mais on m'y a ramenée.

— Si tu restes un moment éloignée de ton père, il oubliera sûrement tes sottises.

— Oh non ! affirma-t-elle.

— À quoi sert donc de l'éviter ?

— À retarder la correction, dit-elle avec un sourire chargé d'une étrange maturité.

Ils atteignirent un carrefour d'où partait la route pour Illuggan. Il arrêta son cheval.

— Je descends ici, déclara-t-elle.

— J'ai besoin de quelqu'un pour travailler chez moi. Tu serais nourrie et mieux habillée qu'aujourd'hui. Comme tu es mineure, je paierais tes gages à ton père… Je veux une fille solide, car le travail est rude.

Elle le considéra avec de grands yeux étonnés comme s'il avait évoqué un danger.

— Peut-être ne veux-tu pas venir ? s'enquit-il.

Elle rejeta ses cheveux en arrière sans répondre.

— Alors, descends.

— Je vivrai chez vous ? Dès ce soir ? Oh ! oui, s'il vous plaît !

— Je veux une fille de cuisine capable de travailler, de récurer et de rester propre. Je t'engagerai à l'année, car tu habites trop loin pour rentrer chez toi chaque semaine.

— Je ne veux pas rentrer chez moi, jamais !

— Il faudra voir ton père pour obtenir son autorisation, ce sera peut-être difficile.

— Pas maintenant. Emmenez-moi avec vous, s'il vous plaît, je suis une bonne ménagère !

— Je dois demander l'autorisation de ton père, c'est la loi.

— Papa ne quittera son service qu'une heure après le coucher du soleil, et il ira boire avant de rentrer…

— Pour Garrick… je ne pourrai peut-être pas le garder.

Un silence. En scrutant Demelza, Ross vit la lutte qui se livrait sur ses traits livides. Elle regarda le chien, leva la tête vers Ross avec une crispation au coin des lèvres.

— Il est mon ami, balbutia-t-elle. On est toujours ensemble, je ne peux pas le laisser mourir de faim.

— Alors ?

— Ce n'est pas possible, monsieur…

Désespérée, elle se laissa glisser à bas de la jument, mais si l'enfant ne pouvait abandonner un ami, Ross n'en était pas capable non plus.

Ils rattrapèrent Jud après le gibet. Les bœufs étaient fatigués par le long voyage et Jud, las de les tirer. Il ne pouvait monter confortablement Ramoth, le cheval aveugle, qui était chargé de quatre paniers pleins de volailles.

Il regarda approcher Ténébreuse et écarta Ramoth de la piste pour la laisser passer.

Ross expliqua la présence de la fillette en trois phrases.

— Ramasser un marmot ! Ça attire des ennuis avec la justice.

— C'est bien à toi de me parler de justice ! railla son maître.

5

Demelza passa la nuit dans le lit clos où Joshua Poldark avait vécu ses derniers mois. Aucune autre pièce n'était disponible. Pour la fillette, qui avait jusqu'ici dormi dans la paille sous des sacs, dans une masure surpeuplée, c'était un luxe inouï. Lorsque Prudie, grommelante et bruyante, lui montra la chambre, elle crut que trois ou quatre autres servantes viendraient plus tard la partager avec elle. Naturellement, personne ne vint, mais un long moment s'écoula avant que Demelza se décidât à essayer le lit.

Ce luxe l'effrayait. Elle était habituée à se voir traiter avec rudesse, et si on lui avait donné deux sacs en lui ordonnant de dormir dans l'étable, elle aurait obéi sans s'étonner.

Lorsque enfin elle trouva le courage de grimper sur le lit, elle éprouva d'étranges sensations. Elle avait peur de voir se refermer sur elle les portes de bois. Elle redoutait de découvrir que l'homme qui l'avait amenée nourrissait, en dépit de son regard doux et bon, quelque noir dessein, et de le voir se faufiler dans la chambre avec un couteau ou un fouet.

Elle fixa le trou sombre de la cheminée et se mit à imaginer que quelque chose d'horrible pourrait en descendre et tomber dans le foyer.

Soudain, il y eut un bruit à la fenêtre. Demelza écouta, le cœur battant. Brusquement, le bruit lui parut familier, elle bondit du lit et courut à la fenêtre qu'elle eut du mal à ouvrir. Une boule noire et frétillante se tortilla pour pénétrer dans la chambre par l'ouverture étroite. Demelza n'eut qu'à refermer les bras sur Garrick, l'étranglant à demi à la fois de joie et de peur de l'entendre aboyer.

Le chien lui lécha les joues tandis qu'elle l'emportait vers le lit.

Ross dormit d'un sommeil lourd et troublé par des rêves étranges. Éveillé de bonne heure, il s'attarda dans son lit à contempler le matin clair en réfléchissant aux incidents des deux derniers jours. Il pensa que l'adoption faite la veille pourrait lui attirer des ennuis. Il méprisait la loi dont il n'avait qu'une notion assez vague, mais il se doutait que l'on ne sortait pas une fille de chez elle sans l'autorisation de son père.

Il décida d'aller consulter son oncle, qui avait été magistrat pendant trente ans. À proximité de la maison de Trenwith, Ross songea de nouveau à son père qui n'avait pas réussi à construire une demeure susceptible de rivaliser avec celle de style Tudor de Charles.

Ross attacha la jument à un arbre avant de cogner à la porte. Mme Tabb parut, saluant avec respect.

— Bonjour, monsieur. Vous voulez voir M. Francis ?

— Non, mon oncle.

— Je regrette, monsieur, mais ils sont partis à Grambler. Voulez-vous entrer, monsieur ? Je vais demander quand ils seront de retour.

Elle alla chercher Verity. Dans le vestibule, Ross contempla les dessins formés par les rayons du soleil sur les longues fenêtres à meneaux, et avança vers l'escalier où il s'était tenu lors du mariage d'Elizabeth. Tout était aujourd'hui silencieux et c'était mieux ainsi.

Une porte se ferma, un pas résonna. En se retournant, il vit venir Elizabeth.

— Bonjour, Ross, dit-elle. Verity est à Sawle comme tous les mercredis, Francis et son père sont à la mine, tante Agatha est couchée avec une crise de goutte. Venez me tenir compagnie au salon quelques minutes.

Quand ils furent assis, elle s'installa devant son rouet, mais ne se remit pas au travail.

— Nous nous voyons si rarement ! lui reprocha-t-elle, souriante. Le bal vous a plu ?

Il la contempla. Elle était pâle et sa robe simple accentuait sa jeunesse. Une enfant avec la séduction d'une belle femme, fragile et sereine, mais une femme mariée. Une envie violente de briser ce calme monta en lui.

— Nous avons été si contents de vous retrouver à ce bal, reprit-elle.

— À quelle heure rentreront Charles et Francis ? la coupa-t-il.

— Pas de sitôt ! C'est une affaire importante qui vous amène ?

— Je voulais consulter mon oncle, je peux attendre.

— Verity nous a raconté que vous deviez aller à la foire de Redruth hier, poursuivit-elle après un silence. Avez-vous acheté ce que vous vouliez ?

— En partie. C'est à propos d'une marchandise inattendue que je voulais voir mon oncle.

— Ross..., murmura-t-elle, les yeux baissés sur son rouet.

75

— Ma visite vous ennuie, observa-t-il, je vais partir à leur rencontre.

Elle ne répondit pas, mais quand elle leva la tête, ses yeux étaient emplis de larmes. Ross se rassit avec la sensation qu'il tombait d'une falaise. C'était la première fois qu'il voyait Elizabeth pleurer.

— Hier, à la foire, lança-t-il pour cacher son émotion, j'ai engagé une fillette que son père maltraite. Je l'ai ramenée à Nampara, je voudrais la garder comme fille de cuisine, mais j'ignore la loi… Elizabeth, pourquoi pleurez-vous ?

— Quel âge a cette petite ?

— Treize ans. Je…

— Si j'étais vous, je la renverrais. Ce serait plus sûr, même si vous obteniez l'autorisation de son père. Vous connaissez la méchanceté des gens…

— Je ne reviendrai plus ici, je vous ennuie pour rien.

— Ce n'est pas votre visite… Je suis bouleversée à la pensée que vous me haïssez.

— Je ne vous hais pas. Vous devriez le savoir… Depuis que je vous ai rencontrée, je n'ai pas regardé une autre femme. Quand j'étais loin, pour moi, l'idée du retour n'avait pas d'autre but que de vous revoir. J'étais sûr du sentiment que je ressentais à votre égard.

— N'en dites pas davantage, dit-elle, livide.

Cette fois, sa fragilité ne désarma pas Ross.

— Ce n'est pas très agréable d'être devenu idiot par amour ! ajouta-t-il. Avoir pris au sérieux des promesses enfantines… Pourtant, il m'arrive de croire que tout ce que nous nous disions n'était ni insignifiant ni prématuré. Êtes-vous sûre de n'avoir jamais éprouvé pour moi un sentiment profond ? Vous rappelez-vous ce jour où vous êtes venue me retrouver dans le jardin de vos parents et où vous avez posé votre tête sur mon épaule ? Le jour où vous avez dit…

— Vous vous égarez, balbutia-t-elle.

— Oh ! non, j'évoque des souvenirs !

Des sentiments contradictoires jaillirent soudain en elle. Elle était aussi inquiète de ses propres sentiments qu'indignée contre lui, mais il fallait sauver la situation.

— J'ai eu tort de vous demander d'entrer, mais je ne souhaitais que votre amitié, rien de plus.

— Vous avez beaucoup de sang-froid. Vous maniez vos sentiments comme vous le voulez. J'aimerais avoir votre maîtrise. Comment faites-vous ?

Tremblante, elle abandonna le rouet et se dirigea vers la porte.

— Je suis mariée, lança-t-elle, et vous manquez de loyauté envers Francis en vous exprimant ainsi. J'espérais que nous pourrions être bons amis, mais vous n'oubliez ni ne pardonnez rien. Peut-être attendais-je trop… Ross, nous avons été liés par un attachement d'adolescents. Je vous aime encore beaucoup aujourd'hui. Mais, après votre départ, j'ai rencontré Francis et ce fut différent. Lui, je l'ai aimé, je l'aime en femme. Puis vint la nouvelle de votre mort… J'ai été si heureuse en apprenant votre retour, et si désolée… de n'avoir pas su vous rester fidèle. Si j'avais pu réparer, je l'aurais fait. Je voulais en tout cas que nous restions amis et je pensais… Jusqu'à aujourd'hui, je croyais que c'était possible. Mais…

— Après cette rencontre, il vaut mieux que nous y renoncions, dit-il.

Elizabeth avait maintenant les yeux secs et particulièrement sombres.

— Disons-nous adieu pour quelque temps, décida-t-elle.

— Adieu, dit-il en se baissant pour lui baiser la main.

Parvenu près de chez lui, Ross se rappela qu'il n'avait vu ni Charles ni Verity, et que ses questions restaient sans réponse. Il n'eut pas le courage de faire demi-tour. Amorphe et l'esprit engourdi, il descendit la vallée sans en voir la beauté. À l'horizon, il apercevait Jud et le jeune Carter au travail avec les six bœufs. Près de la porte de Nampara, il mit pied à terre et fixa Prudie qui l'attendait.

— Trois hommes dans le salon veulent vous voir, monsieur.

Indifférent, Ross approuva d'un signe et entra. Trois mineurs étaient là, grands, carrés, les épaules larges.

— Monsieur Poldark ? dit l'aîné, plutôt insolent.

Fortement charpenté, il pouvait avoir trente-cinq ans, il avait les yeux injectés de sang et une barbe touffue.

— Que puis-je faire pour vous ? s'impatienta Ross.

— Je m'appelle Tom Carne et voici mes deux frères.

— Et alors ? répliqua Ross.

En même temps, le nom lui fut familier. Ainsi, l'affaire allait se résoudre d'elle-même, sans les conseils de Charles.

— On m'a dit que vous aviez emmené ma fille. Où est-elle ? demanda-t-il.

— Je n'en ai aucune idée.

— Vous feriez mieux d'y réfléchir, gronda Carne, la mâchoire crispée.

— Afin que vous puissiez la ramener chez vous et la battre ?

— Je fais ce que je veux avec ma famille !

— Elle a déjà le dos écorché !

— De quel droit avez-vous vu son dos ? Je vais vous envoyer la police,

— La loi autorise une fille de quatorze ans à choisir son foyer.

— Écoutez, mon vieux, c'est ma fille et elle ne va pas servir de jouet à un gommeux, compris ?

— Cela vaudrait pourtant encore mieux pour elle que de tenir votre porcherie !

— Alors, monsieur, qu'est-ce qu'on fait ? persifla Carne.

— Vous avez amené votre famille parce que vous n'avez pas le courage de faire l'ouvrage vous-même.

— J'aurais pu amener deux cents types, mon gars ! Allons-y !

Aussitôt les deux autres se retournèrent. D'un coup de pied, l'un renversa un fauteuil, l'autre balança la table chargée d'assiettes et de tasses. Carne empoigna un chandelier et le flanqua par terre.

Ross traversa la pièce, arracha du mur un des deux pistolets français qui y étaient suspendus et l'amorça.

— Je tire sur le premier qui touchera un meuble ! s'écria-t-il.

Les trois hommes, perplexes, s'immobilisèrent.

— Sortez de chez moi avant que je ne vous fasse arrêter pour violation de domicile, ordonna Ross en s'asseyant sur le bras d'un fauteuil.

— Il vaut mieux partir, Tom, suggéra le plus jeune frère. On reviendra avec les autres.

— C'est mon affaire ! grommela Carne. Vous voulez acheter la petite ?

— Combien demandez-vous ?

— Cinquante guinées, répondit Tom après réflexion.

— Par Dieu ! s'exclama Ross. Pour ce prix-là, je pourrais avoir sept gosses !

— Combien offrez-vous ?

— Une guinée par an tant qu'elle restera ici ou une raclée si c'est ce que vous préférez, suggéra Ross. Je prendrais plaisir à vous tordre le cou, ôtez votre veste, canaille !

Carne le regarda de biais, comme pour jauger sa sincérité.

— Alors, jetez votre arme.

Ross lança son pistolet sur une commode. Carne grimaça de satisfaction en se tournant vers ses frères.

— Restez en dehors du coup, vous autres, je vais l'achever.

Ross retira sa veste, son gilet, son foulard et prit position. Cette bagarre était ce qu'il recherchait.

Et ce fut un combat sans pitié.

6

À l'est, le domaine Poldark jouxtait celui d'Horace Treneglos, dont la maison, dénommée Mingoose, se dressait à trois kilomètres à l'intérieur des dunes. À la jonction des deux propriétés existait une troisième mine, Wheal Leisure.

Du temps de Joshua, elle avait été exploitée en surface pour l'étain, mais pas pour le cuivre. Ross l'avait étudiée et parcourue tout l'hiver, et il avait éprouvé l'envie de remettre en activité l'une au moins des exploitations minières de ses terres. Mais il fallait un capital dont il ne disposait pas.

Le jeudi matin de la semaine de Pâques, il se rendit donc à Mingoose. Treneglos était un veuf nanti de trois fils – le plus jeune était dans la marine, les deux autres se consacraient à la chasse au renard. Lui-même était un lettré, apparemment peu soucieux de l'avenir de la mine mais, puisque celle-ci se trouvait en partie sur sa terre, la moindre des courtoisies exigeait qu'il fût informé en premier.

Grand et solidement bâti, sa surdité le rendait lourdaud.

— Tout ceci est très convaincant, mon cher, dit Treneglos. Je ne m'oppose pas à ce que vous fassiez quelques trous dans ma terre, nous devons être de bons voisins… Financièrement, je suis un peu gêné ce mois-ci par la faute de mes chasseurs de fils. Le mois prochain, je pourrai peut-être vous prêter cinquante guinées. Cela vous irait-il ?

Ross le remercia et déclara que, si la mine démarrait, il en ferait une société par actions où chacun des actionnaires prendrait une ou plusieurs parts et paierait en fonction des frais.

— Excellent principe ! approuva Treneglos. Revenez me voir, je serai toujours heureux de vous aider. Je ne suis pas ennemi des petites spéculations.

Ross repartit avec le sentiment que la demi-promesse de Treneglos était tout ce qu'il pouvait attendre à ce stade de l'opération. Restait à prendre l'avis d'un professionnel, et l'homme à consulter était le « capitaine » Henshawe, de Grambler.

Jim Carter travaillait dans les champs avec les trois jeunes Martin.

— Il faut que je vous apprenne une nouvelle, monsieur, dit-il, happant Ross au passage. Robert Clemmow a pris la fuite.

Tant d'événements s'étaient déroulés depuis leur rencontre que Ross n'avait plus pensé à Clemmow – rencontre désagréable où l'homme s'était montré fuyant et méfiant.

— Où est-il parti ?

— Je ne sais pas. Vous lui avez fait peur en l'avertissant que vous pourriez le chasser.

— Tu veux dire qu'il n'est pas à la mine ?

— Pas depuis mardi, et personne ne l'a vu.

— Eh bien, cela nous épargnera des ennuis. Il rendait la situation intolérable pour Jinny Martin.

— Selon elle, il ne serait pas parti loin. Il rôderait toujours dans le coin, monsieur. Elle dit que vous devriez prendre garde à vous, monsieur.

Le visage de Ross s'éclaira d'un sourire. Il avait trouvé en Jim un garde du corps dévoué.

— Ne t'inquiète pas pour moi, Jim. Ni pour Jinny. Tu es amoureux d'elle ? Tu n'as plus de rival maintenant ! D'ailleurs, ce n'était pas un rival sérieux.

— Oui, mais nous avons peur…

— Je sais. Si tu vois ou entends dire quelque chose, tiens-moi au courant. Sinon, ne t'imagine pas apercevoir des spectres dans tous les coins.

Bien qu'étant allé plusieurs fois à Truro, Ross n'avait pas revu Margaret. Du reste, il n'y tenait pas. Et son aventure avec elle, le soir du bal, ne l'avait pas guéri de sa passion pour Elizabeth ; elle lui avait prouvé qu'il était inutile de chercher à s'étourdir dans l'amour.

Demelza s'installa dans sa nouvelle demeure comme un chaton égaré dans un salon confortable. Connaissant la force des liens familiaux chez les mineurs, Ross s'attendait à la trouver au bout de quelques jours pleurnichant dans un coin sur son père. Si elle avait témoigné de la moindre nostalgie, il l'aurait aussitôt renvoyée chez elle, mais cela ne se produisit pas et Prudie chanta bientôt les louanges de la fillette.

Fait surprenant, en effet, trois heures après son arrivée, Demelza était parvenue à gagner les bonnes grâces de la servante. Peut-être avait-elle éveillé en elle quelque sentiment maternel refoulé.

Après un mois d'essai, Ross envoya Jim porter une guinée à Tom Carne pour le salaire annuel des services de sa fille. Jim raconta que Carne l'avait menacé de lui briser les reins, mais qu'il n'avait pas refusé l'or, ce qui laissait entendre qu'il se résignait à se séparer de sa fille.

Ross redouta pendant un temps l'enlèvement de la fillette, et il lui recommanda de ne pas trop s'éloigner de la maison. Un soir, en rentrant de Saint Ann, il reçut une volée de pierres lancées d'une haie, mais ce fut la dernière manifestation d'hostilité.

En fouillant de vieux meubles dans la bibliothèque, Prudie tomba sur un bout de tissu imprimé de qualité. Elle le lava et y tailla deux robes pour Demelza. Un vieux dessus-de-lit avec une large bordure de dentelle fut transformé en jupons. Demelza n'avait encore jamais rien possédé de pareil et, quand elle les portait, elle s'arrangeait toujours pour faire apparaître la dentelle sous le bas de sa jupe.

Un soir, Jim Carter bavardait avec Jinny chez les Martin. Il était devenu un familier de la maison et, à mesure que grandissait sa tendresse pour Jinny, il voyait de moins en moins sa propre famille. Il savait que cela peinait sa mère, mais il se sentait plus à l'aise et plus heureux dans le pavillon agréable des Martin.

Son père avait travaillé à la mine jusqu'à vingt-six ans avant d'être terrassé par la phtisie qui fit de Mme Carter une veuve chargée de cinq enfants à élever dont l'aîné, Jim, n'avait que huit ans.

Il quitta alors l'école et devint laveur de minerai à Grambler. C'était un emploi « en surface », car les mineurs de Cornouailles ne traitaient pas leurs enfants avec la dureté caractéristique chez les gens de l'intérieur du pays. Mais le lavage du minerai n'était pas l'idéal ! Mme Carter s'inquiétait parce que Jim crachait du sang en rentrant chez lui.

À seize ans, grâce à son intelligence et à son courage, il occupait le poste de son père et gagnait assez pour entretenir la maisonnée. Il en était très fier, mais au bout de deux ans il s'aperçut qu'il y laissait sa santé et souffrait comme son père d'une mauvaise toux. À vingt ans, révolté contre le destin, il se laissa convaincre par sa mère de quitter la mine, de renoncer à son salaire, de céder sa place à son jeune frère et de chercher un emploi de garçon de ferme. Même avec les gages convenables payés par le capitaine Poldark, il gagnait quatre fois moins d'argent, mais ce n'était pas la perte d'argent qui le tracassait ni celle de sa situation. Il avait la mine dans le sang, il aimait ce travail et il le voulait.

Assis dans un coin chez les Martin, il chuchotait à l'oreille de Jinny tandis que Jack Martin fumait sa pipe en terre près de la cheminée tout en lisant le journal. De l'autre côté, Mme Martin portait Maria, qui avait trois ans, sur un bras et, au creux de l'autre bras, le dernier, un bébé de deux mois qui pleurnichait. Jim et Jinny étaient assis sur un banc de bois et se réjouissaient de la pénombre. Jinny ne sortait plus le soir, même avec Jim pour escorte, c'était le seul point noir de leur idylle, mais elle jurait qu'elle ne vivrait pas un instant tranquille à l'idée qu'un buisson pouvait dissimuler une silhouette aux aguets.

C'était une semaine agréable. Le père, n'étant pas d'équipe de nuit, autorisait ses enfants à veiller jusqu'à 21 heures. Jim, au courant de ces habitudes, voyait venir le moment de prendre congé. Il songea à tout ce qu'il avait encore à dire à Jinny, mais à cet instant on frappa à la porte qui s'entrouvrit sur la puissante silhouette de Mark Daniel.

Jack abaissa son journal, cligna des yeux et regarda le sablier pour s'assurer qu'il n'avait pas dépassé son heure de loisir.

— Tu rentres tôt, ce soir, garçon. Entre et fais comme chez toi.

— Je passais te dire un mot en voisin. En privé, si Mme Martin permet. À propos d'une affaire personnelle. Si tu veux bien sortir…

Jack posa son journal, se lissa les cheveux et sortit avec Mark Daniel cependant que sa femme chantonnait pour endormir les enfants.

— Il est l'heure d'aller dormir, dit Mme Martin, sinon vous aurez du mal à vous lever demain. Allez, Matthew, toi aussi, Gaby, comme toi, Thomas. Jinny, mon petit, je sais que tu regrettes de voir partir ce jeune homme si tôt, mais pense à demain.

Jack revint, épié par les regards curieux des siens. Il feignit de ne pas s'en apercevoir, retourna à son fauteuil et se replongea dans son journal.

— Qu'avez-vous comploté, Jack? demanda Mme Martin.

— Des taches qu'on distingue sur la lune. Mark prétend qu'il y en a quatre-vingt-dix-huit et moi, cent deux. Nous laisserons le pasteur nous départager.

Après vingt ans de mariage, elle avait trop confiance en la sagesse de son mari, pour protester contre son étrange comportement. De plus, elle saurait tout le lendemain matin.

Plus audacieux dans l'ombre, Jim baisa le poignet de Jinny et se leva.

— Il est temps que je parte. Merci de votre accueil, monsieur et madame Martin. Bonsoir, Jinny, bonsoir, vous autres.

Jack l'arrêta comme il atteignait la porte.

— Attends, mon gars, je vais faire quelques pas avec toi, j'ai envie de flâner un peu.

La protestation de sa femme le suivit dans les ténèbres, sous le crachin, mais Jack referma la porte et la nuit les engloutit, humide et douce avec la pluie de brume qui tombait comme une toile d'araignée sur leurs visages et leurs mains.

Jim se sentait intrigué et un peu nerveux, le ton de Jack avait eu quelque chose de menaçant. Ce dernier avait toujours revêtu à ses yeux une certaine importance parce qu'il était un homme d'expérience.

Ils arrivèrent près des installations de Wheal Grace. De là, on apercevait les lumières de la maison Nampara.

— Je voulais te dire qu'on a vu Robert Clemmow à Marasanvose, dit Jack.

Marasanvose se trouvait à deux kilomètres à l'intérieur des terres. Le corps de Jim se contracta.

— Qui l'a vu ?

— Le petit Charlie. Il ne savait pas qui il était, mais d'après la description, il y a peu de doute. Robert lui a parlé. Charlie a dit qu'il portait une longue barbe et deux sacs sur les épaules.

— Dire que Jinny commençait à se rassurer ! grommela Jim. Si elle l'apprend, elle va de nouveau s'affoler.

— C'est pourquoi je n'ai pas voulu en parler devant les femmes. On peut peut-être s'arranger pour qu'elles n'en sachent rien.

En dépit de sa nervosité, Jim éprouva de la gratitude pour Jack qui, en le mettant dans la confidence, le traitait en égal.

— Qu'est-ce qu'on va faire, monsieur Martin ?

— Voir le capitaine Poldark, il saura.

— Je vous attendrai dehors.

— Non, va te coucher, sinon tu auras du mal à te lever demain. Je te dirai plus tard ce qu'il m'aura conseillé.

— Je préfère attendre. Je serais incapable de dormir maintenant.

En arrivant à la maison, ils se séparèrent.

Ross était comme d'habitude occupé à lire, tout en buvant. Il écouta l'histoire de Jack.

— Charlie a discuté avec Robert ?

— Pas exactement. Ils ont juste échangé quelques mots, puis Robert lui a pris son pâté et a filé. Voler le pâté d'un gosse de dix ans…

— Ceux qui ont faim n'ont pas les mêmes vues à ce propos. Il faut faire quelque chose. On peut organiser une chasse à l'homme et le faire sortir de son repaire. Il n'a rien fait de mal jusqu'ici, mais nous ne pouvons pas attendre qu'il prouve le contraire.

— Il doit se terrer dans une grotte ou peut-être une mine abandonnée, et vivre de braconnage.

— Oui. Je pourrais persuader mon oncle de faire établir un mandat d'arrêt.

— Si vous y tenez, hésita Jack. Mais je crois que les gens préféreront que nous l'attrapions nous-mêmes.

— Ce sera notre dernière solution, déclara Ross en secouant la tête. Je verrai mon oncle demain. Entre-temps, veillez à ce que Jinny ne sorte pas seule. À propos de Jinny… Jim Carter, mon garçon de ferme, semble s'intéresser à elle. Savez-vous ce qu'elle en pense ?

— Ils partagent la même idée, dit Jack dont le visage buriné s'éclaira.

— Bon. Pour ma part, ce gars me paraît bien. Il a vingt ans, Jinny dix-sept. Leur mariage pourrait être une bonne chose pour eux, tout en risquant de guérir Robert de ses ambitions.

Durant quelques semaines, le temps humide coupa tout contact entre Ross et la maison de Trenwith. Il n'avait pas revu Verity depuis le bal, et il devina qu'elle le fuyait afin d'éviter les taquineries sur son flirt avec le capitaine Blamey.

Le lendemain de la visite de Jack Martin, il partit sous la pluie voir son oncle et il eut la surprise de trouver son cousin, le révérend William Johns, seul dans le salon.

— Votre oncle est en haut, expliqua ce dernier dont la main était froide mais ferme. Il ne va pas tarder à descendre. Vous paraissez mieux que la dernière fois.

Ross ne releva pas. Il estimait William pour sa piété froide parce que l'homme était sincère dans ses croyances et sa façon de vivre.

Il prit des nouvelles de la femme de son cousin, exprima poliment sa satisfaction d'apprendre que la santé de Dorothy s'était améliorée. En décembre, Dieu leur avait accordé sa bénédiction en la personne d'un nouvel agneau, une fille. Ross s'inquiéta ensuite de la santé des habitants de Trenwith, se demandant si elle avait un rapport avec la présence de William. Mais non, tous allaient bien, et aucune raison particulière n'avait amené William. Francis et Elizabeth passaient une semaine avec les Warleggan dans leur maison de campagne, Agatha préparait une infusion dans la cuisine, Verity était dans sa chambre.

— Vous êtes venu de loin par une matinée bien désagréable, remarqua Ross.

— Je suis arrivé hier soir et j'espère partir aujourd'hui si le temps s'éclaircit.

— Lors de votre prochaine visite, risquez-vous cinq kilomètres plus loin pour venir à Nampara. Ce n'est pas aussi confortable qu'ici, mais je peux vous offrir un lit.

William parut charmé, il recevait rarement des invitations amicales.

Charles Poldark entra, haletant comme un phoque. Il continuait à grossir et à souffrir de la goutte.

— Ah! tu es là, Ross, que se passe-t-il? Ta maison a-t-elle été emportée par les flots?

— J'en cours le risque si la pluie persiste. Je vous dérange peut-être dans une affaire importante?

— Tu ne lui as rien dit? demanda Charles.

— Pas sans ta permission.

— Allons-y, c'est une affaire de famille et il en fait partie. Cela concerne Verity et le capitaine Blamey. Bon sang, j'ai du mal à y croire! Cette fille qui...

— Vous savez, Ross, que votre cousine s'est liée d'amitié avec ce marin, cet Andrew Blamey? reprit William. Sachant qu'on associait souvent son nom à celui de Verity, j'ai sauté sur la première occasion. J'ai eu du mal à vérifier les informations... Cet homme a déjà été marié, il est resté veuf avec deux jeunes enfants. C'est également un ivrogne notoire. Il y a quelques années, dans une crise d'éthylisme, il a frappé et tué sa femme qui attendait un enfant. Il était commandant de frégate dans la Navy qu'il a quittée après sa condamnation à deux années de prison. Il a ensuite vécu aux crochets de sa famille jusqu'à ce qu'il obtienne son poste actuel. J'ai cru comprendre qu'on se prépare à boycotter le bateau qu'il commande pour que la compagnie le débarque.

William n'avait mis aucune animosité dans un exposé sans passion, ce qui aggravait l'accusation.

— Verity est au courant ? demanda Ross.

— Mais oui ! s'exclama Charles. Elle déclare que cela ne change rien…

— Elle affirme qu'il a désormais cessé de boire, observa William, impartial.

— Bon sang, nous buvons tous ! éclata Charles. Et c'est normal. Nous n'en devenons pas pour autant des assassins ! Il est impardonnable de frapper une femme enceinte, je me demande comment il s'en est sorti avec une condamnation aussi légère. On aurait dû le pendre !

— Je partage vos vues, avoua Ross.

— Je ne sais pas si le mariage entre dans ses intentions, remarqua William, mais en tout cas, pouvons-nous laisser une fille aussi charmante que Verity l'épouser ?

— Sûrement pas de mon vivant ! répliqua Charles, empourpré.

— Insiste-t-elle pour l'épouser ? s'enquit Ross.

— Elle dit qu'il s'est amendé, mais pour combien de temps ? Un ivrogne reste un ivrogne ! Verity demeurera dans sa chambre jusqu'à ce qu'elle retrouve la raison.

— Je pourrais essayer de lui parler, proposa Ross.

— Plus tard peut-être, dit Charles. Elle est aussi obstinée que sa mère. Mais ces relations doivent être brisées. J'en suis navré pour la petite, car elle a peu de prétendants, mais aucun ivrogne ne partagera le lit de mon enfant.

— Tout est maintenant arrangé, Jim ? demanda Ross.

Ils venaient de se rencontrer dans l'étable. Jim, ému, avait été incapable d'exprimer sa gratitude à son maître.

— C'est ce que je désirais plus que tout, balbutia-t-il enfin. Je voudrais vous remercier…

— Oh ! n'en parlons pas ! Dis à Jack que le mandat d'arrêt concernant Clemmow est signé. Dès qu'on l'aura retrouvé, on pourra le mettre au frais pour quelque temps.

— C'est pour le pavillon que je voulais vous remercier, insista Jim, à présent lancé. C'est ce qui a permis…

— Quand devez-vous vous marier ?

— Les bans seront publiés dimanche prochain, répondit-il, en rougissant. Nous commencerons à réparer le toit le soir s'il fait beau. Il y a peu de travail. Nous aimerions, si nous réussissons, vous payer un loyer… simplement pour…

— Pas tant que tu travailleras pour moi, mais c'est gentil d'y avoir songé.

Un éternuement attira l'attention de Ross. Demelza traversait la cour portant des bûches dans son tablier, sous la pluie. Derrière elle, immense, gauche, sans queue et avec son pelage bouclé, Garrick folâtrait.

— Demelza, appela Ross en retenant un rire.

Elle s'arrêta et laissa tomber une bûche, sans voir d'où venait la voix. Ross sortit de l'ombre.

— Tu ne fais pas entrer Garrick dans la maison ?

— Non, monsieur, il ne dépasse pas la porte. Et il en est très peiné !

Ross ramassa la bûche et la posa sur les autres.

— Il pourra peut-être venir jusqu'à la cuisine quand il n'aura plus de puces, monsieur ?

— Il en aura toujours !

— Je le lave tous les jours !

— Je suis content que Prudie te dresse aussi bien, remarqua Ross en considérant Demelza. Ce chien me paraît plus clair, il aime être lavé ?

— Seigneur, non ! Il gigote comme une sardine !

— Bon, apporte-le-moi quand tu l'estimeras propre et je jugerai.

— Ah ! te voilà, petit pruneau ! cria Prudie qui venait d'apparaître... Vous êtes là, monsieur ! Mlle Verity vous attend.

Dans le petit salon, cette dernière avait retiré son manteau gris à capuchon et essuyait les gouttes de pluie sur son visage. Le bas de sa jupe était trempé et taché de boue.

— Quelle surprise, ma petite Verity ! Tu es venue à pied, par ce temps ?

— Il fallait que je te voie, Ross. À propos d'Andrew Blamey. Tu me comprends mieux que les autres.

— Assieds-toi, je vais te faire servir à boire...

— Non, merci, je ne m'attarderai pas. Je... je suis venue en cachette. Tu étais à la maison jeudi dernier avec William, n'est-ce pas ? Que t'ont-ils dit ?

Il rapporta l'entretien et, quand il eut terminé, elle s'approcha de la fenêtre et se mit à triturer la fourrure de son manchon.

— C'est faux, affirma-t-elle, il ne l'a pas frappée. Il l'a poussée, elle est tombée et elle en est morte... Le reste est exact. Ils veulent que je l'abandonne en promettant de ne jamais le revoir... Mais je l'aime, Ross, je ne suis plus une enfant. Lorsqu'il m'a tout raconté, le lendemain du bal, j'ai été bouleversée et peinée pour lui, incapable de dormir comme de manger. Puisqu'il me l'avait lui-même avoué, ce ne pouvait être que la triste vérité. J'en ai été si révoltée que la fièvre m'a clouée au lit pendant deux jours. Mais… cela ne m'empêche pas de l'aimer et c'est ce que papa refuse de comprendre. Tu sais, toi, que l'on aime pour le meilleur et pour le pire.

— Oui, je le sais.

— Connaissant Andrew, il était impossible d'ajouter foi à cette histoire, mais on ne peut pas tourner le dos à la vérité. Je me suis dit et répété qu'il avait réellement commis un tel acte. Mais au lieu de tuer mon amour, je suis parvenue à détruire mon horreur et ma peur. Il a payé pour son geste, n'est-ce pas suffisant ? Un homme est-il condamné à vie ?

Elle s'était exprimée sur un ton farouche, énonçant les arguments forgés par son amour dans la solitude de sa chambre.

— Il ne boit plus, affirma-t-elle.

— Quelles sont tes intentions ?

— Il désire m'épouser, mais père s'y oppose. Je ne peux que le défier, je suis majeure ! Père ne veut pas le voir et c'est injuste ! Lui boit, Francis joue, ce ne sont pas des saints ! Pourtant, quand un homme fait ce qu'Andrew a fait, ils le condamnent sans l'entendre.

— Ainsi va le monde, ma chère enfant. Un gentilhomme peut boire tant qu'il peut porter son verre ou glisser avec sous la table. Mais lorsqu'un homme a séjourné en prison, le monde n'est pas près de pardonner et d'oublier, malgré les principes de la religion. D'autres hommes ne sont certainement pas prêts à lui confier leur fille en risquant de la voir maltraitée… Je suis enclin à adopter la même attitude.

— Tu te ranges à leurs côtés ? remarqua-t-elle tristement.

— À la base, oui. Que veux-tu que j'y fasse ?

— Je ne peux rien te demander si tel est ton sentiment.

— Mais si ! protesta-t-il. Pour moi, Verity, l'hiver est fini, et sans toi, je ne sais ce qu'il aurait été. Si ton hiver doit venir, dois-je refuser de t'aider parce que je ne partage pas tes opinions ? L'idée de te voir épouser Blamey ne me plaît pas, parce que j'ai le souci de ton bonheur, mais je suis prêt à t'aider.

Elle ne répondit pas aussitôt. Il se méprisa pour ce qu'il avait dit. Son aide… c'était insuffisant. À cause de l'affection qui les unissait, il fallait l'offrir sans restriction.

— Oublie ce que je viens de dire, Verity, il n'est pas question de désapprobation. Je ferai ce que tu voudras.

— Je n'ai personne d'autre que toi, soupira-t-elle, Elizabeth est très compréhensive, mais elle ne peut ouvertement me soutenir contre Francis.

— Où est… Andrew ?

— En mer, il ne rentrera pas avant deux semaines. Je pensais que si je… pouvais lui écrire de me retrouver à son retour à Nampara ?

— Très bien. Préviens-moi la veille et je m'organiserai.

À voir le frémissement de ses lèvres, on eût cru que Verity allait pleurer.

— Mon petit Ross, je suis vraiment navrée de te mêler à tout cela, mais…

— Chut ! Ce ne sera pas la première fois que nous comploterons. Mais cesse de t'inquiéter. Rentre, reprends une existence normale, fais comme si tu ne te souciais de rien et la situation sera plus facile. Dieu sait que rien ne m'autorise à te faire la morale, mais je crois que mon conseil est bon.

7

Le dernier lundi de juin, Jim Carter et Jinny Martin
furent unis par le révérend Odgers aux ongles noirs
d'avoir planté des oignons. Pendant la cérémonie,
Jinny garda son calme. Ses cheveux auburn bien coiffés brillaient sous la coiffe de mousseline blanche. Jim
était nerveux et emprunté dans sa splendeur Jinny lui
avait offert un foulard bleu, et il s'était acheté un costume d'occasion presque neuf, de couleur prune avec
des boutons brillants. Ce serait peut-être son meilleur
costume pendant vingt ans.

Un repas fut servi chez les Martin à tous ceux qui
purent y assister. Ross s'était excusé, car il savait que la
réunion se déroulerait plus librement hors de sa présence.

Avec les douze Martin et les sept Carter, il restait
peu de place pour les étrangers.

Les enfants durent s'asseoir par terre et les jeunes
gens s'étagèrent deux par deux dans l'escalier de
bois menant à la chambre, «comme des animaux sur
l'Arche», remarqua plaisamment Jud Paynter. Le
banc, qui avait accueilli Jim et Jinny pendant leurs paisibles soirées d'hiver, avait été élevé au rang de siège
des mariés; le jeune couple y avait été perché comme
des tourtereaux et, pour une fois, tout le monde pouvait les voir.

Après la fête, Jack avait fait un discours et Jim avait remercié les invités de leurs vœux devant une Jinny rougissante et muette. Malgré les portes ouvertes, la chaleur et la puanteur étaient devenues insupportables dans la pièce. Les femmes et les enfants allèrent s'asseoir dehors, laissant les hommes étendre leurs jambes, allumer leurs pipes ou priser, boire librement et discuter à l'envi du degré où la terre damnée restait humide ou des chances de bénéficier d'une saison favorable pour la sardine.

En dépit des protestations de Mme Martin et de Mme Daniel, et malgré son retour à la religion, deux ans plus tôt, Jack refusa de renoncer à la beuverie et les autres se rangèrent à son avis.

Tandis que les femmes visitaient la nouvelle demeure avec les enfants sur les talons, les hommes se préparaient à entrer dans une confortable ivresse.

En rentrant de Truro le même soir, Ross pensa aux deux jeunes gens qui commençaient une existence commune. Il avait appris à les apprécier et cela justifiait qu'il se souciât de leur avenir. Si la mine démarrait, il offrirait à Jim un emploi en surface, un travail de bureau peut-être, qui lui donnerait sa chance.

Il venait justement de s'occuper de Wheal Leisure. Après avoir fait différents achats pour la maison, il était allé consulter Nat Pearce, le notaire.

Rouge et en proie à son habituel accès de goutte, assis près du feu, Pearce l'écouta avec intérêt. Il jugea la proposition intéressante, se gratta le crâne sous sa perruque et demanda si le capitaine Henshawe participerait à l'opération, car il avait une grande réputation dans la région. Lui, pauvre petit notaire, disposait d'un capital modeste, mais ainsi que le suggérait le capitaine

Poldark, il connaissait nombre de clients toujours à l'affût d'un bon placement.

La situation se développait lentement, mais elle était en évolution. D'ici deux mois, on serait en mesure de forer le premier puits.

Ross se demanda s'il devait proposer des parts à Charles et à Francis. Il était rentré à bonne allure pour arriver avant la nuit et Ténébreuse écumait, incapable de rester tranquille tandis qu'il la bouchonnait. Les autres chevaux montraient du reste la même nervosité. Ross pensa qu'un serpent ou un renard pouvait rôder dans le coin.

Près de la porte partait l'escalier menant à la soupente où avait logé Jim. Au moment où il passait devant, quelque chose le frappa à l'épaule. Il tomba à genoux et il y eut un bruit sourd dans la paille à terre. Ross se redressa vivement, chancela jusqu'à la porte et s'y appuya en se tenant l'épaule.

Au bout de quelques secondes, la douleur s'atténua. Ross constata qu'il n'avait rien de brisé. Il avait déjà vu l'objet qui l'avait frappé : c'était un foret.

Dans la cuisine, Demelza s'efforçait de raccommoder avec une grosse aiguille sa chemise déchirée. Assis dans un fauteuil, Jud avait la moitié du visage bandée, l'autre grimaçant de douleur.

— Ah ! Capitaine ! balbutia Jud en voyant apparaître son maître. Je ne vous avais pas entendu. Il faut que j'aille m'occuper du cheval ?

— C'est fait. Pourquoi es-tu rentré si tôt ? Qu'est-ce que tu as au visage ? Prudie, vous me servirez à dîner dans dix minutes, j'ai à faire.

— Le mariage est fini, expliqua Jud. Une triste affaire. Tous des minables en dehors des Martin et des Carter, pas du tout mon genre…

— Quelque chose a marché de travers, monsieur ? demanda Demelza.

— Non, pourquoi ? répondit Ross en la fixant.

— En rentrant, reprit Jud, je suis tombé…

Mais Ross s'était éloigné. Il prit son fusil dans sa chambre, le chargea avec soin et l'arma. Il avait verrouillé la porte de l'écurie pour empêcher toute fuite. Il alluma une lampe-tempête et cette fois quitta la maison par la porte principale, contournant le bâtiment pour gagner l'écurie. Mieux valait ne pas faire attendre l'homme trop longtemps, il risquait de faire du mal aux chevaux.

Ross tira silencieusement le verrou, poussa la porte, posa sa lampe et s'avança vers l'ombre. Ténébreuse hennit. Une chauve-souris prit son envol, puis ce fut le silence.

— Robert, sors de là, je veux te parler.

Il n'espérait pas de réponse mais il s'avança. Ross attendit, tendu, sachant que c'était une épreuve de patience. Il était sûr de ses nerfs, mais à mesure que le temps s'écoulait, il avait envie de foncer. L'homme avait pu remonter dans la soupente avec son arme, en attendant une occasion.

Ross allait retourner prendre la lampe quand un foret s'abattit sur la cloison dont il venait de s'écarter. En se retournant, il fit feu sur la silhouette qui se dressait dans l'ombre. Quelque chose s'abattit sur sa tête et la silhouette se dirigea vers la porte. Ross tenta de tirer une fois encore, mais le coup ne partit pas et Robert Clemmow s'enfuit.

Ross se précipita à la porte. Une ombre courait entre les pommiers, il tira. Il essuya le sang qui ruisselait sur son front et se tourna vers la maison d'où, alarmés, Jud, Prudie et Demelza venaient de sortir.

Il était furieux de la fuite de l'homme tout en pensant qu'on le retrouverait probablement le lendemain matin.

Dès l'aube, Ross suivit les traces de sang laissées par Robert Clemmow. Au moment d'atteindre Mellin, la piste bifurquait au nord et disparaissait dans les dunes. On n'entendit plus parler de l'homme et l'on en conclut qu'il devait être étendu quelque part, mort de froid et de faiblesse.

Grâce à Demelza, la maison fut souvent fleurie cet été-là. Levée avec le jour, elle flânait dans les champs et les chemins et, Garrick trottant sur ses talons, elle revenait les bras chargés de fleurs sauvages.

Si Demelza se développait, Garrick, convenablement nourri, avait si rapidement engraissé et grandi qu'on le soupçonna de compter un chien de berger parmi ses ancêtres. Il nourrissait une passion pour Jud qui ne pouvait le supporter, et le chien dégingandé suivait comme son ombre la vieille crapule chauve. En juillet, Garrick fut admis dans la cuisine. Il célébra son entrée en se jetant sur Jud par-dessus la table et en répandant sa chope de cidre. Jud se dressa et balança la chope vers le chien qui détala tandis que Demelza s'enfuyait en proie à un fou rire irrépressible.

Un jour, Ross eut la surprise de la visite de Mme Teague et de Ruth, sa fille cadette.

Mme Teague expliqua que, revenant de Mingoose, elles avaient cru gentil de s'arrêter en passant à Nampara. Il y avait près de dix ans que Mme Teague n'était pas venue et elle était curieuse de voir comment Ross s'était organisé.

Il était en train de réparer une haie, il était sale et échevelé, il avait les mains écorchées et tachées de boue. Quand il fit entrer les deux femmes dans le petit salon, le contraste avec les costumes éclatants de Mme Teague et de sa fille apparut plus évident.

En regardant la jeune fille boire le sirop qu'il leur avait fait servir, il comprit ce qui l'avait attiré lors du bal, la gentillesse de la bouche, les yeux gris-vert en amande, le petit menton volontaire et fier. Dans un dernier effort désespéré, Mme Teague avait mis en sa dernière fille la vitalité qui manquait aux autres.

Ils bavardèrent à bâtons rompus.

L'idylle entre Verity et Blamey revint au premier plan à la fin du mois d'août. Ils s'étaient rencontrés quatre fois au cours de l'été, à Nampara.

Ross ne parvenait pas à trouver l'homme antipathique, en dépit de son histoire. C'était un garçon paisible, peu bavard, dont le regard ferme frappait par contraste avec la réserve de son attitude. Le mot qui venait aux lèvres en le voyant était « sobre », la dernière des qualités dont il aurait autrefois pu se targuer si l'on s'en référait à sa propre confession.

Il traitait Verity avec une déférence et une tendresse visiblement sincères.

Néanmoins Ross se détestait, lui-même autant que le rôle qu'il jouait. Il encourageait la rencontre de deux êtres dont la raison disait qu'il aurait mieux valu les séparer. Si les choses tournaient mal, il serait plus que quiconque à blâmer.

La progression des événements le mettait également mal à l'aise. Il n'assistait pas aux entretiens des tourtereaux, mais il savait qu'Andrew pressait Verity de fuir avec lui et que, jusqu'à présent, elle n'avait pas accepté, espérant la réconciliation d'Andrew avec son père. Elle avait cependant accepté de l'accompagner prochainement à Falmouth pour rencontrer ses deux enfants, et Ross avait le sentiment qu'elle ne reviendrait pas. Ce serait le comble de la désobéissance. Une fois là-bas, Andrew persuaderait la jeune fille de l'épouser plutôt que de rentrer pour affronter l'orage.

Un jour, Ross reçut de Mme Teague une lettre l'invitant à une réception qu'elle donnait le vendredi suivant. Il accepta à contrecœur. Le lendemain, Verity venait lui demander la permission de recevoir Andrew à Nampara le même vendredi à 15 heures. Il ne souleva aucune objection et retarda seulement son départ afin d'accueillir les deux jeunes gens.

Après les avoir introduits dans le petit salon, il donna l'ordre de ne pas les déranger, puis il partit.

En haut de la vallée, il rencontra Charles et Francis Poldark.

— Quel plaisir de te recevoir dans mon domaine, oncle Charles! Venais-tu me rendre visite? Cinq minutes plus tard et tu ne m'aurais pas trouvé.

— Nous avions en effet l'intention d'aller te voir, répondit brièvement Francis.

— Le bruit court que c'est chez toi que Verity rencontre ce Blamey. Nous allions chercher la vérité à ce sujet.

— Excusez-moi de ne pouvoir vous recevoir cet après-midi, je suis attendu à 16 heures assez loin d'ici.

— Verity est chez toi en ce moment, affirma Francis, et nous voulons vérifier si Blamey se trouve avec elle ou non, que cela te plaise ou pas.

— Inutile d'être désagréable, Francis, s'exclama Charles. Peut-être faisons-nous erreur ! Donne-nous ta parole, mon garçon, et nous repartirons sans plus d'histoires.

— Comme ma parole ne fera pas disparaître le capitaine Blamey, je ne vous la donne pas ! riposta Ross, guettant l'expression de Charles.

— Maudit sois-tu, Ross, pour n'avoir aucun sens de la correction ni de la loyauté vis-à-vis de ta famille !

— Je te l'avais bien dit ! s'écria Francis qui, sans attendre, dirigea son cheval au trot vers Nampara.

— Je crois que tu portes sur cet homme un jugement erroné, dit lentement Ross.

— C'est sur toi que je me suis trompé, aboya Charles qui suivit son fils.

Ross pressentit un malheur quand il les vit approcher de la maison.

Il lança Ténébreuse dans leur sillage.

Quand il arriva, Charles descendait de cheval et Francis avait déjà pénétré dans le petit salon où des voix s'exprimaient sur un ton vif.

Blamey se tenait près de la cheminée, une main sur le bras de Verity comme pour l'empêcher de s'interposer entre Francis et lui. Il portait son uniforme de capitaine et paraissait maître de lui.

— … pas une façon de parler à votre sœur, déclarait Blamey. Tous les reproches que vous pourriez faire ne doivent s'adresser qu'à moi.

— Salopard ! cria Charles. Agir dans notre dos ! Ma fille unique !

— Dans votre dos parce que vous auriez refusé d'en discuter avec moi, protesta Blamey.

— Discuter ! Il n'y a rien à discuter avec ceux qui assassinent leur femme. Ce sont des gens qui n'ont rien à faire dans la région, ils laissent une sale odeur derrière eux. Verity, en selle, et à la maison !

— J'ai le droit de décider de ma propre existence, riposta-t-elle tranquillement.

— Partez, ma chère, pria Andrew, votre place n'est plus ici.

— Je reste !

— Alors, sois maudite ! hurla Francis. Il n'y a pas deux méthodes pour dresser les gens de votre espèce, Blamey. Les discours sur l'honneur ne serviraient à rien. En revanche, une bonne correction…

— Pas chez moi, intervint Ross. Si tu te bagarres ici, je te jette moi-même dehors.

— Par Dieu ! explosa Charles, tu as l'impudence de t'allier à lui !

— Je ne m'allie à personne, mais ce n'est pas une bagarre qui changera quoi que ce soit.

— Vous avez entendu votre sœur, remarqua tranquillement Blamey, elle a le droit de choisir sa vie. Je ne tiens pas à une querelle, mais elle partira avec moi.

— Je vous enverrai d'abord au diable, cria Francis, il n'y a pas de place pour vous dans notre famille.

Blamey devint livide.

— Sale petit roquet ! siffla-t-il.

Francis s'élança et frappa la joue de Blamey, y laissant une marque rouge. Blamey riposta en envoyant Francis à terre. Bouleversée et blême, Verity s'était éloignée d'eux. Francis se redressa et essuya le sang qui coulait de son nez.

— Je vous défie en duel quand vous voudrez, capitaine Blamey, dit-il.

— Je pars demain pour Lisbonne.

— Évidemment, j'aurais dû m'y attendre ! persifla Francis, méprisant.

— Laisse tomber, Francis, intervint Charles. Gifle ce misérable et partons.

— Il n'en fera rien, déclara Ross.

— Je demande réparation par les armes, dit Francis. Tu ne peux pas t'y opposer. Ce type prétend être un gentilhomme, qu'il sorte avec moi s'il en a le cran.

— Andrew, protesta Verity, n'acceptez rien de ce genre !

— Battez-vous avec vos poings, dit Charles, cette ordure ne vaut pas une balle de pistolet, Francis.

— Rien d'autre ne le découragera définitivement, affirma Francis. Je te demande des armes, Ross, et si tu me les refuses, j'enverrai chercher les miennes à Trenwith.

— Fais-le, répliqua Ross.

— Les armes sont derrière vous, observa Blamey.

En se retournant, Francis vit les pistolets de duel de son cousin.

— Voyons, mon garçon, intervint Charles, ne sois pas stupide, c'est mon affaire... Partons sans nous commettre avec la vermine. Verity nous accompagnera, n'est-ce pas ?

— Oui, papa.

— Appelle ton valet, Ross, dit Francis, et demande-lui d'amorcer ces pistolets.

— Fais-le toi-même.

— Il n'y a pas de témoins, insista Charles, aucune disposition préalable n'a été prise...

— Des formalités ! On n'en a pas besoin pour débusquer et abattre une bête !

Ils sortirent. Il était aisé de comprendre que Francis voulait aller jusqu'au bout. Blamey, pâle, semblait absent, comme si l'affaire ne le concernait pas. Verity supplia vainement une dernière fois son frère.

Jud était dehors et fut visiblement intéressé et impressionné par la responsabilité qu'on lui confiait. C'était la seconde fois en trente ans qu'il assistait à une scène pareille. Francis lui ordonna d'agir en arbitre et de compter quinze pas pour séparer les duellistes. Du regard, Jud consulta son maître qui haussa les épaules.

Les deux adversaires se placèrent dos à dos. Francis était un peu plus grand et ses cheveux blonds brillaient sous le soleil.

Les deux hommes s'éloignèrent l'un de l'autre. À quinze pas, ils se retournèrent. Francis tira le premier et toucha Blamey à la main. Blamey lâcha son arme, se baissa, la reprit de la main gauche et fit feu. Francis s'écroula en portant la main à sa gorge.

En s'avançant vers eux, Ross songea qu'il aurait dû empêcher ce duel. La balle avait pénétré à la base du cou, dans l'épaule, et n'était pas ressortie. Ross souleva le blessé et le transporta à l'intérieur de la maison.

— Mon garçon est mort... Mon fils..., gémit Charles en les suivant.

— C'est idiot ! s'exclama Ross. Jud, va chercher le docteur Choake. Dis-lui simplement qu'il s'agit d'un accident, rien de plus.

— La blessure est-elle grave ? s'enquit Blamey qui avait bandé sa main avec un mouchoir. Je...

— Hors d'ici ! rugit Charles, écarlate. Comment osez-vous venir de nouveau dans la maison ?

— Laisse-le, protesta Ross qui avait étendu Francis sur le divan. Prudie, apportez-moi des linges propres et une cuvette d'eau chaude.

— Je vais t'aider, proposa Verity. Je peux…

Francis tressaillit et gémit.

— Il se remettra, affirma Ross. Écartez-vous pour lui laisser de l'air.

Blamey ramassa son chapeau et quitta la pièce. Dehors, il s'assit sur le banc proche de la porte d'entrée et se prit la tête entre les mains.

Une fois rentrée, Verity se retira dans sa chambre… Elle se sentait détachée du reste de cette maisonnée à laquelle elle appartenait depuis vingt-cinq ans. Elle était entourée d'étrangers hostiles qui s'étaient éloignés d'elle, faute de vouloir la comprendre.

Elle poussa le verrou de sa porte et se laissa tomber dans le premier fauteuil. Son idylle avait pris fin, elle le savait, même si elle en était révoltée. Elle se sentait faible, malade et désespérément lasse de vivre. Si la mort pouvait la surprendre sans bruit, elle l'accepterait.

Elle savait qu'ici, dans l'intimité de sa chambre où nul homme sauf son frère et son père n'avait pénétré, elle pouvait s'abandonner, s'étendre sur son lit et pleurer. Mais elle resta assise, immobile, dans son fauteuil. Il n'y avait pas de larmes en elle, la blessure était trop profonde.

Andrew devait maintenant être de retour à Falmouth. Elle imaginait la tristesse de sa vie à terre, les deux pièces dans la maison près du quai, la domestique qui veillait sur lui.

Elle avait envisagé de transformer tout cela. Ils avaient projeté de louer un pavillon en face de la baie, un coin avec quelques arbres et un jardinet descendant jusqu'à la plage de galets. Bien qu'il eût à peine évoqué son premier mariage, elle en savait assez pour être persuadée que sa femme avait été en grande partie responsable de leur échec, ce qui n'excusait pas l'issue du drame. Verity avait deviné qu'elle pouvait compenser ce premier échec. De ses mains actives et grâce à sa faculté d'organisation, ainsi qu'à leur amour réciproque, elle aurait réussi à lui donner un foyer tel qu'il n'en avait pas connu.

Au lieu de cela, cette chambre où elle avait grandi verrait Verity se dessécher et se faner. Tous ces bibelots et ces meubles seraient ses compagnons pour les années à venir, et elle pressentit qu'elle en viendrait à les haïr, comme on déteste les témoins de son humiliation et de son inutilité.

Elle fit un vague effort pour se secouer. Son père et son frère avaient agi en toute bonne foi, confiants dans leurs principes. Ils croyaient l'avoir sauvée d'elle-même. Sa vie à Trenwith serait plus paisible, plus abritée que celle de l'épouse d'un homme banni de la société.

Cet hiver, il y aurait aussi un nouveau venu dans la maison. Avec le départ de Verity, Elizabeth se serait sentie doublement perdue, Francis aurait trouvé désorganisée la routine ordinairement bien huilée de la maison, Charles n'aurait plus eu personne pour arranger ses coussins ou veiller à ce que sa chope d'argent fût astiquée avant chaque repas. La maisonnée dépendait de Verity pour une foule de détails qui, s'ils n'attiraient aucune reconnaissance particulière, lui prouvaient une affection tacite qu'elle ne pouvait négliger.

L'année dernière, elle avait flotté sur un océan d'habitudes. Elle aurait pu flotter de la même façon résignée dans une maturité sans exigences. Mais cette année, il lui fallait nager contre le courant, sans autre stimulant pour la lutte que l'amertume, le regret et la frustration.

Elle resta ainsi seule avec elle-même dans l'obscurité et les ombres l'enveloppèrent de leurs bras réconfortants.

8

La blessure de Francis guérit rapidement, mais le rôle de Ross dans l'idylle de Verity laissa au jeune homme ainsi qu'à son père une certaine rancœur.

Pendant les dernières semaines d'été, Ross vit peu Verity, car elle quittait rarement Trenwith. Il avait écrit à Mme Teague pour s'excuser de ne pas s'être rendu à son invitation.

Après l'ajournement de l'ouverture de la mine de Wheal Leisure, Jim Carter quitta son emploi chez Ross. Il n'était pas homme à se contenter d'être garçon de ferme toute sa vie et Grambler le récupéra.

Un soir d'août, il vint expliquer à Ross que Jinny ne pourrait plus, au moins pour quelque temps, travailler à Grambler à partir de Noël. Son salaire leur manquerait et comme Jim ne s'était jamais senti aussi bien, il avait accepté un emploi en sous-sol.

— Je regrette de vous quitter, monsieur, mais c'est un bon puits et, avec un peu de chance, je pourrai me faire trente à trente-cinq shillings par mois. Si vous nous autorisez à rester dans le pavillon, nous aimerions vous payer un loyer.

— Vous le ferez quand vous en serez capables ! Ne sois pas si dépensier tant que cela ne tournera pas rond… Au fait, j'ai entendu dire que tu avais braconné avec Nick Vigus l'autre soir.

Jim devint cramoisi et finit par bégayer un « oui » timide.

— C'est un dangereux passe-temps. Où était-ce ?

— À Treneglos.

— Évite Nick Vigus, il t'entraînerait dans des ennuis.

— Oui, monsieur. J'ai… fait la même promesse à Jinny. C'est pour elle que j'y étais allé, pour améliorer l'ordinaire…

— Comment va-t-elle ?

— Bien, merci, monsieur. On est si heureux à deux que j'aimerais autant qu'on ne soit pas bientôt trois ! Mais elle en est si contente.

De subtils changements s'opérèrent dans les relations entre Demelza et les autres habitants de Nampara. Son savoir ayant dépassé celui des Paynter, elle chercha à se renseigner ailleurs et cela l'amena à se rapprocher de Ross qui prit plaisir à l'aider. Il avait souvent envie de rire de ses remarques.

Fin août, Prudie se blessa à la jambe et dut s'aliter. Pendant quatre jours, Demelza s'activa dans la maison et, si Ross ne pouvait juger du travail qu'elle accomplissait, il constata que le repas de midi était toujours apporté à l'heure et le dîner prêt quand les hommes rentraient. Quand Prudie fut rétablie, Demelza ne se cramponna pas à ses nouvelles prérogatives, mais leurs relations ne furent plus jamais celles d'une gouvernante et d'une fille de cuisine.

Ross ne fit aucune réflexion à Demelza sur le mal qu'elle s'était donné au cours de ces quatre jours, mais lorsqu'il se rendit à Truro, il lui acheta un de ces manteaux rouges en vogue dans les villages miniers de Cornouailles. En voyant le vêtement, elle resta sans voix, et l'emporta dans sa chambre pour l'essayer.

Pour remplacer Jim, un certain Joe Cobbledick avait été engagé : un homme d'un certain âge, lent et taciturne, avec une moustache grise tombante à travers laquelle il filtrait sa nourriture.

En septembre, au plus fort de la saison de la sardine, Ross se rendit de temps à autre à Sawle pour voir le poisson et en acheter une barrique de belle qualité pour le saler. Il s'aperçut que, dans ce domaine, Demelza était meilleur juge que lui pour avoir pourvu aux besoins d'une famille pauvre et nombreuse, et il l'emmena en croupe avec lui, à moins qu'il ne l'expédiât une heure et demie avant lui à pied.

L'enfant d'Elizabeth naquit fin octobre. La jeune femme supporta bien l'épreuve pourtant difficile et elle aurait été rapidement sur pied si le docteur Choake n'avait décidé de la saigner au lendemain de l'accouchement. Le résultat fut qu'elle passa vingt-quatre heures à sombrer dans des syncopes inquiétantes d'où on la sortait en brûlant des plumes sous son nez.

Cette naissance enchanta Charles et l'annonce que c'était un garçon le tira de cette torpeur qui s'emparait de lui après les repas.

— Splendide ! Je suis fier de toi, mon fils ! s'écria-t-il pour Francis. Un petit-fils, c'est ce que je souhaitais.

— C'est Elizabeth qu'il faut remercier.

— Eh bien, je suis fier de vous deux, dit Charles, épanoui. Comment allez-vous appeler ce gaillard ?

— Nous n'en avons pas encore parlé, répondit Francis, l'air morne.

— Sans chercher midi à 14 heures, déclara Charles, nous disposons dans la famille d'une gamme de jolis noms. Voyons… il y a Robert, Claude… Vivian… Henry, et deux ou trois Charles. Dis-moi, Charles ne te plairait pas ?

— Elizabeth décidera.

— Bon, bon. J'espère en tout cas qu'elle ne choisira pas ce prénom stupide de Jonathan… Où est Verity ?

— En haut, elle aide à soigner Elizabeth.

La faiblesse d'Elizabeth retarda le baptême jusqu'au début du mois de décembre. Il fut alors célébré plus simplement que ne l'aurait voulu Charles. Dix-huit personnes seulement y assistèrent.

Elizabeth resta étendue sur le divan où l'avait portée Francis, plus belle qu'avant la naissance. Un grand feu brûlait dans la cheminée, la pièce était chaude et la lueur des flammes se reflétait dans le regard des assistants. Au milieu des fleurs, Elizabeth ressemblait à un lis autour duquel évoluaient les autres invités. Son beau teint clair était translucide près de la gorge, mais ses joues étaient plus colorées qu'à l'accoutumée.

L'enfant fut baptisé Geoffrey Charles. Il se présenta sous forme d'un paquet de soie bleue et de dentelles avec une petite tête ronde duveteuse et une bouche ouverte sur des gencives nues comme celles d'Agatha.

Pendant le repas, Charles et Chynoweth discutèrent de combats de coqs et Mme Choake rapporta à ceux qui voulaient l'entendre les derniers potins sur le prince de Galles. Verity, silencieuse, considérait la tablée. Le docteur Choake révéla à Ross quelques-unes des accusations qui devaient être portées contre le gouverneur général du Bengale. Ruth Teague, feignant d'ignorer Ross son côté, s'efforça de mener une conversation avec sa mère.

Cette attitude amusa Ross qui fut en même temps intrigué par la contrainte avec laquelle certaines de ces dames – Dorothy Jones, Mme Chynoweth et Mme Choake, par exemple – s'adressaient à lui. Il ne se souvenait pas de les avoir offensées. Elizabeth, au contraire, se montra très aimable.

Au milieu du repas, Charles se leva péniblement pour porter un toast à son petit-fils, prononça quelques phrases en soufflant comme un phoque, porta la main à sa poitrine en s'exclamant avec impatience : « Ah ! ce vent ! », et s'effondra sur le parquet.

On redressa avec peine l'énorme tas de chair pour le poser dans un fauteuil avant de le monter avec précaution jusqu'à sa chambre.

Quand Charles fut couché, il parut respirer plus facilement, mais ne bougea ni ne parla. Choake saigna le malade, lui prit le pouls et se gratta le crâne.

— Oui, c'est une attaque, déclara-t-il. Nous devons rester au calme et au chaud. Fermez les rideaux et les fenêtres. Il est très gros, mais… espérons !

En redescendant, Ross retrouva les autres qui attendaient. Il aurait été indélicat de partir sans connaître le diagnostic du médecin. Elizabeth, bouleversée, s'était excusée, expliqua-t-on.

Ross se rendit dans le grand salon déserté et s'approcha de la fenêtre. Le jour s'était fait plus pesant et plus sombre, une pluie fine frappait sur la vitre. Charles allait-il si tôt suivre le chemin de Joshua ? Il avait baissé depuis quelque temps, devenant de plus en plus congestionné, chancelant et lourd. De quelle façon cela atteindrait-il Verity ? Superficiellement, sans doute. Francis deviendrait le maître de la maison et du domaine.

Ross passa dans la bibliothèque qui était une petite pièce sombre et poussiéreuse. Charles n'avait pas été plus que son frère un amateur de livres et c'était leur père, Henry, qui avait réuni la majeure partie de la collection.

Le jeune homme parcourut les rayons. Il venait de découvrir une nouvelle édition de *La Justice de la paix*, du Dr Burns. Il lisait le chapitre sur la démence quand la voix de Mme Teague lui parvint.

— Ma chère enfant, que peut-on en attendre d'autre ? Tel père, tel fils !

— Chère madame, tout ce qu'on raconte sur le vieux Joshua ! répliqua Polly Choake. C'est comique et effrayant !

— Un gentilhomme doit savoir s'arrêter. Ses intentions seraient très honorables si elles concernaient une dame de la société, mais, s'agissant d'une femme de classe inférieure, c'est différent ! Après tout, un homme est un homme. Joshua n'a jamais fait la distinction. C'est pour cela que je le désapprouvais, comme tout le comté, et qu'il s'opposait toujours aux pères et aux maris. Ses amours s'égaraient trop loin.

— La promiscuité, quoi ! gloussa Polly.

— Je pourrais en citer des cœurs qu'il a brisés ! Les scandales se sont enchaînés les uns aux autres. Tel père, tel fils ! Mais Joshua ne ramenait pas les filles chez lui. Il ne kidnappait pas une gamine miséreuse pour l'installer chez lui et la séduire ! Et le pire, c'est qu'il la garde pour ce qu'elle est. Il n'est pas bon que le peuple sache qu'une de ses souillons vit en égale auprès d'un homme du rang de Ross Poldark, cela lui met des idées en tête ! Pour parler franc, la dernière fois que je l'ai vu – lors d'une visite faite en passant – j'ai aperçu la créature. Une effrontée qui prenait déjà des airs !

Charles n'eut pas la délicatesse de reprendre connaissance le jour du baptême pour rassurer ses invités. En partant, Ross garda l'image d'Agatha berçant le bébé en marmonnant : « Mauvais présage, je me demande ce qui va en sortir ! »

Ce n'était cependant pas la maladie de son oncle ni l'avenir du jeune Geoffrey qui préoccupaient Ross sur le chemin du retour…

À Nampara, on se préparait à l'hiver en coupant des branches d'arbre pour en faire du bois. Un orme avait été condamné et Jud, avec Joe, le sciait pour l'abattre sous l'œil de Prudie et de Demelza qui dansait autour.

— Je vais m'occuper de la jument, proposa Prudie en voyant arriver le maître. Comment s'est passé le baptême ?

— Assez bien. Qu'arrive-t-il à Demelza ?

— Une lubie ! Elle est comme ça depuis le départ de son père.

— Son père ?

— Il était là il y a une demi-heure. Seul, en habits du dimanche. Il a dit qu'il venait voir sa fille, elle est sortie pour le rencontrer.

Pendant que Prudie allait abreuver Jud de ses conseils, et que les deux hommes s'affairaient autour de l'arbre, Ross s'approcha de Demelza.

— Ton père est venu ? observa-t-il.

— Oui ! s'écria-t-elle, le visage illuminé. J'ai été aimable avec lui et je suis rudement contente... J'ai eu tort ? ajouta-t-elle en cherchant à lire son expression.

— Non, bien sûr. Quand veut-il que tu rentres ?

— Si c'était ce qu'il avait voulu, je n'aurais pas pu être aimable ! riposta-t-elle avec un rire communicatif. Il ne veut pas que je revienne, mais il s'est remarié. Alors, il est redevenu gentil et je n'ai plus à me demander chaque nuit ce que fait mon frère Luc ou si je manque au petit Jack. La nouvelle femme veillera sur eux mieux que je ne l'aurais fait. Elle espère réformer papa, l'obliger à ne boire que de l'eau, mais là, à mon avis, elle se trompe !

La loyauté de Demelza à son égard enchantait Ross comme la satisfaction qu'elle paraissait éprouver. En lui, un plaisir un peu sadique naquit à l'idée qu'il allait avoir à affronter les malveillances. Laisser dire jusqu'à ce que les commères se fatiguent, c'était la meilleure tactique.

À Trenwith, la soirée calme s'achevait. L'absence de vent et les cendres rougeoyantes du grand feu de bois rendaient le salon plus intime, et cinq personnes buvaient du porto, installées dans des fauteuils à dossier haut.

À l'étage, Charles, touchant à la fin de sa vie active, respirait péniblement l'air vicié que lui accordait la Faculté. Plus loin dans le couloir, Geoffrey, au commencement de la vie active, se nourrissait au sein de sa mère de ce lait que la Faculté n'avait pas trouvé le moyen d'altérer.

Au cours des derniers mois, Elizabeth avait éprouvé toutes sortes de sensations nouvelles. La naissance de son enfant avait été le couronnement de son existence et, en regardant la petite tête de Geoffrey reposant sur sa peau blanche, elle ressentait une impression de fierté, de puissance et de plénitude. Dès l'instant de cette naissance, la vie d'Elizabeth avait changé, la jeune femme avait accepté la charge de la maternité, une tâche absorbante au-delà de laquelle les devoirs habituels devenaient futiles.

Après une longue période d'affaiblissement, elle s'était soudain retrouvée mieux que jamais. Mais elle restait rêveuse, indolente, heureuse de s'attarder au lit, à penser à son fils, à le contempler endormi au creux de son bras. Elle aurait été navrée si on lui avait fait remarquer qu'elle en venait ainsi à abandonner à Verity toutes les responsabilités de la maison, mais elle était encore incapable de reprendre toutes ses activités. Et elle ne pouvait supporter d'être séparée de son fils.

Ce soir-là, étendue, elle prêtait l'oreille aux mouvements de la maison. Pendant sa maladie, elle était parvenue à identifier chaque bruit et elle pouvait suivre les gestes de chacun dans l'aile ouest de la maison.

Mme Tabb lui apporta son dîner, un blanc de poulet, un œuf à la coque et un verre de lait chaud. Vers 21 heures, Verity entra bavarder quelques minutes. Elizabeth songea que la jeune fille avait bien surmonté sa déception. Elle était un peu plus calme, soucieuse de la maisonnée, mais elle avait une grande force de caractère et un esprit d'indépendance.

À 22 heures, Mme Chynoweth vint souhaiter une bonne nuit à sa fille et parla si fort du « pauvre Charles » qu'elle réveilla l'enfant et le regarda prendre sa tétée, ce qui exaspéra Elizabeth. Après son départ, la jeune femme étendit ses jambes et entendit Francis dans la chambre voisine. Peu après, il entra, contempla l'enfant endormi et s'assit sur le bord du lit.

— Je t'ai négligée, une fois de plus, murmura-t-il. Ton père a énuméré ses griefs contre le gouvernement et je pensais que tu étais seule ici !

Il se pencha pour l'embrasser, elle répondit distraitement à son baiser, mais quand il la serra dans ses bras, elle comprit que cette caresse affectueuse ne suffirait pas ce soir.

Il lui sourit, l'air intrigué :

— Quelque chose ne va pas ?

— Tu vas le réveiller, Francis, dit-elle, désignant le berceau.

— Oh ! non ! il dort profondément quand il est nourri !

— Comment va ton père ?

Il haussa les épaules. L'attaque dont Charles était victime l'affligeait et il ne restait pas indifférent au dénouement éventuel, mais c'était un autre problème. Les deux questions se posaient en même temps. Aujourd'hui, en portant sa femme au rez-de-chaussée, il avait apprécié le poids de son corps, heureux de la sentir réelle sous sa fragilité. Et son parfum avait continué à flotter autour de lui. En s'occupant des invités, il n'avait en réalité songé qu'à elle.

— Je ne suis pas bien ce soir, prétendit-elle. La maladie de ton père me bouleverse.

Il s'efforça de maîtriser ses impulsions. Comme tous les hommes fiers, il avait horreur des rebuffades.

— Tu crois que tu te rétabliras un jour ?

— Oh ! Francis, ce n'est pas ma faute !

— Ni la mienne… J'ai remarqué que tu souriais en voyant Ross ! persifla-t-il.

L'indignation brilla dans les yeux de la jeune femme. Dès le début, elle avait excusé et compris les reproches et le désespoir de Ross. Elle ne l'avait pas revu et, pendant les mois de sa grossesse, elle avait souvent pensé à lui, à sa solitude, à son regard clair dans son visage balafré et farouche.

— Ne parlons pas de lui, veux-tu ? demanda-t-elle. Il ne m'est rien.

— Tu le regrettes peut-être.

— Tu dois être ivre, Francis.

— Tu en as fait des histoires à son propos, cet après-midi. « Asseyez-vous près de moi, Ross. Mon bébé n'est-il pas ravissant, Ross ? Reprenez de ce gâteau, Ross... »

— Tu te conduis comme un gamin ! bégaya-t-elle avec colère.

— Ce que ne ferait certainement pas Ross, lança-t-il en se levant.

— En effet ! riposta-t-elle pour le blesser.

Ils se défièrent du regard.

Il claqua la porte et, dans sa chambre, après avoir éparpillé ses vêtements par terre, il se coucha. Il garda un moment les yeux ouverts, en proie à la jalousie et à la déception. L'amour, le désir qu'il éprouvait s'étaient mués en amertume et en chagrin.

9

La bibliothèque de Nampara joua un grand rôle dans le développement intellectuel de Demelza. L'adolescente avait mis un certain temps à surmonter la méfiance que lui inspirait cette pièce encombrée et sinistre, une méfiance née de sa première nuit à Nampara. Mais la peur et la fascination suivent des voies parallèles. Une fois dans la place, Demelza avait du mal à s'en arracher. Depuis son retour, Ross fuyait la bibliothèque dont chaque objet lui rappelait des souvenirs douloureux de son enfance, les voix de ses parents, les espoirs oubliés. Demelza, elle, ne pouvait y faire que des découvertes.

Ce qui la passionnait le plus, c'étaient l'épinette et la boîte à musique. Un jour, après une heure de bricolage, elle parvint à remettre en marche la boîte à musique et l'écouta égrener deux menuets avec des notes tremblotantes. Elle se mit à danser sur un pied autour de l'objet et Garrick sauta sur place, en mordillant le bas de sa jupe. La musique terminée, Demelza se cacha dans un coin, craignant l'irruption de quelqu'un. Elle se risqua à essayer de jouer de l'épinette quand elle fut sûre qu'on ne pouvait l'entendre et fut éblouie par les sons discordants qu'elle en tira. Elle eut le sentiment qu'il était beaucoup plus simple d'en jouer que d'apprendre à écrire.

Charles Poldark se remit de son attaque mais fut condamné à demeurer chez lui tout l'hiver. Il prit encore du poids et fut bientôt incapable de faire plus que l'effort de descendre pour s'asseoir devant la cheminée du salon. Il restait parfois des heures sans parler près d'Agatha qui filait la laine ou lisait la Bible à haute voix. Parfois, dans la soirée, il interrogeait Francis sur la mine ou battait la mesure en tapotant sur le bras de son fauteuil quand Elizabeth jouait de la harpe. Il s'adressait rarement à Verity sinon pour se plaindre, et le plus souvent il somnolait dans son fauteuil avant d'accepter d'aller se coucher.

L'enfant de Jinny Carter était né en mars, un garçon qui fut prénommé Benjamin Ross. Quinze jours après le baptême, Ross reçut la visite inattendue d'Elie Clemmow venu à pied de Truro malgré la pluie.

Plus petit que son frère, il avait un peu le type mongol. D'abord, il se montra insinuant, posant des questions sur la disparition de son frère, puis il changea de tactique en parlant avec suffisance de sa situation – il était le valet d'un notaire, logé et éclairé, avec un salaire mensuel d'une livre – et il en revint aux biens de Robert. Ross lui répondit en toute candeur qu'il pouvait emporter ce que l'on avait trouvé dans le pavillon en doutant qu'il y eût quelque objet digne d'intérêt. Un éclair de méchanceté passa dans les yeux d'Elie.

— Les voisins ont dû se servir ! ricana-t-il.

— Adressez directement vos accusations aux intéressés, mais il n'y a pas de voleurs chez nous !

— J'ai le droit de dire ce que je veux, parce que ce sont des mensonges qui ont fait partir mon frère.

— Il est parti parce qu'il était incapable d'apprendre à se dominer.

— Il a fait quelque chose de mal ?

— Nous l'en avons empêché.

— Et on l'a chassé de chez lui pour n'avoir rien fait et il est peut-être mort de faim...

— Je vous donne cinq minutes pour filer ou je vous fabriquerai d'autres souvenirs !

— Enfin, vous venez de dire que je pouvais descendre chercher les affaires de mon frère et c'est normal !

— Je n'interviens pas dans la vie de mes locataires à moins qu'ils n'interviennent dans la mienne. Va choisir ce que tu veux emporter et retourne à Truro, tu n'es pas le bienvenu dans la région.

Une flamme s'alluma dans les yeux de Clemmow, qui quitta la maison sans ajouter un mot.

Jinny Carter, qui était en train de soigner son bébé à l'étage de son pavillon, vit un homme pénétrer dans la maison voisine. L'homme resta une demi-heure et partit avec quelques objets sous le bras. Mais ce que Jinny ne vit pas, ce fut l'expression songeuse sur le visage mongol. Pour Elie, en effet, il était clair que le pavillon avait été habité moins d'une semaine auparavant.

Le lendemain, la pluie n'autorisait que les tâches les plus urgentes. Si Prudie avait été en veine d'activité, elle aurait enseigné à Demelza autre chose que des rudiments de couture, le tissage, le filage, la préparation des chandelles, par exemple. Mais cela ne faisait pas partie des connaissances ménagères de Prudie. Elle accomplissait l'indispensable, mais toute excuse était bonne pour s'asseoir devant une tasse de thé ! Donc, sitôt le déjeuner terminé, Demelza se faufila dans la bibliothèque, comme chaque fois qu'elle en avait l'occasion.

Cet après-midi-là, elle fit sa plus grande découverte. Le crépuscule tombait quand elle s'aperçut qu'un des coffres n'était fermé que par un loquet. Elle souleva le couvercle et mit au jour un tas de vêtements. Des robes et des écharpes, des tricornes, des gants fourrés, une perruque et des bas roses et bleus, des pantoufles féminines en dentelle verte avec des talons hauts, une plume d'autruche, une bouteille d'un liquide qui sentait le gin et un flacon à demi plein de parfum.

Malgré l'heure, elle ne parvint pas à s'arracher à ces trésors, secouant les brindilles de lavande, palpant les beaux tissus. Elle ne put enfiler les pantoufles, trop fines pour être réelles. Elle huma la plume d'autruche, s'en effleura la joue et la mit autour de son cou, puis sur un chapeau, et pirouetta avec des airs de grande dame cependant que Garrick courait comme un fou.

Enveloppée dans la pénombre, elle vivait un rêve, jusqu'au moment où elle sortit de ses rêveries pour s'apercevoir qu'on n'y voyait plus et qu'elle était seule dans la pièce obscure avec le froid qui gagnait et la pluie qui suintait à travers les volets.

Effrayée, elle rangea tout dans le coffre, baissa le couvercle et retourna furtivement dans la cuisine. Prudie avait dû allumer les chandelles et elle manifesta sa mauvaise humeur par un sermon que Demelza dévia adroitement vers un épisode de la vie de Prudie elle-même. La jeune fille était à peine montée dans sa chambre que Jim Carter et Nick Vigus arrivèrent pour annoncer qu'un bateau était en détresse. Lorsque Ross fut prêt à partir, il trouva Demelza qui l'attendait, un mouchoir noué sur la tête et deux vieux sacs sur les épaules en guise de manteau.

— Tu serais mieux au lit, grommela-t-il, mais si tu tiens à te faire tremper, tu peux nous accompagner.

Quand ils approchèrent du sommet de la falaise, la pluie recommença, les trempant, pénétrant dans leurs yeux et leur bouche. Ils s'abritèrent dos au vent derrière une haie pour laisser passer la bourrasque.

Des gens flânaient au bord de la falaise. Çà et là, des lanternes brillaient, comme des vers luisants. Trente mètres plus bas, d'autres lumières clignotaient, descendant un sentier étroit pour rejoindre un groupe qui scrutait la mer.

Une silhouette quitta le sentier, surgissant comme un diable de son antre. C'était Paul Rogers, nu et dégoulinant d'eau.

— C'est ennuyeux, annonça-t-il. S'ils étaient moins loin, on pourrait leur lancer une corde…

— Vous avez essayé de les atteindre ? hurla Ross pour dominer le vent.

— Trois d'entre nous ont tenté de s'en approcher à la nage, mais le Seigneur n'a pas favorisé l'entreprise. Le bateau ne tiendra plus longtemps maintenant.

— Des membres de l'équipage ont gagné le rivage ?

— Deux, oui, mais le Seigneur les avait rappelés à lui. Il y en aura cinq autres avant le lever du soleil.

Nick Vigus s'avança vers eux, la lueur d'une lanterne montra son visage luisant, grêlé et édenté, avec une expression innocente.

— Quelle est la cargaison ? demanda-t-il.

— Rien pour toi, la loi s'y oppose, riposta Rogers en égouttant sa barbe. Du papier et de la laine, à ce qu'on dit.

Ross s'éloigna et, suivi de Jud, descendit la falaise. En bas, il s'aperçut que Demelza les avait accompagnés.

La marée montait. En dessous d'eux, sur les quelques mètres carrés de sable, un groupe de lanternes signalait des hommes qui guettaient le moindre apaisement de la mer pour risquer leur vie en partant à la nage jusqu'au bateau naufragé. Au loin, on pouvait distinguer une masse sombre qui n'était pas celle d'un rocher. On n'y apercevait cependant aucune lueur ni aucun signe de vie.

— Il n'y a rien à faire, murmura Ross.

— Non, monsieur, je crois que je vais rentrer, dit Jim qui l'avait rattrapé. Jinny doit être nerveuse.

— Demain, la plage sera jonchée de débris, observa une vieille femme.

— Emmène la petite avec toi, ordonna Ross à Jim.

Jinny Carter remua dans son lit. Elle avait vaguement rêvé qu'elle préparait un pâté de poisson et tous les poissons soudain s'étaient brouillés à sa vue pour se transformer en bébés qui pleuraient. Maintenant qu'elle était éveillée, le cri résonnait dans ses oreilles. Elle s'assit et écouta l'enfant qui dormait dans le coffre de bois que Jim lui avait confectionné.

Pourquoi Jim, quittant son lit confortable, avait-il cru bon de sortir dans la nuit sauvage avec l'espoir de récupérer quelque chose du naufrage ? Il s'absentait deux ou trois nuits par semaine pour rentrer au petit matin avec un faisan ou une perdrix dans sa besace.

Il avait beaucoup changé au cours de ces derniers mois. Pendant une semaine, il avait abandonné la mine parce qu'il toussait comme un perdu. Ensuite, il avait passé deux nuits dehors en compagnie de Nick Vigus et en avait rapporté de la nourriture que la perte de son salaire ne lui permettait plus d'acheter.

Jinny s'arracha à son lit en frissonnant et s'approcha des volets. À travers une fente, elle constata que la nuit était plus noire que jamais.

Elle crut entendre un bruit dans la pièce du rez-de-chaussée. L'armature de bois du pavillon craquait et vibrait sous la tension. Jinny songea qu'elle serait soulagée de voir revenir son mari.

Elle se recoucha et tira la couverture sur son nez.

Une bourrasque ébranla de nouveau les volets comme si un homme gigantesque s'appuyait contre la maison pour tenter de la renverser. Jinny somnola un moment, rêvant de vie heureuse où la nourriture abondait et où les enfants grandissaient au milieu des rires. Elle reprit conscience en se rendant compte qu'il y avait une lumière quelque part. Deux ou trois rayons apparurent dans une fente du plancher et elle se sentit réconfortée à l'idée que Jim était de retour. Elle pensa à descendre aux nouvelles, s'étonnant d'un retour si prématuré, mais la chaleur de son lit coupa court à cette velléité. Elle se remit à somnoler et ce fut un bruit qui la réveilla.

Jim n'appela pas. Il devait évidemment croire sa femme endormie. Elle ouvrit la bouche pour l'interpeller et, en même temps, se demanda avec une sensation déplaisante si l'homme en bas était bien Jim. Les bruits pesants en faisaient douter. Jim avait le pas léger ; Jinny s'assit et prêta l'oreille… Si c'était Jim, il était en train de chercher quelque chose, maladroitement, comme un homme ivre. Pourtant, depuis son mariage, il n'avait pas bu une goutte de gin. Elle attendit et une idée se fit jour dans son esprit… Un seul homme était capable de surgir ainsi en l'absence de Jim, de se déplacer avec cette pesanteur, de grimper l'échelle à tout moment, mais il avait disparu depuis plusieurs mois et on le croyait mort. Jinny était parvenue à l'oublier.

Elle ne bougea pas, de crainte de se faire remarquer par un son quelconque. Son estomac, ses poumons paraissaient s'être paralysés... S'il n'entendait aucun bruit, peut-être s'en irait-il en la laissant en paix. Et peut-être Jim ne tarderait-il plus...

L'enfant se mit à pleurer. Les tâtonnements en bas cessèrent. Jinny s'immobilisa, incapable de bouger. L'enfant se calma un instant et reprit ses cris. Jinny se décida à sortir du lit, attrapa l'enfant, faillit le laisser tomber tant ses mains tremblaient. La lumière en bas vacilla, l'échelle craqua.

Jinny ne trouva plus de mots pour crier, plus de ressources pour se cacher. Elle se planta près de son lit, dos au mur, l'enfant remuant faiblement entre ses bras serrés, cependant que la trappe se soulevait lentement.

À la lueur de la bougie qu'il portait, on décelait les changements que des mois d'existence dans les grottes avaient apportés en lui. Il n'avait plus que la peau et les os. Il était en loques, pieds nus ; sa barbe et ses cheveux en broussaille étaient mouillés comme s'il sortait de l'eau. C'était pourtant bien ce Robert Clemmow qu'elle connaissait, au regard pâle, à la bouche molle, dont le visage tanné par le soleil était sillonné de rides.

Luttant contre une nausée, elle le fixa.

— Où est mon poêlon ? grommela-t-il. On me l'a volé !

Robert Clemmow se hissa sur le plancher et claqua la trappe. Pour la première fois, il distingua l'enfant et, lentement, réalisa. En même temps, le souvenir du mal qu'on lui avait fait, de la raison pour laquelle on l'avait contraint à fuir les gens et à n'entrer chez lui qu'à la nuit, de sa blessure qui suppurait encore dans son flanc, du désir qu'il éprouvait pour cette femme, de sa haine pour l'homme dont elle avait dû avoir cet enfant geignard, Ross Poldark.

— Mon lis blanc…, murmura-t-il.

Il vivait depuis si longtemps dans l'isolement qu'il avait perdu l'habitude de se faire comprendre. Il parlait pour lui-même. Il se redressa lourdement, car sa blessure contractait ses muscles. Jinny s'était remise à prier. Il avança d'un pas.

— Mon lis pur…

Il tira son couteau de trappeur à la lame raccourcie par quatre années d'usage. Durant les mois écoulés, le désir s'était en lui mêlé au goût de la revanche. Il posa sa chandelle tremblotante sur le sol où le courant d'air projeta la lumière par à-coups et répandit le suif.

Jinny se mit à hurler. Comme il avançait, elle se contraignit à bouger : elle se trouvait à quelques pas du lit quand Robert la saisit et poignarda l'enfant. Elle détourna en partie le couteau, mais la lame réapparut rouge.

Le cri de la femme se fit plus animal. Robert fixa le couteau avec un intérêt passionné et se ressaisit en voyant Jinny gagner la trappe. Elle se détourna au moment où il l'atteignit. Cette fois, ce fut elle qu'il frappa, elle sentit la lame pénétrer en elle. Et tout ce qui en lui était contracté explosa, il lâcha le couteau et regarda la jeune femme s'affaisser.

Une nouvelle bouffée de vent souffla la chandelle. L'homme cria et tâtonna vers la trappe. Son pied glissa sur quelque chose de gras et sa main empoigna les cheveux de la femme. Il recula et hurla, martelant le plancher de son poing. Mais il était enfermé dans la chambre, avec l'horreur qu'il avait créée.

Il se redressa, avança à l'aveuglette dans la pièce et trouva les volets. Il se débattit en vociférant sans parvenir à situer le loquet. Il poussa de tout son poids et les attaches cédèrent. Avec une sensation de libération, il sauta par la fenêtre, quitta sa prison, se rua dans la vie, sur les pavés en dessous.

10

Autour de la table de la grande salle de Nampara, par un après-midi d'avril 1787, six hommes étaient réunis. Ils avaient bien dîné et bien bu. Il y avait là Horace Treneglos, Renfrew, le docteur Choake, le capitaine Henshawe, Nat Pearce, le notaire de Truro, et leur hôte, le capitaine Poldark.

Leur rencontre était destinée à l'étude des travaux à entreprendre à Wheal Leisure et de la décision à prendre pour savoir s'ils devaient risquer leur or afin de produire du cuivre.

— Eh bien, dit Treneglos qui présidait la table, je ne m'insurge pas contre l'avis des experts. Il y a deux ans que nous tergiversons. Si le capitaine Henshawe conseille de commencer, s'il risque son argent en même temps que le mien, c'est qu'il doit avoir certaines assurances.

Un murmure d'approbation l'accueillit. Choake toussota.

Henshawe se leva et apporta un grand rouleau de parchemin, mais Ross l'arrêta.

— Faisons d'abord débarrasser la table, dit-il.

Il sonna et Prudie apparut, suivie de Demelza. C'était la première intervention de la jeune fille et les regards curieux se tournèrent vers elle. Tous, sauf

Treneglos, connaissaient son histoire et les bruits qui couraient.

Les hommes détaillèrent une jeune fille de dix-sept ans, grande, aux cheveux sombres en désordre, aux grands yeux noirs pleins d'un éclat déconcertant, une lueur qui exprimait une vitalité insolite et une fougue latente.

Renfrew la scruta en plissant les yeux et Pearce, tout en maintenant son pied douloureux à l'abri, se risqua à lever d'un geste furtif ses lunettes inquisitrices. Treneglos desserra la ceinture de son pantalon et tous se penchèrent sur la carte que Henshawe déroulait sur la table.

Ross poursuivait ses explications en montrant le puits et les galeries qui devraient être creusées à partir de la paroi de la falaise de Leisure pour assécher la mine.

— Au début, précisa Ross, je serai directeur et trésorier sans pour autant percevoir de revenu. Le capitaine Henshawe supervisera les travaux contre un salaire modéré. M. Renfrew nous fournira la majeure partie du matériel avec une marge de bénéfice réduite pour lui. Et je me suis arrangé avec la banque Pascoe pour qu'elle honore nos effets. Jusqu'à trois cents guinées pour l'achat de treuils et autre matériel lourd.

Il y eut un silence et Ross épia les visages en haussant un sourcil un peu sceptique.

— Soit sept cents en tout pour une dépense de cinquante par tête, calcula Treneglos. Cela me paraît très raisonnable.

— Ce n'est qu'une première mise de fonds, pour les trois premiers mois, objecta Choake.

— Tout de même, messieurs, cela paraît raisonnable, intervint Renfrew. On ne peut espérer se lancer pour moins dans une entreprise fructueuse.

— Exact, approuva Treneglos. Je suis d'accord pour démarrer. On vote à main levée ?

— Ce prêt de la banque Pascoe implique que nos affaires se traiteront par leur intermédiaire ? remarqua Choake. Pourquoi pas Warleggan ? Ne pourrions-nous obtenir d'eux de meilleures conditions ? George Warleggan est un ami.

— C'est aussi un de mes amis, répliqua Ross, mais l'amitié ne doit pas jouer dans les affaires.

— Si c'est au détriment des affaires ! protesta Choake. Mais Warleggan est la plus grande banque du comté, la plus audacieuse.

— Une banque en vaut une autre ! observa Treneglos. Ross, je suppose que vous aviez une raison pour aller chez Pascoe ?

— Il n'y a aucun grief entre les Warleggan et moi, qu'il s'agisse du père ou du fils. Mais leur banque a déjà la main mise sur trop de mines, je ne veux pas qu'elle ait aussi une emprise sur Wheal Leisure.

— Je ne me soucierais pas de l'expliquer aux Warleggan, avoua Choake.

— Passons aux votes, ordonna Treneglos en frappant la table de son verre. C'est la seule façon d'avancer.

Le vote décida de l'ouverture de la mine.

— Splendide ! s'exclama Treneglos. Enfin, on y arrive. Maintenant, la question finances. Ceux qui sont en faveur de Pascoe…

Renfrew, Henshawe, Treneglos et Ross furent pour. Choake et Pearce votèrent pour Warleggan, et comme Pearce votait pour ses clients, les voix furent à égalité.

— La barbe ! grommela Treneglos. Je savais que ce notaire contrecarrerait nos projets.

Pearce l'entendit et s'efforça de ne pas s'en vexer.

Au second tour, Choake céda et les Warleggan furent battus. Ross savait que l'entreprise était trop petite pour capter l'attention d'une grande banque, mais il ne doutait pas que cette dernière s'y serait lancée. George allait être contrarié…

Les obstacles majeurs étant franchis, le reste se déroula assez vite. Henshawe détendit ses grandes jambes, se leva et, avec un signe à Ross, passa la carafe à liqueur à la ronde.

— Pardonnez-moi cette liberté, messieurs, mais nous sommes assis ici en associés et nous partons à égalité dans cette entreprise. Je porte donc un toast à Wheal Leisure.

Les autres se levèrent et firent tinter leurs verres avant de les vider.

Après le départ de ses associés, Ross sortit et marcha vers la future mine. Il n'y avait pas grand-chose à voir. Deux tunnels peu profonds et quelques tranchées, et aussi un tunnel plus récent avec une échelle et quelques tourbes pour indiquer où se situeraient les installations futures. Le paysage aurait changé à la fin de l'été.

Ross se tourna vers les cheminées du hameau de Mellin. Il serait maintenant en mesure d'aider Jim Carter sans être soupçonné de gestes charitables que le garçon aurait refusés. Jim pourrait le soulager de certaines tâches dans la supervision et, plus tard, quand il saurait lire et écrire, il pourrait gagner au moins quarante shillings par mois, ce qui les aiderait, Jinny et lui, à oublier la tragédie survenue deux ans plus tôt.

En définitive, on n'avait déploré qu'une seule mort, celle de Robert Clemmow. Le bébé Benjamin avait souffert d'une blessure à la tête et à la joue qui ne laisserait qu'une cicatrice légère. Jinny avait guéri du coup de couteau qui l'avait atteinte près du cœur. C'était loin maintenant, et la jeune femme venait d'avoir une petite fille, Marian.

Le drame aurait pu être pire, mais Jinny en porterait toujours la trace morale. Elle était devenue taciturne et renfermée. Même son mari ignorait ce qu'elle pensait.

Jim avait également perdu son entrain et il éprouvait un sentiment de culpabilité dont il ne parvenait pas à se débarrasser. Il n'oublierait jamais l'instant où il avait découvert Clemmow mourant sur son seuil, son irruption dans la maison où l'enfant pleurait dans le noir. Il ne pouvait chasser l'idée que, s'il n'avait pas été absent, le drame ne se serait pas produit. Il renonça à son association avec Vigus et aucun faisan ne releva plus le menu des jeunes Carter.

En fait, ce n'était plus nécessaire, le voisinage avait pris leur cause à cœur. On avait ouvert en leur faveur une souscription publique, on leur avait envoyé toutes sortes de présents et, pendant le temps où Jinny resta alitée, ils bénéficièrent d'une générosité qu'ils n'avaient pas soupçonnée. Depuis que Grambler donnait de bons résultats, la situation de Jim s'était améliorée, et le jeune couple n'avait plus besoin que de réussir à effacer le souvenir de la nuit tragique.

Ross s'arrêta et scruta le sol : il affrontait l'éternelle énigme du prospecteur, savoir si ce terrain recelait la fortune ou la déception.

En deux ans, Ross avait peu vu sa famille et les gens de son monde. La conversation qu'il avait surprise dans la bibliothèque de Trenwith, le jour du baptême du petit Geoffrey, l'avait empli de mépris pour tous ces gens et, bien qu'il refusât d'admettre qu'il se laissait influencer par les commérages de Polly Choake, il éprouvait une certaine répugnance à les fréquenter. Chaque mois, par courtoisie, il allait s'informer de la santé de Charles, qui se refusait à se rétablir comme à mourir.

Sur le chemin du retour, au sommet de la colline, Ross aperçut Demelza, qui venait à sa rencontre avec Garrick courant à sa suite.

— Jud m'a appris que la mine allait enfin être ouverte, dit-elle.

— Dès que nous aurons pu engager les hommes et acheter le matériel.

— Hourra! Garrick, à terre! Je suis vraiment contente! Ce sera aussi étendu que Grambler?

— Pas dans l'immédiat.

Ils descendirent la colline ensemble. À cause de l'intérêt que lui portaient les autres, Ross observa ce jour-là la jeune fille du coin de l'œil. Elle avait grandi et elle s'était développée, elle ne ressemblait plus à la gamine affamée qu'il avait traînée sous la pompe à eau.

La nouvelle de l'ouverture d'une mine se répandit à travers le comté et les dirigeants furent assiégés par des mineurs venus de tous les coins du pays et prêts à travailler à n'importe quel tarif. Ross et Henshawe s'efforcèrent de conclure des engagements équitables. Ils embauchèrent quarante hommes dont un chef et un sous-chef d'équipe qui dépendraient de Henshawe.

Rencontrant Jacky Martin, Ross s'enquit de Jim. Jacky répondit que le jeune homme était sur pied, mais qu'en raison de sa toux il n'avait pas encore repris son travail.

Ross réfléchit à l'organisation qu'il commençait à ébaucher. Dès lundi, huit hommes entreprendraient le forage de la galerie à partir de la paroi de la falaise et un autre groupe de vingt hommes démarrerait au premier puits.

— Dites-lui de venir me voir demain matin.

Jim ne dormait pas. Il perçut les coups frappés à la porte. Il se leva avec précaution, afin de ne pas réveiller Jinny et les petits. En s'efforçant de réprimer la toux qui lui grattait la gorge, il s'habilla et ouvrit la trappe sans bruit.

— Jim ! appela Jinny alors qu'il était presque en bas. Tu sors encore avec Nick Vigus ? reprit-elle après un silence. Pourquoi ne pas me l'avoir dit ?

— Je savais que tu en ferais une histoire ! Mais j'ai promis à Nick de l'accompagner.

— Dis-lui que tu y renonces. Le capitaine t'attend demain matin, tu l'as oublié ?

— Je serai rentré à temps.

— Il veut t'offrir un poste à la nouvelle mine.

— Je ne peux pas l'accepter, car il serait hasardeux de renoncer à mon emploi actuel.

— Patauger dans l'eau, voilà ton rôle ! Rien d'étonnant à ce que tu tousses !

— Et quand je sors pour un petit extra, tu te plains !

— On peut s'arranger, Jim, je ne veux rien de plus que ce que j'ai, je n'ai besoin de rien. De rien en tout cas de ce que tu te procurerais de cette façon. Je ne supporte pas de te voir en danger.

On cogna de nouveau à la porte.

— Je perds du temps, murmura Jim. Quand j'aurai repris mon travail, je ne sortirai plus la nuit.

— Jim, je t'en prie, n'y va pas !

— Tu vas réveiller les gosses. Pense à eux et à celui qui va naître, il faut les nourrir !

Il ouvrit la porte et rejoignit Nick dehors. Leur randonnée allait être assez longue et ils marchèrent quelque temps en silence, suivis du chien de Nick.

Ils entrèrent dans le domaine de Bodrugan, une région riche mais dangereuse, et ils se déplacèrent avec les plus grandes précautions. Nick Vigus marchait en tête et le chien avançait dans son sillage. À quelques pas en arrière, Jim portait un bâton de trois mètres de long muni d'un filet qu'il avait lui-même confectionné.

— Ces étoiles éclairent autant qu'un quartier de lune. Je ne crois pas qu'on attrape de quoi remplir notre besace.

— Renonçons-y et partons, j'ai peur !

Ils s'accroupirent dans le sous-bois et prêtèrent l'oreille. C'était là que se juchaient les faisans. Ceux qui choisissaient les branches basses étaient des proies faciles pour l'homme armé d'un filet. Mais de l'autre côté se dressait la maison de Bodrugan.

— Qu'as-tu entendu ? chuchota Jim.

— Les gardiens qui patrouillent, murmura Nick dont le crâne chauve luisait.

Ils patientèrent quelques instants. Jim réprima une quinte de toux et posa la main sur la tête du chien qui s'immobilisa.

— Fausse alerte, dit Nick à mi-voix.

Ils se remirent à avancer dans le sous-bois. La clarté de la nuit rendait l'opération difficile. Les deux hommes se séparèrent en prévoyant de se rejoindre plus tard.

Jim se demandait pourquoi le capitaine Poldark voulait le voir. Il lui devait déjà beaucoup et, à cause de cela, se refusait à accepter d'autres faveurs. Encore fallait-il qu'il conservât la santé. Il ne servirait à rien à Jinny s'il imitait son père mort à vingt-six ans. La jeune femme se tracassait parce qu'il travaillait dans l'eau.

Une bête bougea dans le fourré près de lui. Tournant la tête, il ne vit rien. L'arbre devant lui était noueux et difforme. Une forme bizarre… qui brusquement se modifia. Écarquillant les yeux, Jim distingua un homme contre l'arbre.

Ainsi, leur visite de samedi n'était pas passée inaperçue et les gardes avaient peut-être guetté chaque nuit. Peut-être avait-on déjà repéré Jim… S'il avançait, il serait pris. Et Nick, qui allait surgir par le nord ? C'était le moment de se décider, Jim s'éloigna avec lenteur.

Il n'avait pas fait deux pas qu'il entendit derrière lui le bruit d'une branche cassée. Il pivota à temps pour éviter d'être agrippé par une main et plongea vers les faisans, lâchant son filet. Au même instant, une bousculade se fit entendre, suivie d'une décharge de mousquet. Soudain, le bois s'anima, avec les cris des faisans et leurs battements d'ailes, le remue-ménage d'autres gibiers dérangés, des voix d'hommes lançant des ordres pour la capture de Jim.

Parvenu en terrain découvert, Jim se mit à courir, longeant le ruisseau et se maintenant autant que possible dans l'ombre. Des pas couraient à sa suite et il comprit qu'il n'allait pas distancer ses poursuivants, car son cœur battait à tout rompre et son souffle se précipitait.

Il parvint à une petite clairière au milieu de laquelle se dressait un pavillon circulaire de marbre. Jim se précipita vers le pavillon, puis changeant d'avis, il se dirigea vers l'extrémité de la clairière où un grand orme s'inclinait. Il grimpa le long du tronc, s'écorchant les mains et se cassant les ongles. Il avait atteint la seconde branche quand deux gardes avancèrent dans la clairière. Jim s'immobilisa, respirant doucement.

Les deux hommes hésitèrent et scrutèrent l'étendue, l'oreille tendue.

— … pas allé loin… se cache…

Les mots parvinrent vaguement à Jim. Les deux hommes avancèrent, furtifs. L'un d'eux monta les marches du pavillon et essaya d'ouvrir la porte qui était fermée à clé, l'autre examina le toit en forme de dôme.

Au moment où l'un d'eux s'approchait de l'arbre, Jim sentit venir une quinte de toux. La sueur ruissela sur son front. Le garde s'éloigna sans hâte. Jim constata qu'il portait un fusil. Son tour terminé, le second homme rejoignit son camarade.

— Tu l'as aperçu ?

— Non, le salopard a dû filer.

— Et l'autre, on l'a attrapé ?

— Non. On pensait cueillir celui-ci.

Les poumons de Jim le brûlaient. Une démangeaison dans la gorge l'étouffait. Il suffoqua.

— Qu'est-ce que c'est ? fit l'un des deux gardes.

Dans un effort surhumain pour retenir sa quinte de toux, Jim agrippa la branche au-dessus de lui. Il était trempé de sueur et la capture même lui paraissait moins horrible que la contrainte qu'il s'imposait.

Les deux hommes s'éloignèrent, mais ils n'avaient pas fait dix pas qu'une violente quinte de toux juste au-dessus d'eux les stoppa et les figea. L'un d'eux se ressaisit et se précipita vers l'orme.

— Descends ! cria-t-il. Descends tout de suite ou je te tire dessus !

11

Ross n'apprit l'arrestation de Jim que vers 10 heures, par l'un des enfants Martin. Il sella aussitôt Ténébreuse et galopa jusqu'à Werry House.

Les Bodrugan étaient une des familles décadentes de Cornouailles. Sir Hugh Bodrugan, de Werry, le baronnet actuel, avait cinquante ans, il était célibataire, petit, vigoureux et trapu. Il vivait avec sa belle-mère, la baronne douairière, qui montait à cheval comme un homme, jurait de même, élevait de nombreux chiens et répandait la même odeur qu'eux.

Ross les connaissait tous deux de vue, et il aurait préféré apprendre que Jim avait braconné sur d'autres terres, surtout lorsque, approchant de la maison, il constata que l'équipage de chasse y était réuni. Conscient des regards et des murmures de ces gens en veste rouge et en bottes luisantes, il descendit de cheval, se fraya un chemin entre les cavaliers, les chiens qui aboyaient et il monta les marches.

— Que voulez-vous ? demanda sèchement un domestique en fixant les vêtements grossiers du jeune homme.

— Voir sir Hugh Bodrugan et je n'ai que faire de votre insolence !

— Excusez-moi, monsieur, fit l'autre, adouci. Sir Hugh est dans la bibliothèque. Qui dois-je annoncer ?

On introduisit Ross dans une pièce envahie de gens qui buvaient du porto et du vin des Canaries. Il en connaissait plusieurs et finit par découvrir sir Hugh assis à califourchon sur une chaise près de la cheminée.

Tout en souriant à quelques invités, Ross s'avança. Des aboiements l'accueillirent et il s'aperçut que Constance Bodrugan pansait la patte d'un chien tandis que des cockers frétillaient autour d'elle.

— Par exemple, je croyais que c'était Francis! s'exclama sir Hugh. Je vous en prie, monsieur. Mais, je vous préviens, la chasse part dans dix minutes.

— Cinq me suffiront, mais en privé, si vous le permettez.

— Rien ce matin n'est privé dans cette maison. Parlez! Dans le bruit, personne ne vous entendra.

Ross prit le verre qu'on lui offrit, expliqua le motif de sa visite au baronnet, plaida la cause de Jim et, considérant que c'était la première infraction du braconnier, réclama l'indulgence du magistrat qu'était sir Hugh. Il se déclara prêt à payer les frais et à prendre la responsabilité de Jim…

Sir Hugh éclata de rire et Ross s'interrompit.

— Vous venez trop tard, monsieur, je l'ai vu ce matin et il est en route pour Truro. Il comparaîtra en justice au cours de la prochaine session.

— Vous avez fait vite, sir Hugh.

— Je savais que mes invités seraient là à 9 heures et je ne voulais pas être en retard.

— Ce braconnier! intervint lady Bodrugan en libérant son chien. Je le soupçonne d'avoir jeté ces débris de verre. J'aurais dû le cravacher! Les lois sont trop douces pour cette vermine!

— En tout cas, il ne troublera pas mes faisans pendant une semaine ou deux ! s'écria sir Hugh en riant.

— Je suis navré d'avoir interrompu votre réception.

— Et moi désolé que votre démarche n'ait pas été plus heureuse. J'ai un petit cheval pour vous si vous voulez vous joindre à nous.

Ross refusa en remerciant et prit congé. Il n'avait plus rien à faire ici. Et pourtant, il entendit lady Bodrugan dire :

— Vous ne voulez pas dire que vous feriez libérer cette crapule, Hugh ?

L'attitude des Bodrugan devant son idée de libérer un braconnier avec un simple avertissement était, il le savait, celle qu'adopterait toute la bonne société.

Ross se heurta à la même attitude quelques jours plus tard en parlant au docteur Choake. Jim ne comparaîtrait pas avant la dernière semaine de mai. Ross savait que Choake l'avait récemment soigné et il lui demanda son opinion sur le jeune homme. Le médecin haussa les épaules – que pouvait-on attendre d'une famille où régnait la phtisie ? Il avait décelé un poumon atteint à l'auscultation, mais ne pouvait dire jusqu'où s'étendait le mal. Évidemment, la maladie pouvait revêtir diverses formes, la gangrène pouvait intervenir un jour ou l'autre, le patient pouvait aussi vivre jusqu'à quarante ans, ce qui pour un mineur n'était pas mal.

Ross suggéra que le fait fût révélé aux assises trimestrielles. Choake leva un sourcil perplexe. Il secoua la tête, incrédule.

— Cher monsieur, nous ferions beaucoup pour un ami, mais ne nous demandez pas de témoigner pour un vagabond capturé en train de braconner.

Ross eut beau insister, l'autre ne céda pas.

Le lendemain, Treneglos fit sa première visite à Wheal Leisure. Il était venu en boitillant depuis Mingoose, un tricorne poussiéreux posé sur sa perruque et un volume de Tite-Live sous le bras.

Il voulut tout voir. Les Treneglos avaient la mine dans le sang !

— Combien de temps faudra-t-il pour terminer la galerie ? demanda-t-il.

— Trois mois.

— Bon... À propos, vous connaissez la nouvelle ? Mon fils John et Ruth Teague vont se marier.

Ross l'ignorait, Mme Teague devait être ravie.

— Oui, elle a bien manœuvré, dit Treneglos, exprimant à haute voix la pensée de Ross. Je sais que John a tendance à boire un peu trop ! Et j'aurais préféré une fille plus fortunée, car nous ne sommes pas très riches. Pourtant, elle possède bien des points en sa faveur.

— J'espère que Ruth et lui seront heureux.

— Ah oui ! Je serai content de le voir rangé. Je ne vivrai pas éternellement et, depuis quatre-vingts ans, on n'a pas vu de célibataire diriger la maison.

— Vous êtes magistrat, observa Ross. Quelle est la sentence contre le braconnage ?

— Cela dépend ! répondit Treneglos. Si un homme est pris avec un chien et un collet, il peut être puni de trois à six mois à condition que ce soit sa première condamnation. S'il a été déjà condamné ou s'il a été pris en flagrant délit, il peut être envoyé en déportation. Il faut être ferme avec les chenapans, sinon le gibier disparaîtra.

Le procès se déroula le 30 mai. Il faisait très chaud, et Ross se rendit tôt à Truro, accompagné par le chant des oiseaux.

Il y avait cinq magistrats et Ross fut content de constater qu'il en connaissait deux. Le président était Nicholas Warleggan, le père de George. L'autre visage connu était celui du révérend Edmond Halse que Ross avait rencontré le jour de son retour au pays. Il en connaissait un autre de vue – un gros homme qui s'appelait Hick, de bonne famille, et ivrogne notoire.

Deux procès furent rapidement expédiés dans une atmosphère lourde, puis Jim Carter fut introduit dans le box. Dans la salle, Jinny, qui avait parcouru à pied avec son père les treize kilomètres de distance, essaya de sourire à son mari quand il se tourna vers elle. Pendant la détention, le teint de Jim avait perdu son hâle et des cernes profonds soulignaient ses yeux.

Quand le procès débuta, l'huissier consulta la pendule et Ross devina qu'il calculait que tout serait terminé pour la pause du déjeuner. Le garde-chasse de Hugh Bodrugan avait une tendance à s'égarer dans sa déposition et, par deux fois, Warleggan lui recommanda sèchement de s'en tenir à la question. Affolé, le témoin termina en bégayant. Le second garde-chasse répéta l'histoire. Warleggan leva la tête.

— Y a-t-il une défense dans cette affaire ?

Jim ne répondit rien. Le greffier se leva, s'essuya le nez d'un revers de la main.

— Il n'y en a pas, monsieur le juge. Il n'y a pas non plus de condamnation antérieure. J'ai ici une lettre de sir Hugh Bodrugan donnant le nombre de pièces de gibier manquant cette année et déclarant que c'est le premier braconnier qu'il a pu attraper depuis janvier.

— Avez-vous quelque chose à dire avant que soit prononcée la sentence ? demanda Warleggan.

— Non, monsieur, répliqua Jim.

— Si je peux me permettre de réclamer l'indulgence de la Cour…, déclara Ross en se levant.

Il se produisit un mouvement et un murmure, on se retourna pour voir qui troublait la routine de la magistrature. Warleggan cligna des yeux et Ross le salua discrètement.

— Avez-vous quelque preuve à fournir pour la défense de cet homme ?

— Je peux témoigner de sa moralité, il a été à mon service.

Warleggan se leva pour consulter Halse. Ils avaient maintenant reconnu Ross, qui demeura debout tandis que les gens se tortillaient pour essayer de l'apercevoir.

— Voulez-vous venir à la barre des témoins, monsieur ? dit Warleggan de sa voix grave et précise. Vous pourrez alors déposer.

Ross s'avança, prêta serment, effleura de ses lèvres la vieille bible crasseuse et fixa les magistrats. Hick paraissait sommeiller. Halse, l'air glacial, se tamponnait le visage avec son mouchoir. Warleggan consultait ses papiers. Ross attendit qu'il eût terminé pour commencer.

— Sur la preuve qu'on vous a fournie, messieurs, vous ne verrez certainement aucune raison pour considérer cette affaire comme exceptionnelle. Au cours de votre longue expérience, en cette période de détresse que nous vivons, vous avez dû voir beaucoup de cas où les circonstances, telles que la faim, la pauvreté, la maladie, atténuaient la faute. Naturellement, les lois doivent être appliquées et je serais le dernier à vous prier de laisser repartir sans le punir un braconnier, source d'ennuis et de dépense pour nous tous. J'ai pourtant à propos de ce cas une connaissance intime des circonstances que j'aimerais vous exposer.

Il fit un résumé des malheurs de Jim, mettant l'accent sur sa mauvaise santé et l'agression dont sa femme et son enfant avaient été victimes de la part de Robert Clemmow.

— À vivre dans la misère, j'ai de bonnes raisons de croire qu'il a été entraîné sur la mauvaise pente. Je suis convaincu de son honnêteté. Ce n'est pas lui qui devrait être dans ce box, mais plutôt celui qui l'a dévoyé.

Il s'arrêta et devina qu'il avait retenu l'attention de ses auditeurs. Il allait poursuivre lorsque quelqu'un ricana dans la salle.

— Je répète que cet homme a entraîné Jim Carter, reprit Ross en s'efforçant de récupérer l'intérêt de ses auditeurs. Il a jusqu'ici échappé à la justice. C'est lui qui devrait être puni. Quant à la santé actuelle du prisonnier, il suffit de le regarder pour estimer ce qu'il en est. J'ai ici une déclaration écrite du docteur Choake. Maintenant, je suis prêt à réengager Jim Carter et à me porter garant de sa bonne conduite à l'avenir. Je prie la Cour de prendre ces arguments en considération avant de prononcer sa sentence.

Il tendit au greffier une feuille de papier sur laquelle Choake avait écrit son diagnostic. Le greffier hésita avant de remettre le document à Warleggan qui tendait une main impatiente.

— Voulez-vous dire que l'inculpé n'est pas en état d'être conduit en prison ? demanda Warleggan.

— Il est en effet gravement malade.

— Mais il était malade quand il a braconné ?

Ross hésita, conscient que la question était insidieuse.

151

— Il a été alité pendant quelque temps.

— Pour ma part, riposta Halse, je pense que, si un homme est suffisamment bien portant pour voler des faisans, il... doit l'être également pour en subir les conséquences.

— Capitaine Poldark, je suis de l'avis du docteur Halse, dit Warleggan. Il est regrettable que le prisonnier souffre de ce mal, mais la loi ne nous permet pas de subtiles distinctions. Si un homme se porte assez bien pour s'égarer, il est suffisamment bien aussi pour supporter sa punition.

— Oui, admit Ross, mais il faut tenir compte du fait qu'il a déjà subi quatre semaines d'internement et également de sa bonne moralité ainsi que de sa pauvreté. Je ne peux m'empêcher de penser que, dans ce cas, la justice serait mieux servie par la clémence.

— Peut-être est-ce votre sentiment, monsieur Poldark, persifla Warleggan, mais la décision nous appartient. Au cours des deux années écoulées, le désordre s'est encore accru dans notre pays. Le braconnage est une façon de violer la loi, et ceux qui sont appréhendés doivent être prêts à supporter le châtiment qu'ils méritent. Considérant cependant que ce certificat médical et votre témoignage apportent des éléments nouveaux, nous retiendrons les circonstances atténuantes en faveur de l'accusé qui est condamné à deux ans d'emprisonnement.

Un murmure parcourut la salle et quelqu'un lança une exclamation de dégoût.

— J'espère que je n'aurai jamais la malchance de voir la clémence de la Cour s'exercer sur moi ! lança Ross.

— Prenez garde, monsieur Poldark, protesta Halse. De telles remarques relèvent de notre compétence.

— Affaire suivante, ordonna Warleggan en levant la main.

— Ces lois sauvages, déclara Ross qui se maîtrisait difficilement, que vous interprétez sans charité envoient un homme en prison pour avoir nourri ses enfants qui mouraient de faim. Le livre dont vous tirez votre enseignement, docteur Halse, ne dit pas que l'homme ne doit vivre que de pain. Et aujourd'hui, vous demandez aux hommes de vivre même sans pain !

Un murmure approbateur flotta dans la salle. Warleggan usa furieusement de son marteau.

— L'affaire est jugée, monsieur Poldark. Voulez-vous vous retirer ?

Ross quitta la barre et se fraya un passage dans la salle à travers les murmures et les appels au silence de l'huissier. Dans la petite rue étroite, il absorba une longue bouffée d'air chaud. Il s'épongea le front avec son mouchoir. Sa main tremblait encore de colère, il était malade de dégoût et de déception.

Ross s'apprêtait à traverser lorsqu'une main se posa sur son bras. C'était Jinny, avec son père, Jack Martin. Des taches rouges sur les joues de la jeune femme contrastaient avec la pâleur de son teint.

— Je vous remercie de votre intervention, monsieur, nous ne l'oublierons jamais.

— Cela n'a servi à rien. Ramenez-la, Jack, elle sera mieux avec vous.

Il les quitta brusquement et se dirigea vers la rue de la Salle des Monnaies. Être remercié d'avoir échoué lui avait porté le dernier coup. Il aurait dû être flatteur, obséquieux à l'égard des magistrats, il aurait dû louer leur autorité comme il avait commencé à le faire et, en même temps, leur démontrer que leur bienveillance aurait pu accorder une sentence modérée.

Parvenu à Prince Street, il entra à l'auberge du Coq-de-Combat, commanda une demi-bouteille de cognac et s'installa pour la boire.

Sous le chaud soleil de l'été, Demelza et Prudie dégageaient les navets qui avaient été plantés dans une partie du Long Champ. Prudie gémissait, mais Demelza ne lui prêtait aucune attention.

Parfois, elle fredonnait; elle adorait cette chaleur. Sous le regard désapprobateur de Prudie, elle avait pour travailler retiré son bonnet bleu, retroussé les manches de sa robe et elle était jambes nues dans de grosses chaussures à semelles de bois.

— Je serai toute raide demain matin, je ne peux rien faire de plus! Tu ferais mieux de t'arrêter aussi! Il y a les veaux à nourrir et je ne peux pas tout faire... Et celui-là, qui est-ce? demanda Prudie.

Demelza se tourna et plissa les yeux sous le soleil éclatant.

— C'est... Que peut-il bien vouloir?

Lâchant sa binette, elle courut vers la maison en criant: «Papa!»

En la voyant, Tom Carne s'arrêta. Depuis le jour où elle avait appris son remariage, les sentiments de Demelza pour lui avaient changé. Le souvenir de tous les mauvais traitements subis s'était envolé et, aujourd'hui, elle ne voulait plus que lui offrir son affection.

Demelza embrassa sa barbe noire. Elle nota aussitôt qu'il avait les yeux moins injectés de sang et qu'il était convenablement vêtu. Sa femme avait, il est vrai, un portefeuille bien garni.

— Tu es toujours là, ma fille ?

— Oui, et toujours contente d'y être.

Il considéra la maison qui apparaissait chaude à l'abri des volets clos sous le soleil et il fronça le sourcil.

— Je ne savais pas que c'était pour ma fille, tout ça ! observa-t-il durement.

— Qu'est-ce que tu racontes ? Dis-moi, comment vont mes frères ?

— Assez bien, ils ne me causent pas de soucis, eux… Regarde-moi, Demelza, j'ai fait tout ce chemin pour venir te demander de rentrer chez nous. Je suis venu voir le capitaine Poldark pour lui expliquer pourquoi ton retour est nécessaire.

Elle eut l'impression que quelque chose en elle se glaçait. Si elle devait renoncer à sa vie actuelle, l'affection filiale qu'elle venait de découvrir s'évanouirait.

— Le capitaine Poldark est à Truro, mais je lui ai dit que je voulais rester chez lui. Et comment va… la veuve Chegwidden…

— Bien. C'est elle qui pense que tu serais mieux avec nous que dans cette maison, exposée à toutes les tentations. Tu n'as que seize ans…

— Dix-sept.

— Et alors ? Tu es trop jeune pour vivre libre… Tu vas à l'église ?

— Pas souvent.

— Tu serais peut-être sauvée si tu revenais chez nous. Tu serais protégée par le Saint-Esprit.

— Qu'est-ce que c'est que cette nouveauté ?

— Quand tu es partie, fit le père avec méfiance, je servais le démon en buvant. L'année dernière, je me suis converti et je suis un homme neuf. Le Seigneur m'a montré le chemin. Il ne faut pas vivre dans la boisson ni le péché. Nous aimerions t'accueillir dans notre belle existence. Qu'en dis-tu ?

— C'est très généreux à toi, papa. Mais je suis ici depuis si longtemps que c'est devenu ma maison et je ne voudrais pas la quitter. Un jour, j'irai te voir, toi et les garçons, mais tu n'as plus besoin de moi.

— Oh si ! Le Seigneur a béni notre union. Nelly mettra son enfant au monde au mois d'août, ce sera à toi de veiller sur nous.

Non, elle ne pouvait pas quitter tout cela. Elle y était terriblement attachée. Comme à Ross. Elle ne pouvait lui faire défaut en désertant. Avant de venir chez lui, elle ne vivait pas et – elle ne s'en apercevait qu'aujourd'hui – les premières années de son existence avaient ressemblé à un cauchemar.

— Quand rentre le capitaine Poldark ? demanda Tom d'une voix durcie. Je suis venu lui expliquer, et il comprendra.

— Pas avant ce soir, affirma-t-elle nettement.

— Tu n'y peux rien, il faut que tu reviennes !

— Après tant d'années, tu ne t'attends pas à ce que je te suive docilement, tout de même ! Le capitaine m'a engagée à l'année, je verrai ce qu'il dira et je te le ferai savoir.

— Y a-t-il péché entre toi et Poldark ? s'enquit-il d'une voix basse.

— Que veux-tu dire ?

— Ne joue pas l'innocente !

— C'est le maître et je suis sa servante, c'est tout. Mais tu savais bien que j'étais louée à l'année. Je ne peux pas partir sans autorisation.

— On bavarde à ton sujet, jusqu'à Illuggan. Que ce soit vrai ou faux, il n'est pas bon qu'on parle ainsi d'une jeune fille.

— Je me moque de ce que disent les gens !

— Moi pas, quand il s'agit de ma fille ! À quelle heure sera-t-il de retour ?

— Pas avant la nuit, il est à Truro.

— Le trajet est trop long pour que je le refasse une autre fois. Répète-lui ce que je t'ai dit et viens à Illuggan. Si tu n'es pas rentrée à la fin de la semaine, je reviendrai. S'il s'oppose à ton départ, j'en discuterai avec lui.

Demelza partit lentement vers la maison et il la suivit.

— Après tout, fit-il doucement, ce que j'attends de ma fille n'a rien d'extraordinaire.

À cet instant, Jud parut, portant un seau d'eau. Il haussa le sourcil en voyant Tom.

— Où est ton maître ? s'enquit ce dernier.

— À Truro. Il rentrera peut-être ce soir, peut-être demain.

En grommelant, Tom s'assit sur le banc devant la maison et retira sa botte gauche pour se masser le pied. Demelza avait envie de lui crier de partir. Jud n'avait pas menti, mais Ross lui avait précisé qu'il serait de retour pour dîner à 18 heures, et il était 17 h 30.

Elle restait là, tremblante, regardant Tom remettre sa botte, ramasser son bâton et s'apprêter à partir.

— Tu ne dis pas grand-chose et ce silence ne te ressemble pas, observa-t-il en la scrutant. Existe-t-il encore de la haine dans ton cœur ?

— Non, papa, non.

— Je te pardonne de m'avoir quitté comme tu l'as fait, dit-il avec effort. Et je te demande pardon devant

157

Dieu pour le mal que je t'ai fait quand je buvais. C'est fini désormais, ma fille, nous te recueillerons comme la brebis égarée. Nelly sera, pour toi comme pour les autres, une mère.

Il partit en clopinant vers le pont. Elle le vit se diriger vers la vallée verdoyante et pria le Ciel pour qu'il ne rencontrât pas Ross.

S'il fallait partir, songeait Demelza, il n'était pas nécessaire de le faire tout de suite. Il suffisait d'aller passer un mois à Illuggan au moment de la naissance et elle pourrait revenir quand tout serait terminé.

Elle secoua la tête. C'était impossible, les choses ne tourneraient pas ainsi. Une fois chez son père, elle y resterait. Demelza ne voulait ni belle-mère ni père, ni même retrouver ses frères. Le travail ne la rebutait pas, mais là-bas elle s'activerait dans une maison où on ne lui témoignerait aucune bonté. Ici, en dépit de ses chaînes, elle était libre, et elle travaillait avec des gens qu'elle avait appris à apprécier et pour un homme qu'elle adorait. Elle ne voyait plus les choses de la même façon, sa vie était marquée de joies qu'elle avait jusque-là ignorées, grâce à quoi son âme s'était épanouie. Elle était capable de penser, de raisonner, de s'exprimer et c'était nouveau pour elle.

En lui demandant « si le péché existait entre elle et Ross », son père avait voulu dire la même chose que les femmes de Sawle et de Grambler, qui parfois se retournaient sur son passage avec un regard curieux. Ils imaginaient tous que Ross…

Écarlate, elle étouffa un rire amer. Dommage que l'on ne pût empêcher les gens de se faire des opinions fausses ! C'était aussi impossible que de transformer du cuivre en or. Croyait-on que si Ross et elle… elle vivrait comme une servante ordinaire? En fait, elle en aurait été si fière que tous auraient su la vérité sans avoir à épier ni à chuchoter.

Ross n'était pas rentré. Demelza ne parvenait pas à savoir si elle souhaitait son retour. 20 heures. Bientôt, Jud et Prudie iraient se coucher. Ce serait à elle de veiller pour servir son souper au maître. Mais s'il ne rentrait pas bientôt, il passerait la nuit à Truro. Jack et Jinny étaient de retour, Joe avait rapporté la nouvelle en même temps que la conclusion du procès. Pauvre Jim! Tous étaient navrés pour lui et furieux contre Nick Vigus. Tous plaignaient Jinny et ses enfants.

Elle considéra sa robe et serra les lèvres. Entendant le pas de Prudie dans l'escalier, elle jeta hâtivement un drap sur la robe.

— Je vais me coucher, petite, dit Prudie, qui serrait une bouteille de gin dans sa main. Sinon, je vais m'évanouir! Tu peux t'occuper de son souper, hein?

— Oui, entendu.

Demelza la regarda gagner sa chambre, retira le drap pour contempler la robe quelques instants, la recouvrit et descendit.

La cuisine embaumait d'une savoureuse odeur de pâté. Assis devant le feu, Jud fredonnait en taillant un morceau de bois qui servirait de tisonnier.

— Il a fait beau, Jud, remarqua-t-elle.

— Trop chaud pour la saison, répliqua-t-il, l'air soupçonneux. Il va pleuvoir, les hirondelles volent bas. Que voulait ton père?

— Que je retourne chez eux pour quelques semaines.

— Et qui fera ton travail ici? grommela-t-il.

— J'ai répondu que je ne pouvais pas partir.

— C'est vrai… Tiens, le pas d'un cheval… J'allais renoncer, mais je crois que c'est le capitaine.

Le cœur de Demelza fit un bond. Jud sortit pour conduire Ténébreuse à l'écurie. Demelza le suivit. Elle trouva Ross en train de détacher de sa selle les paquets qu'il rapportait. Ses vêtements étaient couverts de poussière, il avait l'air fatigué et son visage était congestionné comme s'il avait bu. Il leva les yeux vers elle et esquissa un sourire fugitif.

— Va te coucher si tu veux, Jud, dit-il en s'approchant de la porte où Demelza s'écarta pour lui céder le passage. Toi aussi, Demelza. Sers-moi à dîner et retire-toi.

Oui, il avait bu, mais elle ne savait pas jusqu'à quel point. Il entra dans le salon où la table était mise. Elle l'entendit ôter ses bottes et, sans un mot, lui apporta ses pantoufles. Il la remercia d'un signe de tête.

— Je ne suis pas encore un vieux bonhomme, tu sais !

Elle sortit en rougissant et alla chercher le pâté dans le four.

— J'allume les chandelles ? proposa-t-elle.

— Non, je le ferai plus tard.

— Inutile, je reviendrai le faire, je ne vais pas me coucher tout de suite.

Après avoir nourri Ténébreuse, Jud rejoignit la jeune fille dans la cuisine.

— Tu ne seras pas tôt levée demain matin ! railla-t-il.

Elle savait que c'était lui qui aurait du mal à se réveiller, mais pour une fois, elle ne riposta pas. Elle l'écouta monter, puis le suivit, et dans sa propre chambre contempla encore la robe. Elle aurait donné n'importe quoi pour un verre de cognac, mais cela lui était interdit. S'il décelait son haleine empestée d'alcool, tout serait gâché. Elle lui verrait un visage froid et dur, et elle n'aurait plus qu'à se réfugier dans son trou comme un blaireau. Le lit paraissait accueillant. Elle n'avait qu'à s'y laisser tomber.

Elle prit son peigne, s'avança vers le miroir qu'elle avait récupéré dans la bibliothèque et se mit à se coiffer.

La robe était l'une de celles qu'elle avait découvertes dans le fond de la seconde cantine et qui l'avait dès le premier regard attirée, comme Ève l'avait été par la pomme. Une robe décolletée de satin bleu pâle qui à partir de la taille ondoyait comme un beau chou. Pour Demelza, c'était une robe du soir, mais en réalité Grace Poldark l'avait achetée pour se rendre à une réception d'après-midi. La robe était à la taille de Demelza, qui avait cependant profité des jours de pluie pour effectuer quelques modifications. Elle avait beaucoup aimé l'essayer, en regrettant qu'il n'y eût personne pour l'admirer. Mais ce soir…

Curieuse de l'opinion de Ross, elle se redressa et s'apprêta à descendre. Elle se dirigea vers la porte, le chandelier dans la main, et descendit.

Son repas achevé, Ross s'était assis dans une demi-obscurité en face de la cheminée éteinte, mains dans les poches, tête basse.

— J'ai apporté la lumière, annonça-t-elle d'une voix dont il ne remarqua pas l'intonation étrange.

Lentement, elle s'approcha, consciente du froufrou de sa toilette, et alluma les deux bougeoirs.

Ross se redressa dans son fauteuil.

— Sais-tu que Jim Carter est en prison pour deux ans ? dit-il d'une voix qui la fit sursauter. Je doute qu'il y survive.

— Vous avez fait ce que vous pouviez.

— Je ne suis pas un bon avocat ; j'ai trop conscience de ma propre dignité. De gentils compliments obséquieux auraient été plus utiles, mais j'ai préféré tenter de leur apprendre leur métier et leur rôle. Une leçon de tactique que Jim va peut-être payer de sa vie !

Elle tira le dernier rideau. Un papillon de nuit voleta sur le damas vert.

— Personne d'autre n'aurait fait ce que vous avez fait, affirma-t-elle. Ce n'est pas votre faute s'il s'est fait pincer en braconnant.

— Pour être franc, je crois que mon intervention n'a pas modifié la situation. Mais ce n'est pas une raison pour…

Il s'interrompit et la regarda…

— Je n'ai pas apporté les autres chandelles, balbutia Demelza. Nous en manquons et vous deviez en rapporter aujourd'hui.

— Tu as bu ?

— Jamais depuis que vous me l'avez interdit, protesta-t-elle avec désespoir. Je le jure devant Dieu !

— Où as-tu pris cette robe ?

— Euh… dans la bibliothèque…

Elle avait tout oublié des mensonges qu'elle avait préparés.

— Ainsi, tu portes les vêtements de ma mère !

— Vous ne me l'aviez pas interdit, balbutia-t-elle.

— Eh bien, je le fais. Va retirer cette robe.

— Elle ne vous plaît pas ?

— Je… peux m'asseoir pour bavarder un moment ? murmura Demelza.

Étonnant, ce changement ! La coiffure donnait à son visage un ovale plus net. Ses traits juvéniles étaient fins et sains, son expression était celle d'une adulte. Ross avait le sentiment d'avoir adopté un bébé tigre sans songer qu'il allait grandir. L'ironie de sa propre situation lui donna envie de rire. Mais l'incident n'était pas drôle.

— Tu es venue ici comme servante et tu as bien accompli ta tâche, c'est pour cela que je t'ai accordé certaines libertés, mais je n'avais pas inclus celle d'endosser ces vêtements.

— Je vous en prie, Ross, je ne peux pas rester ? Personne ne le saura… Je ne croyais pas mal agir en empruntant cette robe qui s'abîmait dans une vieille cantine. Je souhaitais seulement vous plaire. Si je reste auprès de vous jusqu'à l'heure…

— Va au lit tout de suite et nous n'en parlerons plus.

— J'ai dix-sept ans ! se révolta-t-elle. Allez-vous toujours me traiter comme une enfant ? Je suis devenue une femme ! Ne puis-je aller me coucher quand cela me plaît ? Je croyais que vous aviez de l'affection pour moi…

— C'est vrai, mais pas au point de te laisser diriger ma maison.

— Ce n'est pas ce que je désire, Ross. Je ne demande qu'à m'asseoir pour bavarder avec vous. Je ne possède que de vieux vêtements pour travailler et cette robe est si…

— Obéis ou tu retourneras chez ton père dès demain matin.

— Très bien, persifla-t-elle, renvoyez-moi ! Dès ce soir, si vous voulez, je m'en moque. Frappez-moi aussi, pourquoi pas ? Mon père avait l'habitude de le faire. Je vais me saouler et réveiller toute la maison afin de vous donner une raison de le faire !

Elle pivota et attrapa un verre sur la table. Elle se versa du cognac et vida son verre d'une lampée. Puis elle attendit de voir l'effet produit par son geste. Il se pencha vivement en avant et saisit le tisonnier de bois dont il lui cingla les doigts. Elle lâcha le verre qu'elle venait de remplir et son contenu se répandit sur sa robe.

Une seconde, elle parut plus surprise que blessée, puis elle porta la main à sa bouche. La jeune fille devint une enfant désolée de se voir injustement réprimandée. Elle baissa les yeux sur la robe dont la jupe était tachée. Des larmes lui vinrent, perlant sur ses longs cils sombres. Sa tentative de coquetterie aboutissait à un échec douloureux, mais la nature lui vint en aide.

— Je n'aurais pas dû faire cela, avoua-t-il.

Il ne comprit pas pourquoi il s'excusait d'une punition qui après tout était équitable et nécessaire.

— Vous n'auriez pas dû abîmer cette robe, bégaya-t-elle. Elle était si belle ! Je partirai demain à l'aube.

— Petite fille… reste si tu veux.

Elle s'efforça de retenir ses pleurs, mais en vain. Pour la première fois, il la souleva pour la remettre sur pied. Sans arrière-pensée, elle vint s'asseoir sur ses genoux.

— Tiens, chuchota-t-il en lui essuyant les yeux avec son mouchoir.

Il lui embrassa la joue et posa sa main sur son bras, d'un geste qui se voulait paternel. Son autorité s'était envolée, mais cela n'avait plus d'importance.

— Cela me plaît, murmura-t-elle.

— Peut-être, mais maintenant, va-t'en, et oublie ce qui s'est produit.

— Mes jambes sont trempées, dit-elle en remontant sa jupe pour s'essuyer le genou.

— Demelza, tu sais ce que les gens disent de toi? s'écria-t-il avec colère. Si tu te conduis ainsi, cela deviendra vrai.

Elle le dévisagea avec candeur, sans coquetterie et sans crainte.

— Je ne vis que pour vous, Ross.

Il l'embrassa de nouveau, cette fois sur les lèvres. Elle eut un sourire hésitant à travers ses larmes.

Et puis, elle eut un geste de la main pour relever ses cheveux, rappelant ainsi à Ross une attitude de sa mère. Il se leva, redressa la jeune fille si brutalement qu'elle manqua tomber, se dirigea vers la fenêtre et lui tourna le dos.

Ce n'était pas le mouvement qui l'avait frappé, mais la robe. Peut-être la senteur qui s'en dégageait, quelque chose qui lui avait rappelé le goût, les parfums du passé. Sa mère avait vécu et respiré dans cette robe, dans cette pièce, dans ce fauteuil. Son âme flottait entre les deux jeunes gens, avec les fantômes d'une autre existence.

— Que dois-je faire? demanda-t-elle.

Il se tourna. Elle était devant la table, accrochée à elle, le verre brisé gisant à ses pieds. Il essaya de se la rappeler telle qu'elle était, misérable gosse maigre qui traînait dans les champs avec Garrick derrière elle. Mais cela ne servit à rien, l'enfant avait disparu à jamais, laissant place à une jeune femme d'une grande beauté.

— Demelza, fit-il, ressentant l'étrangeté du nom sur ses lèvres. Je ne t'ai pas arrachée à ton père pour…

— Qu'importe la raison pour laquelle vous m'avez emmenée !

— Tu ne comprends pas. Va-t'en.

Il éprouva le besoin d'adoucir les mots, de les justifier. Il la dévisagea et elle ne souffla mot. Peut-être admettait-elle sa défaite en silence. Mais il l'ignorait, il ne savait pas lire en elle. Les yeux de Demelza étaient ceux d'une étrangère qui avait usurpé un terrain familier. Ils le défiaient, se faisant peu à peu hostiles et douloureux.

— Je vais me coucher. Va au lit et essaie de comprendre, pria-t-il. Bonsoir, ma chère enfant.

Elle ne parla ni ne bougea. Lorsque la porte se referma sur lui, dans la pièce silencieuse où seul se faisait entendre un papillon qui voletait, Demelza saisit une chandelle et éteignit celles qui étaient restées allumées.

Dans la chambre, un violent cynisme s'empara de Ross. Quelle sorte de moine était-il en train de devenir ? Quel code moral s'était-il fabriqué, selon lequel il devait obéir à de beaux principes nobles ? On pouvait briser toute une jeunesse à souligner les petites différences entre une obligation morale et une autre. Fine Elizabeth, lascive Margaret, et Demelza avec sa féminité en plein épanouissement ! Une enfant passionnée roulant dans la poussière avec son affreux chien, une fillette conduisant des bœufs, une femme… Y avait-il autre chose qui comptait ? Ross ne devait rien à personne, en tout cas rien à Elizabeth. Ce qu'il cherchait, ce n'était pas une consolation aveugle, n'importe quoi pour noyer son chagrin, comme le soir du bal.

Il s'assit sur le lit et s'efforça de réfléchir aux incidents de la journée. Le début et la fin étaient marqués de frustration. Chez les magistrats, il aurait dû s'en douter, l'esprit de corps avait joué « pour le bien de la communauté, de la classe ». On ne se présentait pas à la barre des témoins pour affronter sa propre caste en public, pour lutter seul contre une bande d'oisifs dans une cour de justice. Lui, il avait ses critères personnels de morale, même si personne n'y accordait crédit. Pour les jeunes nobles de la région, culbuter une fille de cuisine n'avait rien d'extraordinaire. Seulement, ils ne les enlevaient pas quand elles étaient mineures... Oui, et aujourd'hui, la petite avait l'âge de prendre sa décision et de deviner la sienne avant qu'il ne l'eût fait lui-même. Qu'avait-il donc ? Ne possédait-il pas assez le sens de l'humour pour changer le cours de la vie ? Chaque acte devait-il être accompli avec sérieux et peser sur lui ? L'amour était une récréation dont tous les poètes chantaient la légèreté, mais la réalité sinistre élevait des barrières de foi ou de conscience.

On manquait d'air ce soir, la température baissait habituellement davantage après la tombée de la nuit.

Il se leva et s'approcha de la fenêtre du nord pour voir si elle était ouverte. Ce soir, Ross ne distinguait rien de façon normale. Les chanteurs de chansons douces étaient-ils de meilleurs conseillers ? Il tira le rideau et regarda au-dehors. En vingt-sept ans, il avait ébauché une sorte de philosophie du comportement. S'en débarrassait-on dès le premier essai ? On frappa à la porte.

— Entrez...

Il se tourna pour voir Demelza apparaître avec une chandelle. Elle ne dit rien, la porte se referma sur elle. Elle ne s'était pas changée et ses yeux noirs brillaient.

— Cette robe…, dit-elle. Le corsage s'attache derrière et… je ne peux pas atteindre les crochets.

Il la considéra, le front plissé. Elle s'approcha lentement de lui, pivota et posa la chandelle sur la table. Il se mit à dégrafer la robe. Demelza sentit son souffle sur sa nuque. Elle portait encore la trace de la cicatrice qu'il avait vue le premier jour. De ses mains, Ross lui effleura le dos. Puis ses doigts se glissèrent sous la robe et allèrent caresser les seins de Demelza. Elle rejeta la tête en arrière et l'appuya contre son épaule. Il l'embrassa et tout dans la pièce s'assombrit.

Mais, au moment où elle allait gagner, elle voulut confesser sa ruse.

— J'ai menti, chuchota-t-elle en pleurant, à propos des agrafes. Ross, laissez-moi si vous me haïssez. J'ai menti…

Il ne répondit rien, car rien ne comptait, pas plus les mensonges que les poètes ou les principes ou les réserves du cœur et de l'esprit.

Il la libéra et alluma une autre bougie.

12

Demelza s'éveilla à l'aube. Elle s'étira et bâilla, d'abord inconsciente du bouleversement. Puis elle constata que les chevrons des combles étaient différents de ceux auxquels elle était accoutumée...

Une pipe et une tabatière d'argent étaient posées sur la cheminée surmontée d'un miroir ovale et endommagé. La chambre de Ross. Elle se tourna, incrédule, vers la tête masculine couronnée de cheveux de cuivre brun endormie sur l'oreiller.

Elle demeura étendue immobile, les yeux clos, tout en se rappelant ce qui était arrivé dans cette chambre. Seul son souffle rapide prouvait qu'elle ne dormait pas.

Elle se glissa doucement vers le bord du lit et se leva, redoutant de réveiller Ross. À la fenêtre, elle regarda la mer par-dessus les hangars. La marée était presque haute.

La robe de Demelza gisait sur le plancher. Elle la ramassa et s'en enveloppa comme pour se cacher d'elle-même. Elle se rendit sur la pointe des pieds dans sa chambre et s'habilla devant le carré de fenêtre qui s'éclaircissait peu à peu.

Rien ne bougeait dans la maison. Elle était toujours la première debout et se retrouvait souvent en train de cueillir des fleurs à l'extrémité de la vallée au moment où Jud et Prudie grommelaient d'apercevoir la clarté du jour. Ce matin-là, il importait qu'elle fût dehors la première.

L'herbe humide n'était pas froide sous ses pieds nus. Demelza marcha jusqu'à la rivière, s'assit sur la passerelle de bois, dos à la rambarde, et trempa ses orteils dans le filet d'eau.

Ross s'éveilla vers 7 heures, avec un goût amer dans la bouche. Demelza… La soie raide de la robe ancienne… Les agrafes. Pourquoi avait-elle agi ainsi ? Il était ivre, mais était-ce d'alcool ?

Et les chuchotements de trois villages n'avaient fait qu'anticiper la réalité. C'était sans importance. Ce qui comptait, c'était Demelza et lui-même, comment il la retrouverait ce matin.

Le comble de la futilité était de regretter un plaisir passé et Ross n'avait pas l'intention d'y céder. Cela changerait la nature de leurs chemins respectifs, et se mêlerait à l'affection grandissante qui les liait.

Ross s'habilla. Un instant, il s'autorisa à chasser de son esprit le dénouement de son aventure. Il descendit se laver sous la pompe à eau, jetant un coup d'œil à la ligne lointaine des falaises.

Il se rhabilla et déjeuna, servi par une Prudie au dos rond. Elle ressemblait à un malheureux quêtant la sympathie, mais ce n'était pas son jour de chance. Quand il eut terminé, il appela Jud.

— Où est Demelza ?

— Je ne sais pas. Quelque part par là. Je l'ai vue passer devant la maison il y a une heure.

— Les enfants Martin sont là ?

— Oui, dans le champ.

— Prudie et Demelza pourront les rejoindre. Je n'irai pas à la mine ce matin, je vais vous aider toi et Joe aux foins. Il est temps de commencer.

Il se rendit dans le hangar, prit une faux et l'aiguisa sur la meule. Le travail dissiperait le spleen né de la nuit…

Il n'avait jamais autant que ce matin éprouvé cette sensation d'isolement par rapport aux autres. Il se demanda si, en fait, la vie offrait jamais de réelles satisfactions, si tous les hommes étaient autant que lui troublés par les désillusions. Il n'en avait pas toujours été ainsi ! Son enfance avait été relativement heureuse, de façon inconsciente, comme toutes les enfances. Il avait dans une certaine mesure joui de la rudesse et des dangers de la vie militaire active. C'était depuis son retour au pays qu'il ressentait cette insatisfaction, en voyant que ses tentatives pour se créer une philosophie échouaient et transformaient en cendres ce qu'il parvenait à saisir.

Portant la faux sur son épaule, il se rendit avec nonchalance dans le champ qui s'étendait au-delà des pommiers.

Ross retira sa veste et la posa sur une pierre dans un coin. Il était tête nue et sentait la chaleur du soleil sur ses cheveux et son cou.

Penché en avant et pivotant sur lui-même, il se mit à faucher. L'herbe tombait et, avec elle, des plaques de scabieuses pourpres et de marguerites, de cerfeuil et de boutons-d'or.

Joe survint, grimpant à longues enjambées, suivi de Jud. Ils travaillèrent ensemble toute la matinée sous un soleil de plus en plus violent.

À midi, ils s'interrompirent et s'assirent dans l'herbe pour vider de grands gobelets de babeurre en mangeant du pâté de lapin et des biscuits d'orge. Joe raconta avoir entendu dire que le mariage qui serait célébré le mois prochain à Mingoose serait la plus belle réception de la région. Il clama que c'était une honte d'avoir interné Jim alors que Nick Vigus s'en tirait sans dommage. On disait également, paraît-il, que Jim serait prochainement envoyé à la prison de Bodmin, dans l'ouest du pays. Joe rapporta que de l'avis de tous, sans l'intervention du capitaine Poldark, Jim aurait écopé de sept ans de déportation et que les juges étaient furieux de s'être laissé attendrir.

Ils se remirent au travail pendant de longues heures. Ross s'arrêta lorsque le soleil déclina et il constata que la tâche était presque terminée. L'exercice l'avait aidé à chasser les ombres de son mécontentement. Une petite brise du nord se leva et la chaleur s'atténua. Ross respira profondément. Il se tourna vers les petites silhouettes des jeunes Martin qui venaient vers lui.

— S'il vous plaît, monsieur, fit Maggie, une petite fille rousse de six ans, il y a une dame qui vous demande. Mme Poldark, de Trenwith.

Il y avait des mois que Verity n'avait pas mis les pieds chez lui. C'était peut-être un renouveau de leur vieille affection, il n'en avait jamais autant éprouvé le besoin.

Sa veste et sa faux sur l'épaule, il descendit vers la maison. Cette fois, la jeune femme semblait avoir parcouru le trajet à cheval.

Déposant la faux à sa porte, il entra en tenant sa veste à bout de bras. Une jeune femme était assise dans un fauteuil du petit salon. Le cœur de Ross battit plus vite... Elizabeth portait une longue robe d'amazone marron foncé avec des boutons d'argent, ornée de dentelle de Gand au col et aux poignets, des bottes de cheval marron et un tricorne bordé de dentelle qui mettait en valeur l'ovale de son visage sous la chevelure éclatante.

Elle lui tendit la main avec un sourire qui le blessa comme un souvenir du passé.

— Nous ne vous avons pas vu depuis un mois, Ross, et comme je passais par ici, j'ai pensé que…

— Ne vous excusez pas d'être ici, mais plutôt de ne pas être venue plus tôt.

Elle rougit légèrement et une lueur de joie s'alluma dans son regard. La maternité n'avait pas altéré sa fragilité ni son charme, et à chaque rencontre Ross en était frappé.

— Dites-moi d'abord comment vous allez et ce que vous devenez. Nous vous voyons si rarement !

Pour justifier sa chemise trempée et ses cheveux en désordre, il lui raconta sa journée. Elle se sentit un peu mal à l'aise. Il vit son regard planer une ou deux fois sur la pièce comme cherchant quelque présence étrangère. Elle fixa la coupe d'anémones et les fougères sur la fenêtre.

— Verity m'a dit que vous n'aviez pas pu obtenir l'acquittement de votre valet de ferme, j'en suis navrée.

— Oui, c'est regrettable. C'était le père de George Warleggan qui présidait le tribunal. Nous nous sommes quittés sur une hostilité réciproque.

— George sera désolé, affirma-t-elle. Si vous l'aviez contacté avant, cela se serait peut-être arrangé.

— Comment va mon oncle ? demanda-t-il.

— Guère mieux, cher Ross. Choake le saigne régulièrement, mais le soulagement n'en est que provisoire.

— Et Geoffrey ?

— Il est splendide ! Nous avons craint la rougeole, le mois dernier, mais ce n'était qu'une rage de dents.

Elizabeth interrogea Ross sur le progrès de la mine et il se lança dans des détails techniques qui la laissèrent indifférente. Elle parla du prochain mariage Treneglos-Teague, pensant qu'il y était invité, et il n'eut pas le cœur de la détromper. Francis, dit-elle encore, voulait aller à Londres à l'automne, mais elle estimait Geoffrey trop jeune pour voyager.

Son visage s'assombrit.

— Je voudrais que vous rencontriez plus souvent Francis, Ross, confia-t-elle.

Il admit courtoisement qu'il était dommage qu'il n'eût pas plus de temps pour aller voir son cousin.

— Je ne parlais pas d'une visite banale, Ross. Je souhaiterais vous voir travailler ensemble. Votre influence sur lui...

— Mon influence ? s'étonna-t-il.

— Cela le stabiliserait, affirma-t-elle, l'air douloureux. Vous devez trouver mes paroles étranges, mais je suis inquiète. Nous sommes très liés avec George Warleggan et nous avons séjourné avec lui à Truro et à Cardew. George est très bon, mais il est si riche ! Pour lui, le jeu n'est qu'un agréable passe-temps, ce n'est plus le cas pour Francis. Le jeu est sa passion et il joue au-dessus de ses moyens. Il gagne un peu, et perd énormément. Charles est trop malade pour le freiner et Francis contrôle toutes les affaires. Nous ne pouvons vraiment pas continuer de cette façon.

— N'oubliez pas que moi aussi, avant de m'éloigner, je perdais de l'argent au jeu. Mon influence pourrait ne pas être aussi bénéfique que vous le pensez.

— Je n'aurais pas dû en parler. Je n'ai pas le droit de vous imposer mes ennuis. Mais quand vous parliez de Francis… votre vieille amitié… vous vous êtes toujours montré si compréhensif.

Il la vit vraiment désemparée et se tourna vers la fenêtre pour lui donner le temps de se ressaisir. Il voulait justifier la confiance qu'elle lui accordait. Le ressentiment éprouvé après son mariage s'était envolé.

— Je me demande si j'en parlerai à Charles, reprit-elle. J'ai si peur d'aggraver son état sans que ce soit utile.

— Laissez-moi d'abord rencontrer Francis. J'ai peu de chance de réussir là où d'autres ont échoué. Ce que je ne parviens pas à comprendre, c'est…

— Il est raisonnable en bien des domaines, admit-elle, mais mon influence personnelle ne joue pas sur ce point. Il paraît considérer mon opinion comme une intrusion.

— Il en fera de même pour la mienne, mais j'essaierai.

— Vous avez beaucoup de volonté, Ross. Ce qu'un homme a horreur d'entendre de la part de sa femme, il peut l'accepter de son cousin. Si vous le voulez bien…

— C'est entendu.

— Je n'avais pas l'intention d'être si bavarde, avoua-t-elle en se levant. J'apprécie votre accueil.

— J'espère que vous reviendrez souvent.

— Avec joie. Jusqu'ici… j'avais cru n'avoir aucun droit de le faire.

— Vous aviez tort.

Un pas dans l'escalier, et Demelza entra, portant une énorme brassée de jacinthes fraîchement cueillies. Elle s'arrêta net en les voyant.

Elle posa ses grands yeux sur Elizabeth, murmura une excuse et s'apprêta à se retirer.

— Voici Demelza, dont je vous ai parlé, présenta Ross. C'est Mme Elizabeth Poldark, Demelza.

« Deux femmes, songea-t-il. Composées de la même substance ? Plutôt de la faïence et de la porcelaine. »

« Seigneur ! pensa Elizabeth, il existe donc quelque chose entre eux ! »

— Oui, fit-elle à haute voix, Ross m'a souvent parlé de vous.

« Elle arrive un jour trop tard, pensa Demelza. Comme elle est belle et comme je la hais ! »

Regardant de nouveau le capitaine, il lui vint pour la première fois, semblable à un coup de poignard dans le dos, l'idée que le désir de Ross la veille n'avait été que la manifestation d'une passion déçue. Toute la journée, elle avait été trop absorbée par ses propres sentiments pour y songer. Et voilà qu'elle lisait tant de choses dans les yeux de Ross !

— Merci, madame, dit-elle, les doigts crispés d'horreur et de haine. Avez-vous besoin de quelque chose, monsieur ?

— J'insiste, Elizabeth, restez pour le thé, dit-il.

— Non, merci, il faut que je parte. Quelles jolies jacinthes vous avez cueillies !

— Les voulez-vous ? demanda Demelza. Emportez-les si elles vous plaisent.

— Comme c'est gentil à vous de me les offrir ! s'écria Elizabeth dont les yeux gris examinèrent une fois de plus le salon.

« C'est son œuvre, pensa-t-elle. Ces rideaux, jamais Prudie n'aurait songé à les accrocher ainsi. Et le velours drapé sur le banc, ce n'est pas Ross qui en aurait eu l'idée ! »

— Mais je suis venue à cheval, reprit-elle à haute voix, et malheureusement, je ne peux pas les emporter. Gardez-les, merci de votre gentillesse.

— Je vais les attacher ensemble et les fixer à votre selle, proposa Demelza.

— J'aurais peur de les perdre en route. Tenez, elles tombent déjà.

Elizabeth ramassa ses gants et sa cravache.

« Je ne peux plus revenir, se dit-elle. Il s'est écoulé tant de mois et, maintenant, il est trop tard. »

— Il faut venir voir votre oncle, Ross, il vous réclame souvent.

— La semaine prochaine, promit-il.

Il l'aida à se mettre en selle, ce qu'elle fit avec cette grâce qui lui était personnelle. Demelza ne les avait pas suivis, mais elle les observa de la fenêtre.

— Parliez-vous sérieusement à propos de Francis ? demanda Elizabeth à Ross.

— Je ferai ce que je pourrai, même si c'est peu. Au revoir, Elizabeth.

C'était leur première réconciliation totale depuis le retour de Ross. Et ils étaient tous deux conscients, sans que chacun réalisât que l'autre savait, que cet accord intervenait trop tard pour avoir le même prix.

Le mariage de Ross et de Demelza fut célébré le 24 juin 1787 par le révérend Odgers, en présence des seuls témoins. Le registre mentionna que la mariée avait dix-huit ans, ce qui n'était pas tout à fait exact, et Ross vingt-sept.

Ross avait pris la décision de ce mariage deux jours après la première nuit qu'il avait passée en compagnie de Demelza, non pas tant par amour, mais parce que c'était la seule solution possible. Si on oubliait ses origines, Demelza n'était pas mal assortie à un hobereau ruiné. Elle avait déjà prouvé sa valeur dans les travaux de ferme et les tâches ménagères, et elle avait grandi, occupant sans qu'il s'en aperçût une place de plus en plus importante dans sa vie.

Il retrouva Francis à Grambler dans la semaine précédant son mariage et lui annonça la nouvelle. Francis parut soulagé plus que choqué, peut-être avait-il toujours vécu dans la crainte secrète de voir son cousin rejeter un jour les chaînes de la civilisation et venir enlever Elizabeth. Assez satisfait de cet accueil sans hostilité, Ross faillit oublier sa promesse à Elizabeth. Il finit cependant par se la rappeler, et les deux cousins se séparèrent de façon amicale.

En dehors de sa vieille affection pour Verity, Ross aurait vivement souhaité la présence de la jeune fille à son mariage, mais il apprit par Francis qu'elle était souffrante et que le médecin lui avait ordonné quinze jours de lit. Il n'envoya donc pas sa lettre d'invitation et en adressa une autre à Verity pour lui expliquer les circonstances et l'inviter à séjourner chez eux quand elle irait mieux.

Verity connaissait peu Demelza mais elle répondit affectueusement à Ross :

Très cher Ross. Merci de m'avoir si longuement écrit à propos de ton mariage. Je suis la dernière à avoir le droit de critiquer ton attachement. Mais je voudrais être la première à te souhaiter tout le bonheur du monde.

Quand j'irai bien, et si papa va mieux, j'irai vous voir
tous les deux. Tendresse. Verity.

Jud et Prudie avaient d'abord mal pris la situation, irrités sans trop oser le manifester du fait que l'enfant qui ressemblait à son arrivée à une épave et qui leur était alors bien inférieure serait désormais en mesure de se considérer comme leur maîtresse. Sans Demelza, la bouderie aurait pu être longue.

Cette dernière ne revit pas son père cette année-là. Quelques jours après la publication des bans, elle pria Ross d'envoyer Jud à Illuggan avec un message oral annonçant leur prochain mariage. Tom était à la mine et Jud ne put transmettre son message qu'à la petite femme ronde vêtue de noir qui le reçut. Demelza redouta que son père ne vînt faire une scène au cours de la cérémonie, mais tout se déroula tranquillement. Tom avait accepté sa défaite.

Demelza, songeait Ross, avait pris de la place dans son existence. Ou plutôt dans la vie de la maison, veillant avec empressement mais sans fracas à ses besoins, à la fois bonne servante et compagne agréable.

Avec la nouvelle donne, rien ne changea. Légalement devenue l'égale de son mari, elle demeura en fait son inférieure. Elle accomplit ce qu'il demanda sans moins d'enthousiasme, sans plus de questions et avec une bonne volonté qui arrondissait tous les angles. Si Ross n'avait pas voulu l'épouser, elle ne s'en serait pas tourmentée, mais la façon dont il l'avait honorée en lui offrant son nom valait pour la jeune femme une couronne d'or posée sur son bonheur.

Aucune inquiétude sentimentale ne paraissait troubler Demelza. Si elle avait grandi et s'était développée rapidement, désormais sa personnalité s'épanouissait. Quand un être est heureux comme elle le fut cet été-là, il est difficile pour les autres de ne pas en être touchés et, bientôt, l'atmosphère qu'elle avait créée produisit son effet dans toute la maison.

Les libertés supplémentaires du mariage, elle s'en empara peu à peu. Sa première tentative dans ce sens fut une gentille suggestion à Ross : elle lui fit un jour remarquer qu'il vaudrait mieux déménager le bureau de la mine parce que les hommes traversaient les parterres de fleurs avec leurs lourdes bottes. Personne ne fut plus qu'elle surpris lorsque, la semaine suivante, elle vit une file d'hommes transporter les dossiers de la mine jusqu'à un hangar construit sur la falaise.

Pourtant, des semaines s'écoulèrent avant qu'elle s'autorisât à pénétrer dans la bibliothèque sans être étreinte par un sentiment de culpabilité. Et il lui fallut toute la hardiesse du monde pour s'y asseoir et essayer de tirer des sons de l'épinette oubliée. Mais elle possédait une telle vitalité qu'elle en arriva à briser toutes les barrières érigées par la coutume de la soumission. Elle se mit à jouer plus ouvertement et à chanter à mi-voix des airs de sa composition. Un jour, étant allée au village avec Ross, elle en rapporta un poème imprimé qu'elle apprit par cœur et, en le fredonnant, elle s'efforça de tirer de l'épinette des sons qui s'y adaptaient.

Ross éprouvait maintenant souvent l'envie de séparer les deux personnages de Demelza qui faisaient partie de lui-même. Il y avait Demelza de jour avec qui il travaillait et qui lui avait, pendant une année au moins, apporté certaines joies de camaraderie. Celle-là, il était parvenu à l'aimer et à se fier à elle, tout comme à se faire aimer d'elle et à lui inspirer confiance. À la fois sœur et servante amicale et docile, c'était la femme dont on aurait pu prévoir qu'elle succéderait à celle qu'elle avait été précédemment. Demelza apprenant à lire, Demelza allant chercher du bois pour le feu, faisant des courses avec Ross, travaillant dans le jardin, jamais inactive en tout cas.

La seconde Demelza était une étrangère et restait une énigme, avec son joli visage clair et son jeune corps frais tout entier consacré au bonheur de Ross et à un plaisir croissant. Dans les premiers jours, il l'avait, cette Demelza-là, considérée avec un certain mépris. Les événements avaient tout transformé, le mépris avait depuis longtemps disparu, mais l'étrangère était restée.

Il aurait voulu pouvoir séparer ces deux créatures. Il sentait que son bonheur serait plus grand s'il y réussissait. Mais à mesure que passaient les semaines, c'était apparemment le contraire qui se produisait. Les deux Demelza se confondaient de plus en plus.

Ce fut pourtant dans la première semaine d'août que se réalisa la fusion complète et harmonieuse.

13

Cette année-là, les bancs de sardines s'approchèrent tardivement de la côte. Le retard avait fait naître l'anxiété, car ce n'était pas seulement la subsistance des gens qui dépendait de l'arrivée du poisson, mais leur existence même.

Un soupir de soulagement accueillit la nouvelle d'une bonne prise à Saint Ives, mais le premier banc ne fut en vue de Sawle que dans l'après-midi du 6 août. Du haut de la falaise, un guetteur qui veillait depuis des semaines situa la tache sombre, et l'appel qu'il lança dans sa vieille trompette souleva tout le village. Deux bateaux de pêche sortirent aussitôt.

Vers le soir, on apprit que les deux équipages avaient fait une pêche bien supérieure à la moyenne, et la nouvelle se répandit comme une traînée de poudre. Les hommes occupés aux moissons déposèrent leurs outils et se ruèrent au village, suivis de tous les oisifs de Grambler et des mineurs qui n'étaient pas de service.

Cet après-midi-là, Jud se trouvait à Grambler et il transmit la nouvelle à Demelza qui en parla à Ross pendant le dîner.

— Je suis contente ! Tout le village va être soulagé, d'autant que la pêche est fructueuse.

183

Ross la suivit des yeux quand elle quitta la table pour aller disposer les chandeliers. Il avait passé la journée à la mine et prenait plaisir à ce dîner dans le petit salon que la nuit envahissait. Il y avait peu de différences entre cette soirée et celle, deux mois plus tôt, où tout avait commencé. Jim Carter était toujours en prison, aucun changement profond n'était intervenu dans la vie de Ross et dans ses efforts pour revivre.

— C'est marée basse à 23 heures, Demelza, et la lune se lève. Si nous allions à Sawle ?

— Oh ! Ross, ce serait formidable ! s'exclama-t-elle, radieuse.

— On emmène Jud pour ramer ? dit-il pour la taquiner.

— Oh ! non ! rien que nous deux, toi et moi, Ross ! supplia-t-elle en dansant presque devant le fauteuil de son mari. Je ramerai, je suis aussi forte que Jud.

Ils partirent pour la crique de Nampara vers 21 heures. Ils sortirent le bateau de la grotte où il était remisé, le traînèrent sur le sable jusqu'au bord de l'eau. Demelza s'installa à bord et Ross poussa le bateau dans les vagues murmurantes, il sauta dedans quand il flotta.

Demelza s'assit à la poupe, face à son mari, et plongea une main par-dessus le plat-bord pour laisser filer l'eau entre ses doigts. Elle avait noué un foulard rouge sur sa tête et s'était vêtue d'un chaud manteau qui avait appartenu à Ross adolescent et lui allait parfaitement.

Ce paysage était aussi familier à Ross que la forme de sa main, mais Demelza, dont c'était la deuxième sortie en mer, ne le connaissait pas.

Les pêcheurs manœuvraient pour remonter les immenses filets, lorsque Ross et Demelza entrèrent en scène. Ils n'étaient pas les seuls spectateurs. Tous les bateaux étaient venus de Sawle et des environs pour profiter du spectacle. Ceux qui ne disposaient d'aucune embarcation se tenaient sur la plage, lançant des conseils ou des encouragements. Les maisons de Sawle étaient toutes éclairées. La lune donnait à la scène un aspect irréel.

Ross amena son bateau près de celui où se tenait le patron des pêcheurs. Dans un instant, on saurait si la prise était bonne, si l'on avait capturé la belle part du banc ou celle composée de poissons trop petits pour la salaison et l'exportation.

On n'entendait plus que le bruit de l'eau se brisant sur les cinquante quilles de bateaux, ainsi que les puissants « Ho hisse!… Ho hisse! » des hommes qui remontaient les filets.

Ce ne fut pas long. Une réflexion d'un spectateur, suivie d'une autre. Des exclamations. Et un murmure qui s'étendit à tous les bateaux et se transforma en un immense cri de soulagement plus que de joie. C'était le miracle de Galilée qui se renouvelait sous la lune de Cornouailles. Il n'y avait plus de mer, seulement des poissons, par milliers, sautant, luisant, frétillant, se débattant pour chercher à s'échapper.

Parfois, la lune semblait transformer les poissons en tas de pièces d'or.

Bientôt les hommes pataugèrent dans la couche de sardines jusqu'aux chevilles, puis jusqu'aux genoux. Sur la rive, l'agitation n'était pas moins intense. Sous les lanternes qui brillaient partout, le poisson était jeté par énormes pelletées dans des brouettes que l'on poussait vers des hangars de salaison pour le triage et l'inspection.

Ross et Demelza mangèrent leurs biscuits arrosés de gorgées de cognac tout en discutant à voix basse de ce qu'ils observaient.

— On rentre, suggéra Ross.

— Pas encore, la nuit est si chaude, c'est magnifique ici !

Il enfonça doucement ses avirons dans l'eau et éloigna la barque du rivage. Ils s'étaient écartés de la foule des bateaux, et Ross fut content d'avoir une vision plus dégagée.

Il découvrit avec surprise qu'il se sentait heureux. Pas seulement du bonheur de Demelza, mais aussi personnellement. Sans savoir pourquoi. Simplement, il était heureux.

Ils attendirent que les filets fussent vidés. Comme les pêcheurs les replongeaient à nouveau, Ross et Demelza patientèrent pour voir si la seconde prise valait la première. Au moment où ils allaient partir, la lune déclinait déjà, laissant une traînée argentée à la surface de la mer.

Finalement, Ross appuya sur les rames et le bateau se déplaça. Au passage, Paul Rogers les reconnut et les interpella.

— Bonne pêche, hein, Paul ! lança Ross.

— Ah oui !

— J'en suis content, cela changera la face de l'hiver.

Ils s'éloignèrent. Derrière eux, les voix et le tumulte s'effacèrent peu à peu pour ne plus constituer qu'un murmure dans la grande nuit. Ils se dirigèrent vers la mer et les falaises escarpées.

— Tout le monde est heureux, ce soir ! remarqua Ross à haute voix, comme pour lui-même.

— Ils t'aiment bien, dit Demelza, radieuse. Tout le monde t'aime bien.

— Petite idiote ! chuchota-t-il.

— Non, c'est vrai, je le sais puisque j'appartiens à leur monde. Toi et ton père, vous êtes différents des autres, toi surtout. Tu… tu es en partie aristocrate, en partie comme eux. Tu as aidé Jim, tu as nourri de pauvres gens…

— Et je t'ai épousée.

— Non, dit-elle paisible. Cela ne leur a peut-être pas plu. Mais ils t'aiment bien tout de même.

— Tu es trop endormie pour parler avec bon sens. Couvre-toi la tête et dors.

Refusant d'obéir, elle s'assit pour regarder la ligne sombre du rivage. C'était là qu'elle aurait préféré être. L'ombre s'était étendue depuis qu'ils étaient sortis et Demelza aurait aimé faire un grand tour afin de rester dans le cercle bienveillant de lumière produit par la lune. Personne ne venait dans ce coin désolé et froid. Demelza imagina les malédictions qui y régnaient, les âmes des morts, les objets que la mer rejetait. Elle se détourna en frissonnant.

— Bois un peu de cognac.

— Non, fit-elle en secouant la tête. Je n'ai pas froid.

Au bout de quelques minutes, ils virèrent dans la crique de Nampara. Le bateau fendit les ondulations de la mer et s'échoua sur le sable. Ross sauta à terre et, comme Demelza s'apprêtait à le suivre, il la prit dans ses bras et la porta sur la plage. Avant de la déposer, il l'embrassa.

Après avoir tiré le bateau dans son abri et dissimulé les avirons afin de ne pas tenter un éventuel vagabond, il la rejoignit. Ils contemplèrent ensemble la lune qui se couchait.

Sans un mot, main dans la main, ils traversèrent la plage et les galets, le ruisseau en sautant d'une roche à l'autre, et marchèrent vers la maison.

Demelza demeurait silencieuse. Ross n'avait jamais fait ce qu'il venait de faire. Il ne l'avait jamais embrassée ainsi, avec tendresse et sans passion. Elle comprit qu'il était ce soir plus proche d'elle qu'il ne l'avait jamais été. Pour la première fois, ils se retrouvaient à égalité. Ils n'étaient plus Ross Poldark, hobereau de Nampara, et la servante qu'il avait épousée parce que cela valait mieux que la solitude. Ils étaient un homme et une femme, sans inégalités pour les séparer.

La porte d'entrée se referma sur eux en grinçant, et ils montèrent l'escalier avec des airs de conspirateurs. En atteignant leur chambre, ils furent pris d'un fou rire, en pensant qu'ils auraient pu avec des bruits aussi faibles réveiller Jud et Prudie qui dormaient comme des masses !

Demelza alluma des bougies et ferma les fenêtres pour empêcher l'irruption des papillons de nuit, retira son lourd manteau et secoua ses cheveux. Oui, elle était adorable, ce soir ! Il la prit dans ses bras, son visage rajeuni par le rire qui venait de le secouer, et elle répondit à son sourire, ses lèvres humides brillant à la lumière.

Septembre fut assombri par la mort de Charles. Le vieil homme avait végété en geignant tout l'été. Puis, un jour, il avait rendu l'âme alors que le docteur Choake venait d'émettre à son propos le bulletin de santé le plus favorable de l'année.

Ross assista aux obsèques que manquèrent Elizabeth et Verity, toutes deux souffrantes.

Le cousin William célébra le service et son sermon, jugé de grande qualité, émut bien des assistants. Perplexe, Ross se demanda si le pasteur avait bien parlé de l'homme qui fut son oncle, tant il l'avait couvert de louanges. Charles lui-même s'en serait amusé !

Après le service, Ross accepta de se rendre à Trenwith dans l'espoir de voir Verity, mais ni elle ni Elizabeth ne descendirent de leur chambre. Après deux verres de porto, il s'excusa auprès de Francis et retourna à Nampara, en regrettant de ne pas être parti plus tôt. Certaines des invitées avaient adopté à son égard une attitude distante.

Mme Teague, Mme Chynoweth, Polly Choake, ces oies avec leurs distinctions sociales fabriquées et leur code de morale hypocrite ! William lui-même et sa femme s'étaient révélés gênés. Bien sûr, William partait d'un bon sentiment, il prenait « la famille » très au sérieux, il en était, comme l'avait remarqué Joshua, « la conscience » et il aurait sans doute aimé être consulté.

Le vieux Warleggan s'était montré très froid mais, de sa part, c'était plus compréhensible. L'épisode du tribunal lui avait laissé une amertume, comme peut-être aussi le refus de Ross de confier les affaires de la mine à sa banque. George Warleggan se surveillait trop pour laisser paraître ses sentiments.

Tant pis ! Leur désapprobation à tous ne valait pas une pensée. Quand il parvint à son domaine, l'irritation de Ross se dissipa à la perspective de retrouver Demelza... En fait, il eut la déception d'apprendre en arrivant qu'elle était allée à Mellin porter des provisions à Jinny, ainsi qu'un vêtement qu'elle avait confectionné pour le nouveau-né. Le jeune Benjamin avait souffert de maux de dents et de convulsions le mois précédent. En voyant son jeune homonyme, qui était âgé de deux ans et demi, Ross avait été frappé par une coïncidence, le couteau de Robert Clemmow avait laissé sur la joue de l'enfant une cicatrice identique à la sienne. Ross se demanda si cela se verrait quand l'enfant serait adulte.

Il décida de marcher jusqu'à Mellin dans l'espoir de croiser Demelza. Il la rencontra à deux cents mètres des pavillons. Comme toujours, il éprouva une allégresse intense en la voyant s'illuminer et courir au-devant de lui.

— Ross, comme c'est gentil ! Je n'espérais pas ton retour si tôt !

— Ce n'était pas une réunion très gaie, dit-il en lui prenant le bras. Je suis sûr que Charles s'est horriblement ennuyé !

— Ne plaisante pas sur ce sujet, lui reprocha-t-elle. Raconte-moi qui était là.

Il le lui dit en s'amusant de sa curiosité :

— Un groupe de tout repos, comme tu vois ! Ma femme n'était pas là pour rehausser l'assistance.

— Et... Elizabeth ?

— Elle était absente, ainsi que Verity. Elles sont souffrantes toutes les deux. Ce deuil les a bouleversées, je suppose. Francis était seul pour recevoir les condoléances. Et tes malades, Jinny et le bébé ?

— Elles vont bien ! Une petite fille modèle. Jinny est en bonne santé, mais très déprimée. Le pauvre Jim lui manque et elle vit dans un autre monde.

— Et les dents du petit Benjamin ?

— Il va mieux, mon amour. J'ai apporté de l'essence de valériane à Jinny en lui recommandant de lui en donner. Elle a ouvert de grands yeux en me répondant « Bien, madame », comme si j'étais une vraie dame.

— Tu en es une, Demelza.

— C'est vrai, s'écria-t-elle en lui serrant le bras. J'oubliais, celle que tu aimes devient forcément une dame.

— Ne sois pas stupide ! protesta-t-il. La responsabilité t'en incombe. A-t-on des nouvelles de Jim ?

— Pas ces jours-ci. Mais le mois dernier, il paraît qu'il allait bien. Crois-tu pouvoir demander à quelqu'un d'aller le voir ?

— C'est fait, mais je n'ai pas encore obtenu de réponse.

— Ross... tu m'as dit que je devrais prendre quelqu'un pour m'aider dans la maison. J'ai pensé à Jinny. Mme Martin veillerait sur Benjamin et Mary en même temps que sur les siens. Jinny apporterait le bébé et l'installerait au soleil.

— Qu'en dit-elle ?

— J'ai préféré te consulter avant.

— Je n'y vois pas d'objection, c'est à débattre entre elle et toi, ma chérie. Moi aussi, j'ai réfléchi... Maintenant que Charles n'est plus, Verity a besoin de repos, et cela me ferait plaisir de la recevoir ici pendant une semaine ou deux pour lui permettre de récupérer.

Toute animation avait quitté le visage de Demelza qui avait pâli.

— Elle ne viendra pas... Ta famille me déteste.

— Non, aucun d'eux ne te déteste. Ils ne te connaissent pas. Ils désapprouvent peut-être notre mariage, mais Verity est différente.

— Ross... ta famille t'a jugé fou de m'avoir épousée. Ne gâchons pas ce premier été en demandant à l'un de ses membres de venir séjourner chez nous. Tu viens de me dire que j'étais une dame, mais ce n'est pas exact. Pas encore ! Je ne sais pas parler ni me tenir à table et, quand je suis en colère, je jure affreusement ! J'apprendrai peut-être, si tu m'aides. Je ferai le maximum d'efforts… L'année prochaine, peut-être, Ross, je t'en prie !

— Verity n'est pas comme eux, insista-t-il. Elle et moi, nous nous ressemblons.

— Oui, mais c'est une femme ! gémit Demelza. Tu me trouves bien parce que tu es un homme. Je ne me méfie pas d'elle, mais elle s'apercevra bien de mes défauts, elle t'en fera part et tu changeras d'opinion.

— Accompagne-moi à la mine, dit-il tranquillement.

Ils grimpèrent le long du champ. À la barrière, il s'arrêta pour s'y appuyer.

— Avant de te découvrir, en rentrant d'Amérique, tout me paraissait sombre, avoua-t-il. Tu sais que j'avais espéré épouser Elizabeth et que j'ai appris qu'elle avait formé d'autres projets. Cet hiver-là, Verity seule me sauva… J'étais idiot de prendre cette histoire tant à cœur, cela n'en valait vraiment pas la peine, mais j'étais alors incapable de lutter, et c'est Verity qui venait m'encourager. Elle a fait le trajet jusqu'à trois et quatre fois par semaine pendant tout l'hiver. Je ne l'oublierai jamais. Elle m'a permis de me raccrocher à quelque chose et il est difficile de s'acquitter d'une telle dette. Depuis trois ans, je l'ai honteusement négligée alors même qu'elle avait peut-être grand besoin de moi. Elle a préféré se cloîtrer. Je n'ai pas éprouvé le même besoin de sa présence. Charles étant malade, elle a estimé que son premier devoir était de le soigner. Aujourd'hui, Charles est mort et Francis m'a révélé que sa sœur était vraiment malade. Il faut qu'elle quitte sa maison pour se changer les idées et le moins que je puisse faire est de l'inviter à Nampara.

Demelza fit crisser sous son pied les tiges d'orge sèche.

— Mais pourquoi est-ce de toi qu'elle a besoin ? Si elle est malade, c'est un médecin qu'elle doit consulter !

— Te souviens-tu des premiers jours de ton arrivée ici ? Un homme avait l'habitude de venir régulièrement, le capitaine Blamey... Verity et lui étaient très épris l'un de l'autre. Mais Charles et Francis découvrirent qu'il avait déjà été marié et ils s'opposèrent formellement à son mariage avec Verity. Comme on avait interdit toutes relations aux amoureux, ils prirent l'habitude de se rencontrer ici. Mais un jour, Charles et Francis s'en aperçurent, une violente querelle éclata et Blamey repartit pour Falmouth. Verity ne l'a plus jamais revu.

— Que c'est triste ! s'exclama Demelza.

Et Ross raconta la triste histoire du capitaine Andrew Blamey et de Verity. Aussitôt germa en Demelza une idée...

— Combien Ross a-t-il mit de s à dépenser ?
— Quatre-vingts.
Dans la rue, les jeunes femmes cligna ient des yeux
sous l'éclat du soleil.
— Vous avez bien de droit, déclara Verity.
Des rideaux pour les chambres, de la vaisselle et de
la cuisine... Mais avant, il allons choisir une robe
pour vous. Nous sommes à deux pas de chez madame
Trelask.

14

Verity avait prolongé son séjour à Nampara et semblait enfin heureuse d'être avec ses cousins, de pouvoir
aider Demelza de ses conseils. Et c'est ainsi qu'ayant
examiné la maison elle crut bon de suggérer quelques
améliorations et quelques dépenses à faire.

Ross se laissa convaincre et donna de l'argent à
Verity pour aller effectuer des achats.

Le premier mercredi d'octobre, Demelza partit
donc à cheval avec Verity pour Truro, Jud les suivant,
l'air intéressé mais grognon. Ce n'était que la quatrième visite de Demelza à Truro. Verity lui avait prêté
un costume de cheval gris qui lui allait assez bien et de
se voir vêtue en « dame » l'aidait à se comporter avec
toute la dignité qui convenait.

C'était jour de marché et la ville était encombrée de
colporteurs, de marchands et d'une foule d'acheteurs.
Dans la grand-rue, Verity entra dans une échoppe obscure, pleine de meubles anciens, de tapis, de tableaux
et d'argenterie. Elle se renseigna sur le prix des petites
tables et on la conduisit ainsi que Demelza dans l'ar-
rière-boutique où étaient entassés des meubles. Verity
pria sa cousine de choisir la table qui lui plaisait et, après
une longue discussion, l'affaire fut conclue. Elles ache-
tèrent d'autres objets et, à mi-voix, Demelza demanda :

— Combien Ross nous a-t-il autorisées à dépenser ?

— Quarante guinées.

Dans la rue, les jeunes femmes clignèrent des yeux sous l'éclat du soleil.

— Vous avez aussi besoin de draps, déclara Verity. Des rideaux pour les chambres, de la vaisselle et de la verrerie… Mais avant tout, allons choisir une robe pour vous. Nous sommes à deux pas de chez ma couturière.

— Mais il ne s'agit plus d'ameublement ! s'écria Demelza en ouvrant de grands yeux.

— La maîtresse de maison a autant que sa demeure besoin d'être parée.

À l'intérieur de la boutique, une petite femme dodue fit mille grâces à Verity qui lui présenta sa cousine.

— Mme Ross Poldark de Nampara a besoin d'un ou deux costumes, expliqua-t-elle. Nous voudrions voir les nouveaux tissus pour décider de ceux qui conviendraient à une robe du matin très simple et à un costume de cheval dans le genre de celui qu'elle porte.

La couturière ajusta ses lunettes et fit une révérence à laquelle Demelza se retint de répondre par une autre courbette.

Après deux heures passées dans la boutique à choisir des tissus, à essayer des modèles, elles sortirent et Verity paraissait un peu pensive.

— Il faut nous hâter pour tout faire avant 16 heures, remarqua-t-elle. Je crois qu'il vaut mieux renoncer à la verrerie et à la lingerie pour nous occuper du tapis aujourd'hui.

Plus tard, elles retrouvèrent un Jud glorieusement ivre. Elles rentrèrent sans hâte sous le soleil couchant et encore ardent. Au début, elles parlèrent peu, chacune étant absorbée par ses propres pensées et ravie de sa journée. Cette sortie avait tissé entre elles de nouveaux liens d'affection.

— À propos de ces vêtements, dit soudain Demelza, nous avons dépensé beaucoup. Et cette belle soie pour la robe ! Nous n'aurions pas dû dépenser autant pour moi… J'aurais dû vous en dire la raison plus tôt… Bientôt, je ne pourrai plus porter ces vêtements. C'est du gaspillage !

— Voulez-vous dire que… ?

— Oui, Verity. Je n'en suis pas encore sûre, mais j'éprouve certains malaises et, ce matin, j'ai été aussi malade que Garrick lorsqu'il avale un ver.

— Comme je suis contente pour vous ! Et vous vous faites du souci pour quelques robes ! Ross va être comblé !

— Je ne veux pas lui dire tout de suite. Il est si bizarre à ce sujet. S'il pense que je vais être malade, il m'obligera à rester étendue à longueur de journée.

Le petit groupe atteignit Bargus. C'était dans ce coin de lande sombre et stérile qu'étaient enterrés les assassins et les suicidés.

— J'ai un peu peur, murmura Demelza.

Verity la dévisagea et comprit qu'elle ne parlait pas des fantômes.

— Bien sûr, ma chère enfant, mais ce sera vite passé…

— Ce n'est pas pour moi que j'ai peur ! Il n'y a pas très longtemps que Ross m'aime et voilà que je vais devenir laide pendant des mois. J'ai peur qu'en me voyant me déplacer en canard dans la maison, il n'oublie qu'il m'aime !

— Non, Ross, n'oublie rien, jamais ! C'est une des caractéristiques de notre famille.

Soulagée des tâches les plus pénibles, mais toujours très occupée, Demelza trouva plus de temps à consacrer à l'épinette. Elle parvenait maintenant à en tirer des sons agréables, à interpréter certaines mélodies simples pour s'accompagner quand elle chantait. Ross lui promit de faire accorder l'épinette l'année suivante et de lui faire donner des leçons.

Le 21 décembre, une surprise arriva à Nampara : Bartle apporta une invitation de Francis priant ses cousins de venir passer Noël à Trenwith.

Nous serons entre nous et je trouve regrettable que, vivant si proches les uns des autres, nous nous fréquentions aussi rarement. Venez donc tous les deux passer quelques jours – Francis.

Ross réfléchit longuement avant de transmettre l'invitation à sa femme. Le ton était amical et apparemment spontané. Naturellement, Demelza eut une réaction différente. Pour elle, c'était Elizabeth qui avait tenu à les inviter afin de l'étudier et de voir quelle épouse elle faisait, afin que son ex-amoureux puisse mesurer l'erreur qu'il avait commise en épousant une fille de classe inférieure et humilier Demelza en déployant de belles manières.

Ross cependant discerna les avantages de l'invitation. Il n'avait absolument pas honte de sa femme. Les Poldark de Trenwith n'avaient jamais été très à cheval sur l'étiquette et Demelza possédait un charme personnel qui ne devait rien à l'éducation. Connaissant mieux Elizabeth, il la jugeait incapable de concevoir un tel plan et il voulait lui démontrer qu'il était heureux avec sa femme.

— Non, Ross, dit Demelza, peu convaincue. Vas-y s'il le faut, moi je n'irai pas. Je préfère me sentir chez moi.

— Nous irons tous les deux ou bien nous resterons ici ensemble. Bartle attend et je dois lui remettre un cadeau pour son mariage. Je vais chercher mon portefeuille en haut, décide-toi à jouer ton rôle de cousine. D'épouse soumise, si tu préfères !

— Mais ce sera terrible, Ross ! Ici, je suis Mme Poldark, je peux te taquiner, te tirer les cheveux, crier et chanter si j'en ai envie, ou jouer de l'épinette. Je partage ton lit et le matin, quand je m'éveille, je respire profondément et je libère mes pensées les plus secrètes. Mais là-bas... tu m'as dit toi-même qu'ils ne sont pas comme Verity. Ils se moqueront de moi et m'expédieront à l'office avec Bartle et sa jeune femme ! Ross, tu es de leur race et moi pas !

— Tu es née de la même façon que nous. Nous avons tous les mêmes gestes, les mêmes appétits, les mêmes états d'âme. Mon humeur du moment me pousse à t'emmener à Trenwith pour Noël. Il y a un peu plus de six mois que tu m'as solennellement promis obéissance. Qu'en dis-tu ?

— Rien, si ce n'est que je ne tiens pas à aller à Trenwith.

Il éclata de rire. Les discussions entre eux se concluaient par des rires.

Verity les attendait à la porte de Trenwith pour les accueillir. Elle se précipita pour les embrasser.

Les premières minutes furent pénibles pour tous, mais l'épreuve s'acheva vite. Demelza et les habitants de Trenwith se tenaient sur leurs gardes. Francis pouvait faire montre quand il le voulait d'un charme naturel et Agatha, ragaillardie par un petit verre de rhum et couronnée de sa meilleure perruque, était aimable et discrète. Elizabeth souriait et son visage adorable apparaissait plus exquis encore. Le petit Geoffrey, qui avait trois ans, se présenta dans un costume de velours et fixa les invités en suçant son pouce.

Agatha provoqua quelque gêne en réclamant des explications sur le mariage de Ross, affirmant qu'elle n'en avait jamais été avisée.

— Approchez-vous, petite, je ne mords pas ! Quel âge avez-vous ?

— Dix-huit ans, répondit Demelza, en lui tendant la main, le regard fixé sur Ross.

— Bel âge et jolie fille, observa la vieille dame. Savez-vous, petit poussin, quel est mon âge à moi ? J'ai quatre-vingt-onze ans ! Oui, c'était mon anniversaire jeudi dernier. Qu'en dis-tu, Ross ?

— Que tu es belle à tout âge, lui chuchota-t-il à l'oreille.

— Tu as toujours été un méchant garnement, riposta-t-elle, rayonnante. Comme ton père. J'ai vu défiler cinq générations de Poldark. Ou plutôt six.

Elle raconta à Demelza l'histoire de tous ces Poldark et conclut :

— Le petit Geoffrey représente la sixième génération. Et j'ai l'impression d'avoir à peine vécu !

Revoir Elizabeth au bout de six mois n'avait pas laissé Ross aussi indifférent qu'il l'espérait. Il pensait être immunisé contre cette attirance et il était persuadé que cette rencontre le prouverait, comme si son mariage et son amour pour Demelza l'avaient guéri d'une sorte de fièvre. Mais si Demelza était pour lui une nouvelle passion, elle n'en avait pas pour autant tué l'autre. Il se demanda dès le premier instant si l'instinct qui avait poussé Demelza à refuser l'invitation de Francis n'était pas plus sensé que le sien.

La rencontre des deux jeunes femmes lui laissa un sentiment d'insatisfaction. Leur attitude à toutes deux était à la fois ouvertement amicale et intérieurement empreinte de méfiance. Il ne savait pas si leurs amabilités avaient abusé quelqu'un d'autre, lui ne s'y était pas trompé. Elles manquaient trop de naturel !

Elizabeth avait attribué à ses cousins l'une des meilleures chambres.

— La maison est magnifique ! s'extasia Demelza, Je n'ai jamais rien vu de pareil. Ce hall, on dirait une église ! Et cette chambre ! Regarde les impressions d'oiseaux sur les rideaux ! Dis-moi, Ross, ces portraits dans l'escalier, ils me feraient peur la nuit. Ce sont tous des membres de ta famille ?

— On le prétend !

— Je me demande comment on peut avoir envie de réunir tant de portraits de morts autour de soi. Surtout, après ma mort, Ross, je ne veux pas qu'on me suspende ainsi comme un drap de lit à sécher. Je ne veux pas avoir l'œil sur un tas d'êtres que je n'ai pas connus ! Il vaudra mieux que l'on m'oublie le plus vite possible.

— C'est la seconde fois aujourd'hui que tu me parles de ta mort, remarqua-t-il. Tu te sens fatiguée ?

— Non, absolument pas.

— Dans ce cas, préoccupe-toi de sujets plus souriants. Qu'est-ce que c'est que cette boîte ?

— J'ai demandé à Jud de l'apporter avec nos affaires. C'est une robe. Nous l'avons achetée à Truro, Verity et moi.

— C'est elle qui l'a payée ?

— Non… nous avons prélevé la somme sur l'argent que tu nous avais remis.

— C'est une tromperie. Toi qui parais si franche et si innocente ! Aujourd'hui, je découvre que mon petit poussin me cache des choses ! Enfin, je suis heureux que ce ne soit pas Verity qui ait payé. Montre-moi cette toilette.

— Non, Ross, non, non !

Sa voix se fit stridente pour l'empêcher d'attraper le carton. Il saisit la boîte d'une main, mais elle lui mit les bras autour du cou et se serra contre sa poitrine pour l'immobiliser.

— Ne crie pas, ils croiraient que je te bats !

— Descends, je t'en prie, Ross, Tu dois tout ignorer de cette robe. Descends bavarder avec Agatha en comptant les poils qui ornent son menton.

— Nous n'allons pas à un bal, tu sais, mais à une simple réunion de famille et tu n'as pas besoin de te parer pour cela.

— C'est le réveillon et Verity m'a dit qu'il fallait changer de tenue.

— Fais ce qui te plaît, d'accord, mais sois prête à 17 heures. Et ne serre pas trop ton corsage sinon tu seras gênée. La table est excellente ici et je connais ton appétit !

Dans le grand salon, Ross retrouva Elizabeth et Geoffrey assis devant la cheminée. La mère lisait une histoire à son fils. Mais, levant la tête, Elizabeth s'interrompit.

— Tiens, voilà l'oncle Ross qui va te raconter une histoire, Geoffrey.

— Je ne connais que des histoires vraies et elles sont tristes, observa Ross.

— Sûrement pas toutes ! La vôtre doit être très heureuse avec une aussi charmante femme.

— Je suis content qu'elle vous plaise, dit-il après une hésitation. J'ai eu beaucoup de mal à la persuader de venir ici.

— Cela se comprend ! C'était sa rencontre avec la famille et elle est encore un peu gauche. La glace est rompue, j'espère que nous nous verrons plus souvent ? Verity aime beaucoup votre femme.

— Comment vont vos propres affaires ? s'enquit-il. Le jeune Geoffrey grandit.

Elizabeth fit descendre son fils de ses genoux. L'enfant hésita, prêt à fuir en courant, mais, rencontrant le regard de Ross, il fut intimidé et enfouit son visage dans la jupe de sa mère.

— Allons, ne sois pas bête, c'est ton oncle Ross. Lève-toi, mon chéri.

Mais il refusa d'obéir. Elizabeth se pencha sur l'enfant, lui murmura quelques mots à l'oreille et il partit en courant après un regard à Ross.

— Il est à un âge bizarre, fit Elizabeth avec indulgence. Il faudra qu'on le guérisse de ses caprices.

— Et Francis ? Il a dû vous dire que je lui avais parlé à l'époque où vous me l'aviez demandé. Il est, semble-t-il, né joueur. S'il n'y prend pas garde, il perdra tout ce qu'il possède et mourra pauvre. Où passe-t-il son temps ?

— Chez les Warleggan. Nous nous y amusions beaucoup, mais les enjeux sont devenus trop élevés.

Je n'y suis retournée que deux fois depuis la naissance du petit. Et on ne m'invite plus… J'ai prié Francis de m'y emmener, mais il prétend que seuls les hommes sont invités et que je ne m'y amuserais pas. Ross… Je crois que vous avez un moyen de nous aider… On raconte sur Francis certaines histoires que je ne peux contrôler. Je pourrais interroger George Warleggan, mais pour différentes raisons, je n'y tiens pas. Vous ne me devez rien, mais, je vous serais infiniment reconnaissante si vous pouviez découvrir la vérité.

— Que prétendent ces rumeurs ?

— Que Francis fréquente une autre femme. Je ne sais pas ce qu'il en est, mais il est évident que je ne peux me rendre moi-même à ces soirées. Il m'est impossible de… l'espionner.

Ross hésita. Comment son intervention pourrait-elle servir à consolider une union dont les fondations étaient déjà effritées ?

— Ne prenez aucune décision rapide, Ross, dit-elle à voix basse. Réfléchissez-y. Je sais que j'exige beaucoup de vous.

À cause de son intonation, il se retourna et vit entrer Francis.

— Un tête-à-tête ? railla Francis. Et sans boire ! Nous sommes des hôtes lamentables !

— Ross me parlait de la mine, Francis, intervint Elizabeth.

— Parler d'affaires la veille de Noël ! protesta son mari. Reviens pour cela en janvier ou en février, Ross, mais là ce n'est pas le jour !

Ross devina qu'il avait bu, même si cela ne se remarquait pas trop. Elizabeth se leva.

Francis s'approcha, un verre à la main. Il portait un costume vert foncé dont le jabot de dentelle était défraîchi.

— Elizabeth fait de la vie une affaire mortellement sérieuse, observa-t-il. Ce n'est pas un reproche ! Il y a trop longtemps que nous vivons en étrangers, toi et moi. Ta femme me plaît. Je m'en doutais d'ailleurs, d'après ce que m'avait rapporté ma sœur. Elle s'élance comme un poulain fougueux ! Après tout, si elle a bon esprit et bon cœur, peu importe qu'elle sorte du château de Windsor ou de l'impasse de la Misère !

— Nous avons beaucoup de choses en commun, dit Ross.

— C'est mon avis, mais... sur le plan des sentiments ou celui de la situation matérielle ?

— Sur le plan sentimental. Pour le reste, tu as l'avantage sur moi : la maison et les intérêts de nos ancêtres communs, une belle femme, l'argent à dilapider sur les tables de jeu et les arènes de combats de coqs, un fils...

— Arrête, tu vas me faire pleurer sur ma chance ! En vérité, Ross, tout est comme tu le dis. Une femme adorable, belle comme un ange, peut-être plus ange qu'épouse, le foyer de nos ancêtres, le fils qui est beau et bien élevé, également l'argent à dépenser sur les tables de jeu et dans les combats de coqs. Dilapider, comme tu dis, le mot me plaît, il donne une impression d'étendue. Mais tu seras déçu d'apprendre que les ragots des vieilles pies ne m'intéressent pas. Aucun de nous n'est à l'abri des commérages. Tu es bien placé pour le savoir, Ross.

— Tu te méprends. Je ne me soucie pas non plus des ragots. Mais l'intérieur d'une prison est humide, puant et cruel pour un homme qui n'a que des dettes à se reprocher. Tu ferais bien de t'en souvenir avant qu'il ne soit trop tard.

— Elizabeth a dû te raconter une bien belle histoire, remarqua Francis.

— Je n'avais pas besoin de ses confidences pour savoir ce que toute la région colporte.

— La région connaît mes affaires mieux que je ne les connais moi-même ! Peut-être as-tu une solution à me proposer ?

— Mon cher Francis, je t'aime bien et j'ai intérêt à te voir prospérer. Mais tu peux choisir le chemin le plus court pour te rendre en enfer si tu en as envie.

Francis le toisa de son œil cynique, retira la pipe de sa bouche et posa sa main sur l'épaule de son cousin.

— Tu as parlé en Poldark. Nous n'avons jamais été une famille agréable. Injurions-nous, disputons-nous avec affection et, ensuite, enivrons-nous en société, toi et moi, et au diable les créanciers !

Servi à 17 heures, le dîner se poursuivit jusqu'à 19 h 40.

Pour Ross, il manquait Charles. La panse énorme, les éructations plus ou moins discrètes, la bonne humeur tapageuse de Charles. Ce n'était pas tant le chagrin de sa disparition qui blessait que son absence.

Pour un si petit groupe, la salle à manger eût été lugubre. Ils choisirent donc le salon d'hiver qui était lambrissé jusqu'au plafond et relié aux cuisines. Le hasard organisa l'entrée de Demelza. Verity était venue annoncer aux hommes que le dîner était prêt et, Elizabeth étant là, tous quatre quittèrent le salon en bavardant plaisamment. À cet instant, Demelza parut, portant la robe choisie par Verity, en soie mauve pâle, à manches mi-longues, légèrement évasée par une crinoline et laissant voir le corsage vert pomme et le jupon.

Ce qui étonna Ross, ce fut l'allure de la jeune femme. Bien sûr, elle lui plut, ce qui était normal, elle n'avait jamais été aussi charmante. À sa façon personnelle, elle rivalisait avec Elizabeth qui pourtant surclassait toutes les autres femmes. La rivalité née de la situation avait exalté en Demelza le meilleur d'elle-même, avec ses beaux yeux noirs, ses cheveux bien coiffés, son teint éclatant. Verity visiblement était fière de sa protégée.

Au cours du dîner, Demelza imita Elizabeth qui avait toujours eu un petit appétit et ne fit pas éclater son corset. Ce soir, Demelza faisait ses preuves. Habituellement bavarde pendant les repas, se partageant entre les questions et les spéculations, elle prit ce soir-là peu part à la conversation et, refusant le bordeaux, ne but que de la bière. Mais elle ne parut pas s'ennuyer et témoigna d'un intérêt intelligent chaque fois qu'Elizabeth évoqua des gens qu'elle ne connaissait pas ou rapporta des anecdotes sur Geoffrey. À l'occasion, elle répondit avec autant de gentillesse que de naturel.

Vers 20 heures, les dames quittèrent la pièce pour laisser les deux hommes fumer en buvant du cognac. Ils discutèrent affaires, mais Mme Tabb parut bientôt.

— Des visiteurs viennent d'arriver, M. George Warleggan, M. et Mme John Treneglos.

La surprise fit place à l'ennui chez Ross. Il n'avait aucune envie de rencontrer ce soir ce George à qui tout réussissait. Et il fut persuadé que Ruth ne serait pas venue si elle avait su que Demelza et Ross se trouvaient à Trenwith.

— Nous y allons tout de suite… Je supposais que ce vieux George passait Noël à Cardew, ajouta-t-il après la sortie de Mme Tabb. George est un homme important. Lui et son cousin possèdent déjà plus de la moitié de mes biens… Il veut l'autre moitié, mais ne parvient pas à l'obtenir. Certaines choses ne se jettent pas sur le tapis d'une table de jeu !

— De quel cousin parles-tu ?

— Carl Warleggan, le banquier.

— J'ai plutôt entendu parler de lui comme d'un usurier.

— Finis ton verre et allons-y, suggéra Ross, en songeant à Demelza qui devrait affronter de nouveaux visages.

En entrant dans le grand salon, ils perçurent des éclats de rire. Assis près du rouet d'Elizabeth, John Treneglos essayait vainement de le faire fonctionner.

Ross constata avec surprise que Demelza n'était pas là.

— Bonsoir, Francis ! cria George Warleggan.

— Où est Demelza ? demanda Ross à Verity qui était près de la porte.

— En haut, elle voulait rester seule quelques instants.

— John, vous allez me casser mon rouet, votre coup de pied est trop puissant ! protesta Elizabeth en souriant.

Si John Treneglos n'avait pas fait de frais de toilette, on ne pouvait en dire autant de sa jeune femme. Ruth, la petite fille ingrate du bal de la charité de Pâques, avait fait des progrès. Ce soir, elle portait une robe de soie pailletée d'argent à la taille et sur les épaules.

— Eh bien, capitaine Poldark, nous sommes voisins et il faut venir ici pour vous rencontrer ! ricana Treneglos. On vous prenait pour Robinson Crusoé !

— Mais il a son Vendredi, mon cher, souffla Ruth avec douceur.

— Qui? Tu veux dire Jud? dit Treneglos. Il s'est montré insolent avec moi, un jour, et je l'aurais rossé s'il n'avait été à votre service.

— Elizabeth, apportez votre harpe et chantez-nous quelque chose, intervint George.

— Je n'ai pas de voix, répliqua la jeune femme. Si vous voulez m'accompagner…

— Avec joie, s'empressa George, déférent. Cela conviendra à la nuit admirable.

Déjà George tirait la harpe de son coin et John avançait une chaise. Elizabeth, qui protestait en souriant, finit par se laisser convaincre. À cet instant, Demelza fit son entrée.

Elle se sentait mieux, après avoir restitué son dîner. Sa venue provoqua le silence. Elizabeth annonça :

— Voici notre nouvelle cousine Demelza, la femme de Ross.

— Bon sang, Ross, s'exclama Treneglos, où cachiez-vous cette belle fleur? Votre serviteur, madame.

Ne pouvant évidemment répondre « votre servante, monsieur », Demelza se contenta de sourire avec grâce. Elle se laissa présenter aux deux autres, accepta le verre de porto que lui offrait Verity et en avala la moitié tandis qu'ils détournaient la tête.

— Ainsi, voici votre femme, Ross, fit Ruth avec douceur. Venez vous asseoir près de moi, racontez-moi qui vous êtes, tout le comté ne parlait que de vous en juin.

— Oui, les gens aiment bavarder, n'est-ce pas, madame? riposta Demelza.

— Vous avez drôlement raison, madame, dit John. Portons un toast. Joyeux Noël à nous tous et au diable les ragots !

— Nous devons entendre notre hôtesse jouer, intervint George qui venait d'échanger quelques confidences avec Elizabeth.

— Vous chantez, madame Poldark ? demanda Treneglos à Demelza.

— Moi ? s'étonna-t-elle. Seulement quand je suis heureuse !

— Mais ne le sommes-nous pas tous aujourd'hui ? s'écria John. Il faut que vous chantiez pour nous ce soir.

— Je ne chante que pour moi, balbutia Demelza. Je ne connais rien à la musique. C'est mad... Elizabeth qui doit d'abord jouer. Plus tard, peut-être...

Elizabeth laissait doucement courir ses doigts sur les cordes et la mélodie accompagnait en sourdine la discussion.

— Si vous me chantez quelques mesures, je pourrais peut-être saisir l'accompagnement, proposa-t-elle.

Elizabeth joua et le silence se fit.

Lorsque la musique s'arrêta, Elizabeth se rejeta en arrière en souriant à Ross. Les applaudissements furent discrets mais sincères.

— Superbe ! s'exclama George. Elizabeth, vous m'avez touché au plus profond du cœur !

Dans le silence, la jeune femme interpréta encore une pièce très courte de Mozart, puis une *canzonetta* de Haydn.

— C'était divinement joué, affirma George. Encore, je vous en prie !

— Non, sourit Elizabeth, c'est au tour de Demelza.

— Après vous, je ne peux plus, fit celle-ci, affectée par la dernière interprétation autant que par le verre qu'elle venait d'avalé. Je priais justement le Ciel pour que l'on m'oublie !

Tous éclatèrent de rire.

— Nous voulons vous entendre avant de partir, affirma Ruth, l'œil sur son mari.

Le regard de Demelza croisa le sien et y lut un défi. Elle se leva, armée du courage que lui avait donné le porto.

Elle s'installa confortablement, se redressa et pinça une corde, tirant une note qui lui parut agréable et réconfortante.

Elle regarda Ross et, dans ses yeux, elle trouva une lueur de malice. Elle se mit à chanter, sans faire effort pour donner du volume à sa voix un peu rauque. Elle semblait plutôt confier ce qu'elle disait comme un message personnel.

« J'ai cueilli une jolie rose pour mon amour. »

Le quatrième couplet fut suivi d'un instant de pause et Demelza toussa pour montrer qu'elle avait terminé. Il y eut des murmures flatteurs, certains simplement polis, d'autres spontanés.

— Absolument charmant, dit Francis, les yeux mi-clos.

— Parbleu, ça me plaît beaucoup, déclara John.

— Je n'avais jamais entendu cette chanson, remarqua Elizabeth, elle me plaît infiniment.

— John, il est temps de rentrer, intervint Ruth.

— Encore une chanson, Demelza, la pria Verity. Que jouiez-vous quand j'étais chez vous ? Ah ! oui, la *Chanson du pêcheur* !

Demelza vida son verre que l'on venait de remplir. Ses doigts errèrent sur les cordes et tirèrent de la harpe des sons surprenants.

— Oui, j'ai une autre chanson, dit-elle doucement en considérant Ross, puis Treneglos, entre ses cils.

D'une voix basse mais claire, elle se mit à chanter cette fois une chanson populaire et un peu osée :

« Je me doutais qu'elle était jolie. Je me doutais qu'elle était mariée. »

Après quelques commentaires sur le talent de Demelza, les visiteurs prirent congé. Et les Poldark se retrouvèrent entre eux.

— Tu t'es conduite de façon monstrueuse et tu as remporté un triomphe ! dit Ross à Demelza quand ils furent seuls.

— Ne plaisante pas. Ai-je été une bonne épouse ? Ai-je bien chanté ?

— Tu étais inspirée.

— Ross, il faut me promettre quelque chose pour me récompenser. Promets-moi qu'avant Pâques, tu seras allé à Falmouth rechercher le capitaine Blamey et voir s'il aime toujours Verity.

— Qui suis-je pour affirmer qui il aime ?

— Demande-le-lui, il ne te mentira pas sur ce sujet. S'il l'aime, nous pourrons arranger une rencontre entre eux, cela suffira.

— Tu es obstinée. Mais nous ne pouvons organiser l'existence des autres.

— Tu n'as pas de cœur, Ross. Et pourtant... tu m'aimes ! J'aime aussi beaucoup Verity, et je sais qu'elle n'est pas faite pour rester seule à veiller sur la maison et les enfants d'une autre, même s'il s'agit de sa belle-sœur. Mieux vaut qu'elle prenne le risque

212

d'épouser un homme qui peut-être résiste mal à l'alcool.

— Tu me parais avoir mis au point une certaine forme de philosophie depuis notre mariage.

— Non, mais je sais ce que représente l'amour.

— Moi aussi, répondit-il simplement.

Jambes nues, elle tendit ses orteils vers l'âtre.

— Tu iras à Falmouth ? murmura-t-elle.

— J'y réfléchirai.

Le silence de la maison parut ne pas être aussi total que précédemment. C'était le silence des vieilles boiseries, chargé de l'histoire des Poldark, de gens dont les visages oubliés étaient suspendus dans le hall désert, d'espoirs et d'amours épanouis ou évanouis.

— Tu dors ? demanda Ross.

— Non.

Elle posa un doigt sur son bras. Il se leva et se pencha sur elle, prit son visage entre ses mains, lui baisa les yeux, les lèvres, le front. Elle se livra à lui avec une étrange souplesse de tigresse.

Puis, prenant à son tour son visage entre ses mains, elle l'embrassa.

Ils rentrèrent le lendemain après le dîner, à pied comme ils étaient venus.

Un moment, ils bavardèrent comme la nuit précédente, de façon décousue et confiante, riant ou se taisant ensemble.

Demelza était si heureuse d'en avoir fini avec son épreuve qu'elle prit le bras de son mari et se mit à chanter. Elle avançait à grands pas pour se maintenir à sa hauteur.

— Fatiguée ? s'inquiéta Ross comme Demelza semblait traîner.

C'était la première fois qu'il lui posait cette question. Il constata une fois encore qu'il était heureux, d'une façon nouvelle et moins fugitive qu'avant. Il éprouva un étrange sentiment de légèreté.

Il se dit : « Si seulement nous pouvions arrêter la vie pour un moment, je choisirais celui-ci. Là, au sommet de la colline, avec la poussière qui tourbillonne aux confins du domaine et Demelza qui marche et respire à mes côtés. »

Toute l'existence était un cycle de difficultés à résoudre et d'obstacles à surmonter. Mais en ce soir de Noël 1787, seul le présent intéressait Ross. Il pensa : « Je n'ai ni faim, ni soif, ni désir. Je n'éprouve ni inquiétude ni remords. Devant nous, dans le futur immédiat, nous attendent une porte ouverte, une maison chaude et des fauteuils confortables, la sérénité et la tendresse. C'est cela que je souhaite. »

15

L'orage qui gronda au moment de la naissance de Julia devait être prophétique.

Dans la nuit du 15 janvier, Demelza entra dans les douleurs. Au début, elle se cramponna aux colonnes du lit et réfléchit à n'importe quoi avant d'appeler. Elle avait envisagé l'épreuve avec calme, sans jamais alarmer Ross par de fausses inquiétudes – et elle ne voulait pas commencer à le faire au dernier moment.

Et maintenant, au milieu de la nuit, cette douleur, mais ce n'était peut-être que la conséquence du surmenage. Pourtant, quand elle eut l'impression d'un poids sur son dos qui allait la briser, elle comprit que c'était autre chose. D'un geste, elle effleura Ross qui s'éveilla aussitôt.

— Je crois qu'il faut que tu ailles chercher Prudie. Les douleurs...

— Comment ? Tu veux dire...

— Je les ressens et il vaudrait mieux appeler Prudie.

Il bondit du lit et elle l'entendit frotter l'amadou sur l'acier. Le bois finit par prendre et Ross alluma une chandelle qui éclaira la pièce.

Il considéra sa femme et comprit aussitôt. Elle sourit faiblement, l'air de s'excuser. Il s'approcha de la table et versa un verre de cognac.

— Bois. J'envoie Jud chercher le docteur Choake, dit-il en enfilant ses vêtements.

— Non, non, Ross, pas encore. Il doit dormir à cette heure-ci.

Ils discutaient depuis des semaines sur le fait de faire appel à Choake. Demelza ne parvenait pas à oublier qu'un an plus tôt elle n'était que femme de chambre et que Choake, simple médecin, possédait déjà une propriété qui, même payée avec la fortune de sa femme, l'élevait à un rang où les domestiques ne comptaient pas.

D'ailleurs, elle ne voulait pas de la présence d'un homme à ses côtés. Ce n'était pas correct. Sa cousine Elizabeth avait accepté de recevoir le médecin, mais c'était une aristocrate-née. Demelza aurait de beaucoup préféré avoir près d'elle tante Betsy Triggs, celle qui vendait des sardines et qui savait si bien aider de ses mains fortes à mettre un enfant au monde.

Mais Ross tenait à son idée.

Un instant, la douleur s'était apaisée. Ross tourna vers la jeune femme son visage énergique barré d'une cicatrice qui apparaissait à la lueur de la chandelle sous ses cheveux noirs ébouriffés.

— Ross, avant de partir, veux-tu…, demanda-t-elle.

Il s'approcha. En embrassant sa femme, il vit la transpiration sur son visage. Une crispation de crainte et de compassion lui tordit le cœur. Il prit la tête de Demelza entre ses mains et plongea un instant son regard dans les yeux sombres où, pour une fois, il ne découvrit pas la lueur malicieuse qu'il connaissait bien. Il n'y lut pas non plus de peur.

— J'en ai pour une minute, murmura-t-il.

— Non, ne reviens pas. Appelle Prudie, c'est tout. Je préfère… que tu ne me voies pas ainsi.

216

— Et Verity ? Tu tenais à sa présence !

— Préviens-la demain matin, il serait méchant de la faire sortir la nuit. Envoie-la chercher au matin. Dis-moi que tu m'aimes, pria-t-elle.

— Mais tu le sais ! s'étonna-t-il.

— Dis que tu m'aimes moi, et pas Elizabeth.

— Je n'aime pas Elizabeth, fit-il, docile, incapable de dire autre chose puisque lui-même ignorait la vérité.

Il n'était pas homme à révéler volontiers ses sentiments profonds, mais il se sentait pour le moment impuissant à aider sa femme autrement que par des mots.

— Rien ne compte que toi, affirma-t-il. Souviens-t'en. Mes parents, mes amis, cette maison, la mine... J'abandonnerais tout pour toi et tu le sais... Oui, tu le sais, sinon cela signifierait que j'ai échoué ces derniers mois et rien de ce que je pourrais te dire aujourd'hui n'y changerait quoi que ce soit. Je t'aime, Demelza, et nous avons été heureux ensemble. Nous le serons encore, cramponne-toi à cette idée, mon ange, il le faut, car personne ne peut le faire pour toi.

— Je le ferai, Ross, fit-elle, ravie.

Il l'embrassa de nouveau, se tourna pour allumer d'autres chandelles, en prit une et sortit vivement. La porte de la chambre des Paynter s'ouvrit dans un grincement qui se confondit avec le ronflement de Prudie.

Ross alla tirer les rideaux et secouer Jud qui dormait la bouche ouverte. Il le secoua rudement. Jud se mit à jurer, mais quand il vit son maître, il s'assit en se frottant la tête.

— Ça ne va pas ?

— Demelza est sur le point d'accoucher. Va tout de suite chercher le docteur Choake. Réveille Prudie,

Demelza aura aussi besoin d'elle. Les douleurs ont commencé.

— On peut s'en occuper, Prudie et moi, on connaît ce genre de tintouin, ce n'est pas difficile. Les gens en font toujours un drame que je ne comprends pas ! Évidemment, ce n'est pas toujours facile, mais une fois qu'on a pris le tour de main…

— Lève-toi !

Devant le ton de son maître, Jud obéit aussitôt et ils réveillèrent Prudie qui s'essuya le nez avec un coin du drap.

— C'est bon, je vais m'occuper du gosse, pauvre fille ! dit-elle en enfilant une robe de chambre douteuse par-dessus sa chemise. Je me rappelle pour ma mère…

Au septième coup donné à la porte des Choake, une fenêtre grinça, laissant apparaître un bonnet de nuit.

— Eh bien, l'homme, qu'y a-t-il ? Pourquoi ce tapage ?

À la voix et au front, Jud devina qu'il avait réveillé l'oiseau qu'il cherchait.

— Le capitaine Poldark m'envoie vous chercher, bredouilla-t-il. Dem… Madame Poldark se sent mal et elle a besoin de vous.

— Quelle madame Poldark ?

— Madame Demelza Poldark, de Nampara. Elle va avoir son premier.

— Et alors ? On ne lui a pas expliqué ce qu'elle devait faire ?

— Si, mais c'est le moment.

— Sottises, mon vieux ! Je l'ai vue la semaine dernière et j'ai prévenu le capitaine que ce ne serait pas avant juin.

La fenêtre claqua.

Trois minutes plus tard, la tête de Choake réapparaissait.

— Qu'est-ce qu'il y a, l'homme ? Tu vas me casser cette porte ! Insolent ! Je te ferai fouetter !

— Où est votre cheval ? Je vais vous le préparer pendant que vous vous habillez.

Le médecin se retira. D'en bas, on entendit la voix zézayante de Polly Choake, sa femme, dont la tête aux cheveux flous passa un instant à la fenêtre. Choake appela ensuite Jud et lui dit qu'il descendait.

Vingt minutes plus tard, ils se mettaient en route dans un silence glacial. Le jour se levait. Des traînées vert d'eau apparaissaient au nord-est, une tache orangée immense s'étalait là où le soleil surgirait après la nuit noire. C'était un lever de soleil sauvage et étrangement paisible.

Pendant que Ross était là, Demelza fit de grands efforts pour rester elle-même, mais il comprit qu'elle souhaitait le voir s'éloigner. Il ne pouvait pas l'aider. Navré, il redescendit et accueillit Mme Jacky Martin, la mère de Jinny, suivie de sa marmaille. Figure large au nez chaussé de lunettes, femme énergique, compétente – et éternuante !

Ross retourna dans le petit salon. Sur la table traînait l'ouvrage auquel Demelza travaillait. À côté, un patron en papier que Verity lui avait prêté.

Il était 6 h 15.

Les oiseaux ne chantaient pas. Ross regarda les ormes qui se balançaient d'avant en arrière comme sous l'effet d'un tremblement de terre. Le ciel était chargé de nuages qui couraient.

Ross prit un verre. Ses yeux se posèrent sur une page sans la lire. Le vent commençait à rugir en bas, dans la vallée. Mme Martin survint.

— Elle est courageuse, capitaine. Prudie et moi, nous nous débrouillerons, ne vous inquiétez pas. Ce sera terminé bien avant que le vieux docteur ne soit arrivé.

— Vous êtes sûre ? dit Ross en posant son livre.

— J'ai eu onze enfants, ma Jinny trois. J'ai aussi aidé les jumeaux de Betty Nanfan à venir au monde, et les quatre de Suzy Vigus. Ce ne sera pas aussi facile que l'accouchement de Jinny, mais le travail s'accomplira normalement, rassurez-vous. Je viens chercher le cognac pour en donner à la jeune femme afin de lui remonter le moral.

Une bourrasque soudaine ébranla la maison. Ross regarda au-dehors le jour sauvage qui commençait à poindre, laissant monter en lui la colère contre Choake et cherchant dans l'orage une libération. Le bon sens lui disait que tout irait bien pour Demelza, mais Ross trouvait intolérable qu'on refusât à sa femme les meilleures attentions. C'était Demelza qui souffrait là-haut, avec seulement deux femmes maladroites pour l'assister.

Il se rendit aux écuries, à peine conscient de l'orage. Quand il ouvrit la porte, le vent s'engouffra et referma le battant en claquant, plaquant Ross contre le mur. Ross leva la tête et comprit qu'il ne pourrait partir à cheval sous l'orage. Il s'éloigna. C'était l'affaire de trois kilomètres.

Une pluie de feuilles, d'herbe et de poussière s'abattit sur lui quand il contourna la maison. En d'autres temps, Ross se serait inquiété pour ses récoltes, aujourd'hui, c'était sans importance.

Plus tard, entre les pins, il se heurta à la pleine violence de l'orage qui entraînait avec lui une masse de pluie, de poussière et de cailloux.

Le docteur Choake, ayant terminé les rognons grillés et le jambon rôti, se demandait s'il allait reprendre de la morue fumée avant qu'on emportât le plat pour le tenir au chaud pour Polly, qui déjeunerait plus tard dans son lit.

Le bruit de la porte d'entrée passa presque imperceptible dans le grondement du vent.

— Si c'est pour moi, Nancy, je suis sorti ! déclara Choake en fronçant le sourcil.

Il décida de reprendre de la morue et fut agacé d'avoir à se servir lui-même. Il appuya sa bedaine contre la table. Il venait d'avaler la première bouchée quand il entendit tousser derrière lui. Levant les yeux, il aperçut dans le miroir la haute silhouette trempée, derrière sa servante mal à l'aise.

Ross entra. Il avait perdu son chapeau et déchiré sa manchette de dentelle, il laissait derrière lui une traînée d'eau sur le plus beau tapis turc de Choake. Mais une lueur dans son regard empêcha le médecin de la remarquer. Les Poldark étaient depuis deux cents ans des seigneurs de Cornouailles et Choake, en dépit de ses grands airs, venait du peuple. Il se leva.

— Je vous dérange dans votre repas, observa Ross. Vous vous rappelez que je vous ai engagé pour rester auprès de ma femme pendant son accouchement ?

— Mais... elle va bien. J'ai fait un examen complet. L'enfant naîtra cet après-midi.

— Votre rôle est celui de médecin et non de colporteur.

Choake blêmit et se tourna vers Nancy, qui était bouche bée.

— Servez du porto au capitaine Poldark. De quoi vous plaignez-vous ? reprit-il avec un effort pour défier cet interlocuteur qui n'était qu'un jeune homme sans fortune. Nous avons soigné votre père, votre oncle, votre cousin et sa femme, votre cousine Verity. Ils n'ont jamais eu l'occasion de mettre en doute notre traitement.

— Cela les regarde ! Où est votre manteau ?

— Mon vieux, je ne peux pas partir à cheval sous cette tempête. Regardez-vous ! Il serait impossible de s'asseoir sur un cheval !

— Vous auriez dû y penser en quittant Nampara !

La porte s'ouvrit devant Polly, qui entra dans un déshabillé cerise, les cheveux retenus par des épingles. En voyant Ross, elle poussa un cri.

— Capitaine Poldark, je ne me doutais pas… Vraiment, voir quelqu'un quand je suis dans cette tenue ! Mais le vent, Seigneur, arrête tout bruit ! J'ai peur pour le toit, Tom. S'il me tombait sur la tête, je serais jolie !

Polly entra en faisant la moue, lorgna Ross du coin de l'œil et se caressa les cheveux. La porte claqua derrière elle.

— Je ne me suis jamais habituée à vos vents de Cornouailles, ce sont des démons ! Comment va votre femme, capitaine ?

Choake enleva sa calotte et coiffa sa perruque.

— Le capitaine est inquiet pour sa femme, déclara froidement Choake.

— Mais ce n'est sûrement pas urgent à ce point ! Je me souviens que ma mère me racontait que j'avais mis huit jours et quelques heures à paraître !

— Eh bien, votre mari attendra huit jours et quelques heures s'il le faut ! coupa Ross. C'est mon caprice, madame Choake.

Pour le retour, le vent soufflait par le travers. Choake perdit chapeau et perruque, mais Ross rattrapa la perruque et la fourra sous son manteau. Ils étaient tous deux haletants et trempés. Parvenus au bosquet, ils distinguèrent une fine silhouette en manteau gris devant eux.

— Verity ! appela Ross quand ils la rejoignirent, appuyée contre un arbre. Que fais-tu dehors, aujourd'hui ?

— Tu devrais savoir que rien ne peut rester secret, riposta-t-elle avec un grand sourire. La fille de Mme Martin a parlé à la femme de Bartle. Comment va-t-elle, Ross ?

— Assez bien, je l'espère.

Les deux jeunes gens rejoignirent Choake au moment où il enjambait une branche d'orme. Deux des pommiers avaient été abattus et Ross se demanda ce que dirait Demelza quand elle verrait ses fleurs déchiquetées.

Quand elle verrait…

Il hâta le pas. L'irritation le reprit à la pensée des femmes qui s'affairaient dans la maison et de sa bien-aimée Demelza qui souffrait sans qu'on pût l'aider.

En entrant, ils virent Jinny qui montait l'escalier en courant, chargée d'une bassine d'eau fumante dont elle répandit quelques gouttes dans le hall. Elle ne leur jeta pas un coup d'œil.

Choake était si mal à l'aise qu'il pénétra dans le petit salon et s'assit dans le premier fauteuil pour essayer de reprendre son souffle.

Ross remplit trois verres de cognac et porta le premier à Verity qui s'était affalée dans un fauteuil.

— Je monterai quand le docteur sera prêt, dit la jeune femme, souriante. Et si tout va bien, je descendrai préparer ton déjeuner.

— Nous prendrons le petit-déjeuner ensemble, dit Choake, ragaillardi à l'idée de manger. Nous allons juste monter afin de tranquilliser tout le monde, et nous redescendrons déjeuner. Qu'allez-vous nous servir ?

Verity se leva. Son manteau tomba, laissant voir la simple robe grise dont le bas était taché de boue. Mais ce fut son visage que Ross scruta. Elle avait une expression surprise, intense, comme si elle avait une vision extraordinaire.

— Qu'y a-t-il ?

— J'ai cru entendre…

Ils prêtèrent l'oreille.

— Ah ! il y a des enfants dans la cuisine ! s'écria Ross. Il y en a aussi dans l'office et dans la lingerie. De tous âges et de toutes tailles !

— Chut ! C'est un nouveau-né, j'en suis sûre ! s'exclama Verity.

Ils écoutèrent de nouveau.

— Allons rejoindre notre patiente, suggéra Choake, soudain gêné et intimidé.

Il ouvrit la porte. Les autres le suivirent, mais tous s'arrêtèrent au bas des marches. Prudie se dressait en haut de l'escalier. Elle portait sa chemise de nuit sous une robe de chambre et sa large silhouette ressemblait à un sac de pommes de terre. Elle se pencha vers une figure rose épanouie.

— C'est une fille ! cria-t-elle. On a eu une fille. On lui a un peu meurtri la figure, mais elle est belle comme une petite pouliche. Écoutez-la crier !

Si Julia avait été capable d'en juger, elle se serait dit qu'elle était née dans un curieux pays. Le vent avait transporté tant de sel que rien n'y avait échappé. Les jeunes feuilles des arbres noircirent en se desséchant, craquant comme des biscuits secs quand une brise les agitait. Tous les plants furent touchés à mort. Les boutons de rose ne s'ouvrirent pas et la rivière fut encombrée des débris du printemps assassiné.

Mais dans le petit monde clos de Nampara, la vie triomphait.

Après avoir longuement contemplé le bébé, Demelza décida qu'il serait parfait et merveilleux, lorsque son petit visage tuméfié aurait repris une allure normale. Personne ne paraissait savoir combien de temps cela prendrait – Ross songea intérieurement que des marques indélébiles subsisteraient peut-être –, mais Demelza, de tempérament, vif, considéra tour à tour les meurtrissures et le paysage extérieur ravagé pour conclure que la nature dans sa générosité arrangerait le tout en même temps. Le baptême serait retardé à fin juillet.

Demelza avait ses idées à propos du baptême. Elizabeth avait donné une réception à l'occasion de celui de son fils Geoffrey. Demelza n'y avait pas assisté, car cela s'était déroulé quatre ans plus tôt alors qu'elle n'existait pas encore aux yeux des Poldark. Mais elle n'avait pas oublié les récits de Prudie sur l'élégance des invités, les brassées de fleurs, les festivités, les flots de vin et les allocutions. Maintenant qu'elle avait elle-même fait son entrée dans le monde, elle n'avait pas de raison de ne pas offrir une réception en l'honneur de son enfant, peut-être même une réception plus somptueuse encore que celle de sa cousine.

Elle décida d'organiser deux fêtes. Elle en parla à Ross quatre semaines après la naissance de Julia, tandis qu'ils prenaient le thé sur la pelouse devant la maison, auprès du bébé qui dormait à l'ombre du lilas.

Ross la dévisagea de son regard moqueur.

— Deux soirées ? Nous n'avons pas eu des jumeaux.

— En effet, Ross, mais il y a ton milieu et le mien. Les seigneurs et les autres. On ne peut les mélanger, pas plus qu'on ne peut mélanger la crème... et l'oignon ! Par contre, pris séparément, ils sont tous valables.

— J'ai une prédilection pour les oignons. Donnons une réception pour les gens du pays – les Martin, les Nanfan, les Daniel. Ils valent mieux que les hobereaux trop nourris et leurs gentes dames !

Demelza jeta un morceau de pain au chien qui attendait en frétillant.

— Garrick ne cherche plus querelle au bull-terrier de M. Treneglos, observa-t-elle. Je suis sûre qu'il lui reste des dents, mais il avale sa nourriture comme le fait une mouette et attend que son estomac la digère.

— Nous pourrions réunir un assez joli choix de gens du pays, reprit Ross. Verity viendrait aussi. Elle les aime autant que nous les aimons. Tu pourrais également inviter ton père.

— Il me serait agréable d'inviter mon père et mes frères le second jour, le 23 juillet, jour de la fête du village parce que c'est jour de congé pour les mineurs.

Ross sourit intérieurement. C'était plaisant d'être ainsi assis au soleil à écouter distraitement le bavardage de sa femme.

Le lendemain, Verity arriva. Elle était maintenant rétablie du mauvais rhume dont elle avait souffert le mois précédent. Elle roucoula au-dessus du berceau, affirma que le bébé ressemblait à ses parents tout en étant totalement différent d'eux, écouta les projets de Demelza pour le baptême, les approuva sans restriction, tenta bravement de répondre à une ou deux questions que Demelza n'avait osé poser au docteur Choake et offrit une robe de baptême en dentelle qu'elle avait confectionnée pour l'enfant.

Demelza remercia en l'embrassant et s'assit pour dévisager Verity d'un air si grave que la jeune femme eut un de ses rares éclats de rire.

— Que se passe-t-il ?

— Oh, rien ! Voulez-vous du thé, Verity ?

— Si c'est l'heure, volontiers.

Elle tira sur le gland près de la cheminée.

— Je ne fais que boire toute la journée depuis la naissance de Julia et le thé vaut certainement mieux que le gin !

Jinny entra, elle avait un joli teint et toujours ses cheveux roux.

— Ah ! Jinny, fit Demelza avec gaucherie, voudriez-vous nous préparer un plateau de thé ? N'oubliez pas de laisser bouillir l'eau avant de la verser sur les feuilles. Que le thé soit bon et fort.

— Bien, madame.

Verity soupira.

— Dites-moi maintenant ce qui vous tracasse.

— C'est vous, Verity.

— Moi ? Dites-moi tout de suite comment je vous ai offensée !

— Ce n'est pas cela ! Mais si… C'est moi qui risque de vous offenser… Verity. Ross m'a dit un jour – je l'en avais supplié pendant des heures – que vous aviez autrefois été amoureuse.

— Je suis navrée que cela vous tracasse, dit Verity au bout d'un moment.

— Ce qui me chiffonne, c'est de savoir si l'on a eu raison de vous séparer ainsi de l'homme que vous aimiez, avoua Demelza.

Une roseur teinta les joues creuses de Verity. « Elle a repris l'aspect de vieille fille desséchée qu'elle avait quand je l'ai connue, songea Demelza. Quelle différence, on dirait que deux êtres vivent en une seule personne. »

— Ma chère cousine, je crois que l'on ne peut pas soi-même juger du comportement des autres. Malheureusement, le monde le fait toujours. Mon père et mon frère ont des principes forts. Ce n'est pas à nous de dire s'il est juste ou non d'agir ainsi. Mais ce qui est fait ne peut être défait et de toute façon c'est depuis longtemps une affaire enterrée et presque oubliée.

— N'avez-vous plus jamais entendu parler de lui ?

— Non, affirma Verity en se levant.

— Vous ne voulez pas m'en parler ? murmura Demelza. Cela aide parfois de parler, cela facilite les choses.

— Pas maintenant. En parler ce serait… comme de creuser une tombe ancienne.

Le même soir, Demelza trouva Jud seul dans la cuisine. Il n'avait jamais tout à fait, comme sa femme, cédé au charme de Demelza. Pendant longtemps, il avait conservé une certaine amertume à l'idée que cette enfant autrefois sous ses ordres était désormais sa maîtresse.

— Jud, dit la jeune femme en prenant la planche à pain, la farine et la levure, vous rappelez-vous un certain capitaine Blamey qui venait ici voir Mlle Verity ? Je devais être là à l'époque, mais je ne me souviens de rien.

— Vous étiez une petite môme de treize ans, dit Jud tristement, et vous restiez dans cette cuisine à laquelle vous apparteniez. Voilà la raison !

— Je ne doute pas que vous ayez, vous, beaucoup de souvenirs… Qu'est-il arrivé, Jud ? ajouta-t-elle en se mettant à pétrir la pâte.

Il attrapa un morceau de bois et commença à le tailler avec son couteau tout en sifflotant entre ses dents. Son crâne luisant ceint d'une couronne de cheveux lui donnait l'air d'un moine.

— Il a accidentellement tué sa première femme, n'est-ce pas ? insista Demelza.

— Je vois que vous savez tout.

— Non, certaines choses seulement, Jud. Que s'est-il passé ici ?

— Le capitaine Blamey tournait de temps à autre autour de Mlle Verity. Le capitaine Poldark les avait autorisés à se rencontrer ici parce qu'ils ne pouvaient le faire ailleurs, mais un jour de septembre M. Francis et son père sont arrivés et les ont trouvés dans le petit salon. M. Francis a prié le capitaine Blamey de venir le rejoindre dehors et ils sont sortis armés des pistolets de duel accrochés près de la fenêtre. Ils m'ont demandé de servir d'arbitre. Quelques minutes plus tard, M. Francis tira sur le capitaine Blamey qui fit feu à son tour. Du travail vite fait comme je n'en avais jamais vu !

— Ont-ils été blessés ?

— Pas vraiment, Blamey a eu la main éraflée et sa balle a atteint M. Francis au cou. C'était un duel honnête et le capitaine Blamey est reparti à cheval.

— Avez-vous entendu parler de lui depuis, Jud ?

— Plus un mot.

— Jud… je voudrais vous demander un service. La prochaine fois que le capitaine se rendra à cheval à la prison pour voir Jim Carter, j'aimerais que vous fassiez quelque chose pour moi.

— C'est-à-dire ?

— Je voudrais que vous alliez à Falmouth rechercher ce capitaine Blamey et voir ce qu'il fait.

Jud se leva et cracha ostensiblement dans le feu. Quand le grésillement cessa, il dit :

— Ce n'est pas à nous de mettre le monde en marche. Ça n'a pas de sens, ce n'est ni normal ni juste, et pas bien rassurant.

16

Le jour du baptême commença en beauté. Dans l'église, la cérémonie se déroula devant une trentaine d'invités et Julia loucha vers son cousin, le révérend William, quand il répandit de l'eau sur son front. Ensuite, tous se replièrent vers Nampara, certains à cheval, d'autres à pied par groupes de deux ou trois bavardant et plaisantant sous le soleil, procession colorée qui s'étirait en désordre à travers la campagne crevassée sous l'œil curieux et un peu craintif des mineurs et des villageois.

Le salon n'était pas trop vaste pour accueillir trente personnes dont les femmes portant des jupes à larges crinolines et n'ayant guère l'habitude d'être dans un espace si restreint.

Elizabeth et Francis étaient venus accompagnés de leur fils Geoffrey qui avait trois ans et demi. Tante Agatha, qui n'avait pas enfourché un cheval depuis vingt-six ans, arriva sur une jument docile. Ross l'installa dans un fauteuil confortable et lui apporta une chaufferette à charbon pour ses pieds. Lorsqu'il versa du rhum dans le thé qu'il lui fit servir, elle s'épanouit et se mit à chercher des présages.

Grâce surtout à l'insistance d'Elizabeth, George Warleggan avait répondu à l'invitation. Mme Teague et ses trois filles non mariées étaient là, pour ouvrir l'œil sur ce qu'il y avait à voir, et Perrine Teague, la quatrième sœur, parce qu'elle espérait rencontrer George Warleggan. John Treneglos et sa femme Ruth, née Teague, avaient accompagné le vieil Horace Treneglos – tous trois intéressés par Demelza à des titres divers. On avait également invité Joan Pascoe, la fille du banquier, qu'escortait un jeune homme peu bavard, mais sympathique et sérieux, qui répondait au nom de Dennis Enys.

Ross regarda sa femme accueillir chacun. Il ne pouvait s'empêcher de la comparer à Elizabeth, aujourd'hui âgée de vingt-quatre ans et plus adorable que jamais.

— Oh! c'est un beau petit animal, assura tante Agatha à Demelza. Laisse-moi la porter, mon poussin. Tu n'as pas peur que je la laisse tomber, non? J'en ai tant porté et tant bercé! Petit, petit! Tiens, elle me sourit… à moins que ce ne soit une grimace. Une vraie Poldark. Le portrait de son père!

— Attention, elle va baver sur votre belle robe.

— Excellent présage. Tiens, mon poussin, j'ai quelque chose pour toi. Reprends l'enfant un instant. Je souffre de crampes aujourd'hui et les sautillements de cette vieille jument n'ont rien arrangé… Tiens, voici pour l'enfant.

— Qu'est-ce que c'est? demanda Demelza au bout d'un moment.

— Des sorbes séchés que tu suspendras au-dessus du berceau pour éloigner les mauvais génies.

Le repas touchait à sa fin et, comme il faisait beau, les invités sortirent dans le jardin. Les groupes se dispersant, Demelza se dirigea vers Joan Pascoe.

— Il paraît que vous venez de Falmouth, mademoiselle Pascoe ?

— J'y ai été élevée, madame, mais j'habite maintenant Truro.

Demelza regarda à droite et à gauche pour s'assurer que personne n'écoutait leur conversation.

— Connaissez-vous par hasard le capitaine Blamey, mademoiselle ?

— J'ai entendu parler de lui, répondit Joan en caressant le bébé. Je l'ai même rencontré une ou deux fois.

— Je me demandais s'il habitait toujours Falmouth ?

— Il y réside de temps à autre. Il est capitaine au long cours, vous savez.

— J'ai souvent pensé avec quel plaisir j'irais visiter Falmouth, dit rêveusement Demelza. On dit que la ville est belle. Quelle est la bonne saison pour apercevoir tous les navires dans le port ?

— Le mieux est de le voir après un orage, quand tous les bateaux sont venus y chercher un abri. Il y a assez de place pour tous ceux qui veulent fuir la tempête.

— Qui est donc l'individu qui descend la vallée ? demanda Ruth Treneglos. Est-ce une procession funèbre ? La vieille Agatha va sûrement y voir un mauvais présage.

Deux ou trois autres personnes remarquèrent les nouveaux arrivants. Conduits par un homme d'âge mûr, les visiteurs avançaient entre les arbres.

— Seigneur ! s'exclama Prudie de la fenêtre du second salon. C'est le père de la petite. Il s'est trompé de jour ! Tu ne lui as donc pas dit de venir mercredi, imbécile ?

233

Le cœur étreint d'une crispation douloureuse, Demelza avait également reconnu les visiteurs. Elle entrevoyait le désastre et aucune solution pour le prévenir. Même Ross, pour le moment n'était pas auprès d'elle, avait lui aussi remarqué le cortège.

Ils étaient venus en force : Tom Carne, grand et solidement établi dans sa respectabilité nouvelle, la tante Chegwidden, sa seconde femme, la tête couronnée d'une coiffe, la bouche petite comme celle d'une petite poule noire, et derrière eux, quatre grands garçons, les frères de Demelza.

Le silence se fit parmi les invités. Le groupe atteignit le pont de bois et s'approcha avec un bruit de chaussures à clous. Devant l'identité des nouveaux venus, Verity abandonna le vieux M. Treneglos pour s'approcher de Demelza. Ross sortit vivement de la maison et, sans paraître se hâter, parvint au pont en même temps que les Carne.

— Comment allez-vous, monsieur Carne ? dit-il, la main tendue. Je vous suis reconnaissant d'avoir pu venir.

Carne le dévisagea une seconde. Quatre ans s'étaient écoulés depuis leur rencontre au cours de laquelle les Carne avaient démoli une pièce de la maison avant que l'un d'eux n'atterrît dans le cours d'eau. Ces années avaient transformé le plus âgé. Ses yeux s'étaient éclaircis, ses vêtements étaient convenables. Mais il gardait le même regard intolérant. Dans l'intervalle, Ross avait lui aussi changé. Le bonheur qu'il connaissait avec Demelza l'avait adouci et avait paré son esprit infatigable et inquiet d'une carapace nouvelle.

Ne trouvant aucun sarcasme pour riposter, Carne serra la main de son gendre. Nullement intimidée, sa femme suivit, tendit la main et s'avança au-devant de Demelza. Comme Carne ne faisait aucun effort pour présenter ses fils, Ross s'inclina gravement devant eux et, imitant leur aîné, chacun d'eux se toucha la tête en réponse. Ross se sentit étrangement réconforté en découvrant qu'aucun d'eux ne ressemblait à sa femme.

— Nous avons attendu à l'église, ma fille, dit Carne à Demelza. Tu avais dit à 16 heures et on était là. Tu n'avais pas le droit d'agir ainsi. On ferait peut-être mieux de retourner chez nous.

— J'ai dit demain à 16 heures, répliqua sèchement la jeune femme.

— C'est ce que tu m'as fait dire. Mais c'était notre droit d'être présents le jour du baptême, c'est-à-dire aujourd'hui. C'était aux gens de ta chair et de ton sang plutôt qu'à tous ces snobs d'être auprès de toi le jour du baptême de ton enfant.

Une horrible amertume envahit le cœur de Demelza. Cet homme qui avait autrefois anéanti en elle toute forme d'affection, à qui elle avait adressé une invitation qui pardonnait, cet homme était délibérément venu un autre jour et il allait tout gâcher. Ses efforts étaient vains et Ross serait la risée de la région. Déjà, dans son dos, elle devinait le rire sur les visages de Ruth Treneglos et de sa mère. Elle aurait pu arracher des mèches de cette épaisse barbe noire (aujourd'hui parsemée de gris), elle aurait pu s'agripper à la veste sobre et trop respectable du bonhomme, ou plaquer une motte de terre sur son gros nez veiné de rouge. Le sourire figé dissimulant son désespoir, elle salua sa belle-mère et ses quatre frères, Luc, Samuel, William et Bob – des noms et des visages qu'elle avait aimés dans cette existence cauchemardesque qui n'était plus la sienne aujourd'hui.

Eux étaient intimidés par cette sœur dont ils se souvenaient comme d'un souffre-douleur et qu'ils retrouvaient sous les traits d'une jeune femme élégante à l'allure et au langage différents. Ils se réunirent autour d'elle, à distance respectueuse, répondant d'un ton bourru à ses petites questions sèches. Cependant, Ross, avec la grâce et la dignité qu'il était capable de déployer quand il voulait s'en donner la peine, escortait Tom et sa femme dans le jardin, les présentant, imperturbable, aux autres invités. Son attitude recelait une politesse glaciale qui désarçonnait ceux qui étaient habitués à n'échanger des compliments qu'avec les gens de la bonne société.

À mesure qu'ils avançaient, le regard de Carne devenait moins respectueux devant cet étalage d'élégance. Il se chargeait au contraire de dureté et de courroux à cause de la légèreté avec laquelle ces gens se pavanaient en ce jour solennel.

Du moins la surprise était-elle passée. Les conversations reprirent, avec moins d'entrain pourtant. Un petit vent se leva, s'insinuant entre les invités, soulevant ici et là un ruban ou un pan d'habit.

Ross ordonna à Jinny de servir du porto et du cognac. Plus ses hôtes boiraient, plus ils se montreraient bavards et moins l'échec serait grand.

Carne repoussa le plateau.

— Ce genre de choses ne m'intéresse pas, déclarat-il. Malheur à ceux qui dès le matin boivent des boissons fortes, qui continuent jusque dans la nuit, jusqu'à prendre feu ! J'en ai terminé avec la méchanceté et la boisson, je me suis installé sur un roc de vertu et de salut. Montre-moi l'enfant, ma fille.

Raide et sévère, Demelza présenta Julia à l'inspection.

— Mon premier était plus gros, intervint Mme Carne, soufflant sur le bébé. Il aura un an en août. Un beau petit gars que ce sera, même si c'est le mien.

— Qu'est-ce qu'elle a sur le front ? demanda Carne. Tu l'as laissée tomber ?

— C'est de naissance, répliqua Demelza, furieuse.

Julia se mit à pleurer. Carne se gratta le menton.

— Je suppose que tu as choisi avec soin ses parrain et marraine. Il me semble que j'aurais dû en être.

Il surveillait les diverses conversations sans les entendre. Il tourna vers sa femme un regard aigu.

— Tout ceci va à l'encontre des préceptes de Dieu, femme, dit-il dans sa barbe. L'endroit n'est pas convenable pour des croyants et ces gens ne sont pas dignes d'une cérémonie comme le baptême. Ces femmes avec leurs robes impudiques, ces jeunes coqs qui se pavanent en buvant et plaisantant ! C'est pis que ce qu'on peut voir à Truro.

Sa femme arrondit le dos. Elle était de tempérament moins belliqueux.

— Il faut prier pour eux, Tom. Pour eux tous et pour ta fille. Peut-être un jour discerneront-ils la lumière !

Julia ne se calmant pas, Demelza en profita pour l'emmener dans la maison. Elle était désespérée. Elle savait, quelque tournure que prendraient les événements, que c'était pour elle un échec et de quoi alimenter tous les commérages.

Quelques instants après son départ, Ruth Treneglos parvint à entraîner son groupe à portée de voix de Tom Carne.

— Pour ma part, déclara-t-elle, je ne m'intéresse pas à l'alcool, sauf au cognac et au porto. J'aime les boissons fortes et douces à la fois au goût. Vous n'êtes pas d'accord, Francis ?

— Vous me rappelez tante Agatha, par vos traits d'esprit qui sont ceux d'une femme discrète.

Il y eut un nouveau rire, dirigé contre Ruth cette fois.

Quand ils passèrent près de Tom Carne, ce dernier fit un pas en avant, se jetant littéralement sur Ruth.

— L'un de vous est-il parrain ou marraine de l'enfant ? demanda Tom.

Francis s'inclina légèrement. Vu de dos, on aurait cru à une parodie, car les pans de son habit étaient retournés par le vent.

— Je suis le parrain.

— De quel droit ? rétorqua Tom en le toisant.

Francis, qui avait beaucoup gagné à la table de jeu la veille, se sentait enclin à l'indulgence.

— On m'en a prié, répondit-il.

— Prié, répéta Carne. C'est possible, mais êtes-vous sauvé du démon et de la damnation ?

— Rien ne me l'a indiqué.

— Donc, vous êtes en tort, monsieur, reprit Carne. Tort de n'avoir pas prêté attention aux appels de Dieu, car cela vous a entraîné à écouter la voix du démon. Pour chacun d'entre nous, c'est l'un ou l'autre, il n'y a pas d'alternative. C'est le Ciel avec les anges ou les feux de l'enfer avec les diables à l'odeur de soufre.

— Nous comptons parmi nous un prédicateur, observa Warleggan.

Mme Carne tira son époux par la manche. Tout en prétendant dédaigner la noblesse, elle ne partageait pas le mépris de Carne. Elle savait qu'en dehors du petit cercle de leurs propres relations, c'étaient ces gens-là qui dirigeaient le monde.

— Viens, Tom, laisse-les. Ils sont dans la vallée de l'ombre et rien ne les en fera sortir.

Ross, qui était entré dans la maison pour encourager sa femme à faire front, réapparut par la porte principale. Il vit le groupe qui discutait et aussitôt s'en approcha.

— Le vent se lève, intervint-il. Les dames seraient mieux à l'intérieur. Peut-être pourrais-tu aider tante Agatha, Francis ? ajouta-t-il en désignant la vieille dame.

— Moi, je me refuse à me trouver sous le même toit que des gens qui ont d'aussi mauvaises pensées, déclara Carne. Couvrez votre poitrine, femme, ordonna-t-il à Ruth, votre tenue est un péché et une honte. Des femmes ont été fouettées dans la rue pour moins que cela !

Il y eut un instant de silence redoutable.

— Maudite soit votre insolence ! s'écria Ruth, écarlate. Si... le fouet doit être donné, c'est vous qui le recevrez ! John, as-tu entendu ?

Son mari, qui n'avait pas l'esprit vif et était toujours prêt à voir le côté drôle des choses, n'avait pas tout saisi de loin et il étouffa un rire.

— Espèce de porc insolent ! hurla-t-il. Savez-vous à qui vous vous adressez ? Faites immédiatement vos excuses à Mme Treneglos ou je vous arrache la peau du dos.

Carne cracha dans l'herbe.

— Si la vérité vous offense, alors elle n'est pas une faute. Les femmes doivent être vêtues de façon décente et modeste, et non de manière à exciter le désir. Par saint Jacques, si celle-ci était ma femme...

Ross s'interposa entre eux et attrapa le bras de Treneglos. Un instant, il scruta le visage flamboyant de colère de son voisin.

— Quoi, mon cher, une querelle vulgaire en présence de ces dames !

— Mêlez-vous de vos affaires, Ross ! Ce type est intolérable…

— Laissez-le venir, coupa Carne. Il y a deux ans que j'ai quitté le ring, mais j'ai envie de lui montrer un ou deux de mes coups. Si le Seigneur…

— Allons, allons, Tom ! intervint sa femme.

— Cela me regarde, John, déclara Ross sans quitter Treneglos des yeux. Vous êtes tous deux mes hôtes, ne l'oubliez pas. Je ne saurais vous permettre de frapper mon beau-père.

Il y eut un instant de stupeur comme si, même si tous savaient la vérité, le simple fait de l'énoncer les choquait tout en les apaisant.

John tenta de dégager son bras de la poigne de Ross. En vain. Son visage devint écarlate.

— Naturellement, dit Ruth, si Ross désire soutenir celui qui a fermé les yeux sur ses manigances…

— Naturellement ! persifla Ross en libérant le bras de Treneglos. Je tiens à rester en bons termes avec mes voisins, mais pas au point d'autoriser une querelle sur le pas de ma porte. Les dames ont horreur des chemises déchirées et des nez qui saignent…

— C'est vraiment étrange, Ross, railla Ruth, la façon dont vous envisagez les choses depuis votre mariage. Avant, vous ne manquiez certainement pas de courtoisie. J'hésite à penser à l'influence qui vous a rendu si rustre.

— Je veux des excuses, cria Treneglos. Ma femme a été grossièrement insultée par cet homme, qu'il soit ou non votre beau-père. Bon sang, s'il était mon égal, je l'entraînerais sur le pré !

— La vérité est la vérité, aboya Carne. Un blasphème ne vous réhabilite pas...

— Tenez votre langue, mon vieux, ordonna Ross. Si nous voulons connaître vos opinions, nous vous les demanderons en temps utile...

Comme Carne restait sans voix, Ross se tourna vers Treneglos.

— Les usages et les manières changent selon l'éducation, John. Ceux qui ont le même code peuvent parler le même langage. Voulez-vous me permettre en tant qu'hôte de vous présenter mes excuses pour tout ce qui aurait pu vous offenser, vous ou votre femme ?

Hésitant, un peu apaisé, John plia le bras et grommela en regardant sa jeune femme.

— C'est bon, Ross, vous l'avez assez bien dit. Si Ruth éprouve...

Une heure plus tard, Ross trouva Demelza étendue sur son lit dans une sorte de chagrin sans larmes. Tous les invités étaient tranquillement repartis, à pied ou à cheval, cramponnés d'une main à leur chapeau, leurs pans d'habit claquant au vent.

Demelza les avait salués au départ, souriant avec une politesse figée jusqu'à la disparition du dernier. Puis, balbutiant une excuse, elle s'était éclipsée.

— Prudie te cherche, annonça Ross. On ne savait où tu étais. Elle demande ce qu'elle doit faire des restes.

— Ross... Je suis si désespérée !

Il s'assit au bord du lit.

— Ne te fais pas de souci, mon tout petit.

— Nous allons être la risée du pays ! Ruth Treneglos et les autres y veilleront !

— Y a-t-il là de quoi se tracasser ? Des potins ! S'ils n'ont rien de mieux à faire qu'à jaser…

— J'en suis peinée. Je pensais leur prouver que j'étais la femme qu'il te fallait, capable de porter de beaux vêtements et de me comporter avec distinction, de ne pas te faire honte. Au lieu de cela, ils rentrent chez eux en se frottant les mains : « Avez-vous entendu parler de la femme du capitaine Poldark, cette fille de cuisine ?… » Je pourrais en mourir !

— Ce qui nous ennuierait tous beaucoup plus qu'un démêlé avec John Treneglos… Ce n'est que le premier assaut, chérie ! Nous avons essuyé un premier échec, mais nous referons une tentative. Seul un cœur faible abandonnerait déjà la course.

— Et tu me prends pour un cœur faible ! répliqua Demelza, exaspérée et furieuse contre son mari.

Trois jours avant le baptême de Julia, Ross et le docteur Choake s'étaient de nouveau affrontés au cours d'une rencontre orageuse des actionnaires de la mine Leisure. La discussion avait pris fin avec l'offre de Ross d'acquérir la part de Choake dans la mine en triplant le prix d'achat d'origine. Ce dernier avait accepté d'un air très digne si bien que, le lendemain du baptême, Ross se rendit à cheval à Truro afin de demander une augmentation de fonds à son banquier.

Petit homme sans âge et bégayant, aux lunettes cerclées d'acier, Harry Pascoe confirma que l'hypothèque sur Nampara pouvait être augmentée afin de couvrir le montant exigé, mais il remarqua que la transaction n'était pas avantageuse. Ce n'était pas une affaire pour Ross !

En sortant de la banque, ce dernier rencontra un jeune homme dont le visage ne lui était pas inconnu. Il souleva son chapeau et il allait poursuivre son chemin lorsque l'homme l'arrêta.

— Comment allez-vous, capitaine ? C'était gentil de votre part de me recevoir hier. Je suis étranger au pays et j'ai vivement apprécié votre accueil.

C'était Dennis Enys, que Joan Pascoe avait amené à la réception. Il avait un visage sympathique et la volonté durcissait la courbe enfantine de sa joue et de sa mâchoire. Ross n'était jamais tout à fait passé par ce stade. Jeune homme maigre parti pour l'Amérique, il était revenu du voyage en ancien combattant.

— Votre nom évoque une famille du cru.

— J'ai ici des cousins éloignés, monsieur, mais on ne tient pas toujours à se vanter de ses relations familiales. J'ai appris la médecine à Londres.

— Comptez-vous vous installer comme médecin ?

— J'ai mon doctorat depuis le début de l'année, mais vivre à Londres coûte cher. J'ai envisagé de m'installer dans le voisinage le temps de terminer mes études et de subvenir à mes besoins en soignant quelques patients.

— Si vous vous intéressez à la sous-nutrition et aux maladies des mineurs, vous trouverez de quoi vous instruire.

— En réalité, je m'intéresse aux maladies pulmonaires. J'ai le sentiment que, pour la pratique, le lieu idéal est justement une communauté de mineurs. En matière de fièvre également, c'est intéressant. Il y a tant à apprendre et tant à expérimenter ! Je vous ennuie, monsieur, j'ai tendance à bavarder…

— Les médecins que je connais ont davantage tendance à se vanter de leurs succès sur les terrains de chasse !

Après s'être éloigné de quelques pas, Ross rappela Enys.

— Où avez-vous l'intention de vivre ? demanda-t-il.

— Je suis chez les Pascoe pour un mois. J'essaierai de découvrir une petite maison. Il n'y a pas de médecin dans le voisinage.

— Vous savez peut-être que je m'occupe d'une mine que vous avez pu apercevoir hier de ma maison ?

— Je n'ai rien remarqué et je n'avais pas entendu dire…

— Le poste de médecin de la mine est actuellement vacant. Je crois pouvoir vous le faire attribuer s'il vous convenait. Ce n'est évidemment pas très important ; la mine n'emploie encore que quelque quatre-vingts hommes, mais cela vous permettrait d'acquérir de l'expérience en vous rapportant quatorze shillings par semaine.

Le visage du médecin rougit de plaisir et d'embarras.

— Cela me rendrait un grand service. Ce genre de travail est exactement ce que je souhaite, mais… la distance est considérable.

— J'ai cru comprendre que vous n'aviez pas fixé votre choix sur une maison. Il y a des possibilités dans la région.

— N'y a-t-il pas un praticien de quelque réputation ?

— Choake ? Oui, mais il y a place pour deux. Il a des moyens personnels et ne se surmène pas. Réfléchissez-y et faites-moi connaître votre décision.

— Je vous remercie, monsieur, de votre bonté.

« Et s'il est bon médecin, songea Ross en repartant, je verrai s'il peut quelque chose pour Jim à sa sortie de prison. » Il y avait maintenant plus d'un an que Carter purgeait sa peine de prison et comme il avait survécu malgré l'état de délabrement de ses poumons, on pouvait espérer qu'il tiendrait encore pendant les dix mois qu'il lui restait avant d'être rendu à Jinny.

Il entra à l'auberge du Lion-Rouge qui était bondée et choisit une place dans le renfoncement de la porte.

À un moment, Ross remarqua un homme qui entrait dans l'auberge, une silhouette trapue et une démarche familière. Il avait vu cet homme pour la dernière fois le jour où il remontait à cheval la vallée de Nampara, après son duel avec Francis, suivi du regard de Verity.

Ross fixa la table. Entre son regard et le plateau de la table s'interposa la vision précise qu'il avait eue alors. Un beau manteau bleu, une cravate noire et nette, des poignets de dentelle. Massif et expressif, le visage était différent, les rides aux coins des lèvres étaient plus profondes, les lèvres elles-mêmes plus serrées et les yeux avaient un regard plus farouchement volontaire.

Du silence jaillit le bruit de quelqu'un qui piétinait le parquet du salon voisin. Il y eut une galopade tandis que l'aubergiste s'engouffrait dans la pièce.

— Pas de bagarre ici, monsieur. Vous nous amenez toujours des ennuis. Je ne veux pas de ça, je…

La voix fléchit, bientôt dominée par celle, furieuse, d'Andrew Blamey. Le marin sortit, se frayant un passage parmi ceux qui bloquaient la porte. Il n'était pas ivre. Ross se demanda si la boisson avait jamais été la cause véritable de ses ennuis. Blamey avait un autre ennemi : son mauvais caractère.

Ross alla récupérer sa jument qu'il avait laissée le matin à l'auberge du Coq-de-Combat. Il ne rencontra pas Blamey, mais, en chemin, il passa devant la maison des Warleggan et son regard fut un instant retenu par la voiture arrêtée devant la porte. Un magnifique carrosse de bois verni, avec des roues vert et blanc, tiré par quatre beaux chevaux gris. Il y avait un postillon, un cocher et un valet de pied, tous en livrée vert et blanc plus élégante que celle de tout autre riche propriétaire de la région.

Le valet de pied sauta à terre pour ouvrir la portière. La mère de George Warleggan sortit de la voiture. C'était une grosse femme d'un certain âge, vêtue de dentelle et de soie, mais écrasée par tant de luxe. La porte de la grande maison s'ouvrit, d'autres valets se présentèrent pour saluer leur maîtresse. Les passants s'arrêtèrent pour regarder le tableau.

17

La seconde réception du baptême se déroula sans anicroche. Les mineurs et quelques petits propriétaires avec leurs femmes ne pensaient qu'à s'amuser. De toute façon, c'était la fête du village et, s'ils n'avaient pas été invités chez les Poldark, la plupart d'entre eux auraient passé l'après-midi à danser, à participer à des jeux ou simplement à s'enivrer.

Après le repas copieux et très abondamment arrosé de bière, de cidre et de porto, tous sortirent dans le jardin où il y avait des concours pour les femmes, un mât de cocagne, des jeux divers pour les enfants et un match de lutte pour les hommes. Après quelques éliminatoires, le combat final opposa les frères Daniel, Mark et Paul. Ce fut Mark qui, comme on s'y attendait, gagna, et Demelza lui offrit un foulard rouge.

L'événement de la soirée fut la représentation de comédiens ambulants. La semaine précédente, Ross avait vu sur une porte une affiche en lambeaux annonçant la prochaine visite des comédiens de la Troupe d'Aaron qui donneraient des représentations théâtrales.

Il avait trouvé le chef de la troupe dans la plus grande des deux roulottes misérables dans lesquelles voyageaient les comédiens et il l'avait engagé à venir jouer le mercredi suivant à Nampara.

La troupe donna *Elfrida ou l'Épouse perdue*, une tragédie, et une comédie intitulée *L'Abattoir*.

La pièce terminée, des boissons furent servies à tous et le bal commença. Non pas des menuets gracieux, mais des danses vives de la campagne anglaise.

Mark Daniel était resté à l'écart. Lui le silencieux, impassible et indépendant, d'une virilité puissante, il avait toujours considéré ces contorsions comme efféminées, mais il remarqua que, leur souper terminé, certains acteurs se joignaient à l'assistance.

Il ne pouvait s'attarder plus longtemps au second plan et se risqua dans une ronde à quatre qui ne réclamait pas de pas difficiles. Puis, se frottant le menton en regrettant de ne pas s'être rasé soigneusement, il se joignit à une danse campagnarde. À l'autre bout de la file des danseurs, il vit la jeune actrice qui se faisait appeler Karen Smith. Incapable de détacher d'elle son regard, il dansa presque sans voir son vis-à-vis.

La jeune fille comprit qu'elle le fascinait. Elle ne le fixa pas une seule fois, mais quelque chose dans son expression révéla à Mark qu'elle savait qu'ils allaient danser ensemble, dans quelques secondes. Mark chancela et sentit la sueur ruisseler sur son corps. L'instant était proche, le couple voisin regagnait sa place en dansant, et Mark vit la jeune fille s'avancer vers lui. Il lui saisit les mains et ils tournèrent en dansant. Les cheveux de Karen flottaient. Elle leva la tête et plongea son regard éblouissant dans celui de son compagnon. Quand ils se séparèrent, chacun d'eux regagna sa place. Malgré la fraîcheur des mains de Karen, celles de Mark le brûlaient comme si elles avaient rencontré le feu après la glace et en étaient restées irritées.

Il s'assit, essuya la transpiration sur son front de ses mains calleuses qui avaient deux fois la taille de celles de Karen. Il observa en secret la jeune fille, espérant d'elle un autre regard. Mais les femmes, il le savait, pouvaient voir sans regarder.

Bientôt, les invités commencèrent à prendre congé. Après le départ des anciens, Jacky Martin, le « lettré » du voisinage, se leva et prononça un petit discours sur la soirée agréable qu'ils avaient passée, le buffet copieux qui les avait nourris pour une semaine et abreuvés pour deux ! Tout, dit-il, avait été parfait et il ne leur restait plus qu'à remercier chaleureusement le capitaine et Mme Poldark, ainsi que Mlle Verity Poldark, pour leur générosité en leur souhaitant à eux comme aux leurs longue vie et prospérité et en formant des vœux pour que Mlle Julia devienne la fierté de ses parents.

Toute la famille mit un certain temps à se coucher, mais lorsque enfin la maison fut paisible Mark se leva et se rhabilla. Le silence de la nuit s'était empli de petits bruits. Il prit la direction de Nampara. Il ne savait pas ce qu'il allait faire, mais une idée l'obsédait et l'empêchait de dormir.

Nampara n'était pas encore plongé dans la nuit. Des chandelles brûlaient derrière les rideaux de la chambre du capitaine Poldark et une lumière se voyait également près de l'escalier. Mais ce n'était pas ce que cherchait Mark. Quelque part en haut de la vallée, près du ruisseau, se trouvaient les deux roulottes des comédiens.

En s'approchant, il vit aussi briller des lumières malgré les haies d'aubépines et les noyers sauvages qui les dissimulaient. En dépit de sa taille, Mark se déplaçait sans bruit et il vint tout près de la plus grande roulotte sans se faire remarquer.

Personne ne dormait. Des chandelles étaient allumées et les comédiens étaient assis autour d'une longue table. On parlait et riait fort en faisant tinter des pièces de monnaie.

Les fenêtres de la roulotte étaient assez hautes, mais le grand Mark pouvait voir l'intérieur. Tous les comédiens étaient là – le gros homme à l'œil de verre, la femme mal coiffée, l'homme blond et mince qui avait joué le héros de la pièce, la petite comédienne ridée… et la jeune fille. Ils jouaient avec des cartes graisseuses et bientôt une violente dispute éclata, et la jeune fille sortit en courant de la roulotte.

Mark resta accroupi dans les buissons. Il ne pouvait plus rien voir, mais il pouvait attendre que tout fût apaisé. Il ne pourrait pas dormir s'il rentrait chez lui et il devait être à la mine de Grambler à 6 heures.

Une lumière brillait maintenant dans la seconde roulotte. Mark se redressa et s'avança en décrivant un demi-cercle. Au même moment, la porte de la roulotte s'ouvrit et quelqu'un sortit, faisant tinter un seau. C'était Karen.

Mark la suivit – elle se dirigeait vers le ruisseau. Il se planta à ses côtés quand elle s'agenouilla pour puiser de l'eau.

Elle fit volte-face et poussa un cri.

— Je ne vous veux aucun mal, affirma Mark, d'une voix tranquille et ferme. Taisez-vous ou vous allez réveiller toute la vallée.

— Ah ! c'est vous…

À demi content d'être reconnu et en même temps en proie au doute, il baissa les yeux vers l'ovale délicat du visage de la jeune femme.

— C'est moi, oui.

— Que guettez-vous ici, si tard dans la nuit ? s'enquit-elle sèchement.

— J'ai bien aimé ce que vous avez fait ce soir... Je veux dire la pièce...

— Que faites-vous ?

— Je suis mineur.

Elle le regarda en oblique, le jaugeant, estimant la carrure des épaules. Elle ne distinguait pas l'expression de ce visage d'ombre tourné vers elle.

— C'est vous qui avez gagné le match de lutte ?

Il acquiesça, dissimulant sa satisfaction.

— Je le pensais. Je suis jolie, n'est-ce pas ?

— Oui, répondit-il avec effort. Vous ne voulez pas rester bavarder avec moi un moment ?

— Pourquoi ? dit-elle en riant doucement. Il y a de meilleures façons de passer le temps. De plus, il est tard ! Vous feriez mieux de filer avant qu'ils viennent à ma recherche.

— Serez-vous à Grambler demain soir ?

— Probablement.

— Alors, j'y serai aussi, déclara-t-il.

Il rentra sous les étoiles paisibles, allongeant encore sa puissante foulée et laissant son esprit lent s'égarer vers des profondeurs inexplorées.

Quelques jours plus tard, Demelza prenait son petit-déjeuner en silence, tout en ruminant ses pensées. Ross aurait dû deviner que ce silence pendant le repas était de mauvais augure.

— Quand comptes-tu aller voir Jim ? demanda-t-elle.

— Jim? répéta-t-il en sortant de ses pensées qui l'avaient entraîné vers les compagnies de cuivre et leurs inconvénients.

— Oui, Jim Carter ! Tu disais envisager d'emmener Jinny avec toi.

— La semaine prochaine, à condition que tu puisses te passer d'elle et que tu n'y voies pas d'objection.

— Passeras-tu la nuit là-bas? s'enquit-elle en le scrutant.

— Les commérages vont bon train et quand on me verra à cheval avec ma servante…

— Tu veux dire *une autre* servante ?

— Si tu veux. Jinny n'est pas laide et mon nom n'arrêtera pas les mauvaises langues.

— Quelle importance y attaches-tu, Ross ?

— Ils peuvent jaser à s'en user la langue, s'écria-t-il en riant, ils l'ont déjà fait et cela m'est indifférent.

Le lundi matin, Ross étant occupé à la mine, Demelza parcourut à pied les cinq kilomètres qui la séparaient de la maison de Trenwith.

Elle n'était allée qu'une seule fois chez ses cousins. Quand elle parvint en vue de la maison en pierre douce, aux fenêtres à meneaux, elle en fit humblement le tour pour se présenter à la porte de service. Elle trouva Verity dans l'office.

— Tout va bien, ma chère Verity. Je suis venue vous demander de me prêter un cheval et… c'est un peu un secret, je ne veux pas que Ross l'apprenne. Jeudi prochain, il se rendra à Bodmin pour voir Jim Carter, et il emmènera Jinny, je n'aurai donc pas de cheval pour gagner Truro où je désire aller en l'absence de Ross.

— Je vous prêterai Aventure si vous voulez. Est-ce aussi un secret pour moi, cette visite ?

— Pas vraiment… Je ne pourrais pas vous emprunter un cheval en secret, n'est-ce pas ?

— Très bien, ma chère. Je n'insisterai pas. Mais vous ne pouvez vous rendre seule à Truro. Nous pouvons aussi vous prêter un poney pour Jud.

— Je ne sais à quelle heure partira Ross. Aussi viendrons-nous jeudi chercher les chevaux à pied si cela ne vous ennuie pas. Ainsi, Francis et Elizabeth ne seront-ils pas au courant.

— C'est bien mystérieux ! J'espère ne pas être complice d'une mésaventure.

— Non, non, absolument pas. C'est simplement… une idée qui me trotte depuis longtemps dans la tête.

Verity lissa le devant de sa robe bleue. Elle paraissait terne et collet monté ce matin. Elle avait ce jour-là adopté son côté vieille fille.

Lorsque Ross et Jinny eurent disparu de l'autre côté de la colline, Demelza pénétra dans la maison. Elle disposait de la journée et d'une partie du lendemain, mais Julia limitait son temps d'action. Nourrie à 7 heures, l'enfant supporterait d'attendre cinq heures avec de l'eau sucrée que Prudie était capable de lui donner, à midi.

— Jud ! Êtes-vous prêt ?

— M. Ross n'est parti que depuis deux minutes !

Ils partirent peu après 7 heures et s'arrêtèrent à Trenwith pour prendre le cheval et le poney. Demelza avait revêtu son nouveau costume de cheval bleu bien ajusté et de coupe assez masculine, avec un corsage bleu ciel, et coiffé un petit tricorne. Elle remercia

Verity en l'embrassant affectueusement, comme si la chaleur de son étreinte compensait sa ruse.

Rien dans ces hameaux ne pouvait passer inaperçu. Chaque étameur, chaque fermier s'arrêtait de travailler, poings sur les hanches, pour examiner ce couple insolite. L'homme laid, qui sifflotait sur son poney hirsute, la femme jeune et belle sur son grand cheval gris.

Quelques heures avant midi, ils aperçurent une lueur bleu argenté sur la mer, Demelza comprit qu'ils ne tarderaient pas à arriver. Ils dépassèrent des maisons au-delà desquelles s'étendait le port. Le cœur de Demelza accéléra ses battements. Tout ce qu'elle avait intérieurement imaginé dans la quiétude de la nuit allait se heurter à la dure réalité.

Quelques minutes plus tard, Demelza et Jud atteignirent une place pavée. La mer luisait comme un lac d'argent entre de grandes maisons. Les rues étaient encombrées de gens qui ne se hâtaient pas de s'écarter pour laisser place aux deux cavaliers.

Demelza fascinée regarda autour d'elle. Des marins vêtus de bleu dévisagèrent cette femme à cheval.

— Et maintenant ? demanda Jud en retirant son chapeau pour se gratter la tête.

— D'abord se renseigner auprès de quelqu'un, rétorqua Demelza.

Elle dirigea son cheval parmi des gosses qui jouaient dans le ruisseau et s'approche d'un groupe de quatre hommes qui bavardaient sur les marches d'une grande maison.

C'était Jud qui aurait dû les questionner, mais elle n'avait pas confiance dans ses manières. Au même instant, Aventure fit un écart et le claquement de ses sabots sur les pavés attira l'attention des inconnus.

— Excusez-moi de vous importuner, dit Demelza de son ton le plus étudié. Pourriez-vous m'indiquer la maison du capitaine Blamey ?

— Pardon, madame, dit l'un d'eux, mais je n'ai pas compris le nom.

— Le capitaine Andrew Blamey, qui fait la ligne de Lisbonne.

Ils échangèrent un regard.

— Il habite au bout de la ville, madame. Descendez cette rue pendant cinq cents mètres environ. Mais l'agent de la compagnie vous renseignera si vous allez le voir.

— Il est chez lui, affirma un autre. *La Caroline* doit quitter le port samedi matin.

— Je vous suis très obligée, répondit Demelza. Merci, messieurs, et adieu.

On les orienta vers une belle maison, dont le porche s'ornait de colonnes. Une demeure plus imposante que ne s'y attendait Demelza.

Elle descendit avec raideur et ordonna à Jud de tenir son cheval.

— Ce ne sera pas long, affirma-t-elle. Ne vous éloignez pas et n'allez pas vous enivrer, sinon je rentrerai sans vous.

Elle tira sur la sonnette. Jud ressemblait à la statue du Commandeur. L'oublier. Affronter l'inconnu. Que dirait Ross s'il voyait sa femme en cet instant ? Et Verity ? Basse trahison. Demelza aurait voulu ne pas être venue. Elle aurait souhaité…

La porte s'ouvrit.

— Je désire voir le capitaine Blamey, s'il vous plaît.

— Il est sorti, madame, mais il sera rentré avant midi. Voulez-vous l'attendre ?

— Oui, fit Demelza qui entra.

Elle fut introduite dans une agréable pièce carrée au premier étage.

— Qui dois-je annoncer ? demanda la vieille femme.

Au dernier moment, Demelza retint le nom décisif.

— Je préfère le lui apprendre moi-même. Dites-lui simplement que quelqu'un…

— Bien, madame.

Il y avait une carte sur le bureau. Des lignes y étaient tracées à l'encre rouge. Elle allait regarder quand un autre bruit de la rue attira à nouveau son attention.

Sous un arbre, à une centaine de mètres, il y avait un groupe de marins. Des gens rudes, barbus, déguenillés, avec des nattes. Parmi eux, un homme coiffé d'un tricorne qui leur parlait d'un air ennuyé. Ils se pressaient autour de lui, excités, gesticulant. Les hommes reculèrent pour le laisser passer, mais plusieurs continuèrent à crier en montrant le poing. Le groupe se referma derrière lui et resta là à le suivre des yeux. L'un saisit une pierre, mais un autre le retint par le bras pour l'empêcher de la lancer. L'homme poursuivit son chemin sans se retourner.

Comme il approchait de la maison, Demelza se sentit défaillir. En dépit des avertissements de Ross, elle ne l'avait pas imaginé ainsi. Prise de panique, elle fixa la porte pour estimer ses chances de fuite. Mais la porte extérieure claqua et la jeune femme comprit qu'il était trop tard. Il n'y avait plus moyen de se retirer.

L'homme entra, le visage encore durci par la querelle qu'il venait d'avoir avec les marins. La première pensée de Demelza fut qu'il était vieux. Il avait ôté son chapeau et ne portait pas de perruque – ses cheveux grisonnaient sur les tempes. Il devait avoir plus de quarante ans. Son regard bleu était farouche au milieu de rides profondes. C'était le regard d'un homme sans cesse à l'affût, prêt à bondir.

Il s'approcha du bureau, y posa son chapeau et dévisagea la visiteuse.

— Je m'appelle Blamey, madame, dit-il d'une voix claire et dure. En quoi puis-je vous être utile ?

Tout ce que Demelza avait préparé s'envola. Elle fut subjuguée par son attitude et son autorité. Elle se passa la langue sur les lèvres et répondit :

— Mon nom est Poldark.

Ce fut comme si une clé avait été tournée à l'intérieur de cet homme dur, enfermant toute espèce de surprise, toute forme de sentiment. Il s'inclina légèrement.

— Je n'ai pas l'honneur de vous connaître.

— Non, monsieur, mais vous connaissez mon mari, le capitaine Ross Poldark.

— J'ai eu l'occasion de le rencontrer il y a quelques années, dit-il.

— J'ai fait trente kilomètres à cheval pour vous voir. Mon mari ignore ma visite. Personne ne sait que je suis venue.

Les yeux au regard inflexible quittèrent un instant le visage de la jeune femme et examinèrent sa tenue poussiéreuse.

— Puis-je vous offrir un rafraîchissement ? proposa-t-il.

— Non… non, il faut que je reparte dans quelques minutes.

— Est-ce votre serviteur qui attend dehors ? Je pensais bien le reconnaître, j'aurais dû me douter…

Sa voix confirmait ses sentiments. Demelza fit une nouvelle tentative.

— Je… Peut-être n'aurais-je pas dû venir, mais il le fallait. Je voulais vous voir… à propos de Verity.

Un instant, l'expression de Blamey témoigna de son embarras. Brusquement, il consulta sa montre.

— J'ai trois minutes à vous accorder.

Quelque chose dans son regard anéantit les espoirs de Demelza.

— J'ai eu tort de venir, avoua-t-elle. Je crois qu'il n'y a rien à dire. J'ai commis une erreur, c'est tout.

— Enfin, où se trouve l'erreur ? Puisque vous êtes ici, vous feriez mieux de me le dire, jeta-t-il avec un regard furieux.

— C'est à propos de Verity, se décida-t-elle. Ross m'a épousée l'an dernier. Jusque-là, je ne savais rien de votre histoire et elle ne m'en a jamais parlé. C'est Ross, à force d'insistance, qui m'a tout raconté. J'aime beaucoup Verity. Je donnerais n'importe quoi pour la voir heureuse, car elle ne l'est pas. Elle n'a jamais surmonté l'épreuve, elle est incapable d'oublier. Ross disait qu'il était risqué de s'en mêler. Mais cela m'était impossible tant que je ne vous avais pas vu. Je… je pensais que Verity avait raison et eux, tort. Je… je devais m'assurer qu'ils avaient tort. Êtes-vous remarié ?

— Non.

Je ferais mieux de rentrer, car un bébé m'attend chez moi.

Elle se leva et lentement se dirigea vers la porte. Il l'empoigna par le bras quand elle passa près de lui.

— Verity est-elle malade ?

— Non, fit Demelza, furieuse. Elle souffre, mais elle n'est pas malade. Elle fait dix ans de plus que son âge.

— Connaissez-vous toute l'histoire ? demanda-t-il, le regard soudain douloureux. Ils ont dû vous la raconter.

— À propos de votre première femme, oui. Mais si j'étais Verity…

— Vous ne l'êtes pas. Comment pouvez-vous savoir ce qu'elle éprouve ?

— Je ne le sais pas, mais je…

— Elle ne m'a jamais envoyé un mot…

— Vous non plus !

— En a-t-elle jamais fait la réflexion ?

— Non.

— Alors, c'est pitoyable… Cette tentative de votre part… cette… intrusion…

— Je le sais, balbutia Demelza au bord des larmes. Je le sais maintenant. Je voulais aider Verity et je regrette d'avoir essayé. Voyez-vous, je ne comprends pas. Si des gens s'aiment, cela suffit largement pour les réunir. L'opposition du père est une raison, mais le père est mort et Verity est trop fière pour faire le premier pas. Et vous… je vous croyais différent… Je pensais…

— Vous m'imaginiez probablement assis à me morfondre. Verity a certainement depuis longtemps admis avec son faible frère que l'on avait après tout eu raison de renvoyer le capitaine Blamey à ses bateaux. Pourquoi…

— Comment osez-vous parler ainsi de Verity ? explosa Demelza. Comment ! Dire que je me suis donné la peine de faire cette course à cheval pour entendre cela ! Dire que j'ai comploté, menti, emprunté les chevaux et fait je ne sais quoi encore… Et parler ainsi de Verity alors qu'elle se ronge les sangs pour vous ! Dieu, laissez-moi partir d'ici !

— Attendez ! fit-il en lui barrant le passage.

Elle tremblait, mais, très maîtresse d'elle-même, elle ne tenta pas de libérer son bras. Un instant, il la scruta en silence comme pour s'efforcer de deviner tout ce qu'elle n'avait pas dit. Sa propre colère soudain était tombée.

— Nous avons tous changé et mûri depuis ce temps-là. C'est… voyez-vous, tout est oublié, derrière nous, mais cela nous a laissés amers. Il m'est arrivé d'avoir une conduite excentrique, de lancer des injures, et vous me comprendriez si vous saviez tout.

Il eut un geste bref et maladroit, et se détourna. Elle s'avança raide vers la porte et en saisit la poignée avant de pivoter vers lui. Il regardait vers le port. Elle hésita. Au même moment, on frappa. Personne ne répondit. Demelza s'écarta, la porte s'ouvrit sur la femme qui chercha du regard le capitaine.

— Excusez-moi, désirez-vous quelque chose, monsieur ? Votre déjeuner est prêt.

Blamey se tourna vers Demelza.

— Voudriez-vous le partager avec moi, madame ?

— Non, je vous remercie, il faut que je rentre.

— Alors, vous pouvez reconduire Mme Poldark…

— Bien, monsieur.

La femme accompagna Demelza, la prévint de se méfier de la marche, car les rideaux tirés devant les fenêtres pour protéger les tapis du soleil limitaient l'éclairage. Elle fit une réflexion sur la chaleur qui présageait l'orage.

Nourrie et changée, Julia sombra dans un sommeil capricieux. Dînant seule pour la première fois dans le petit salon, Demelza avala péniblement son repas, détestant l'idée de sa propre défaite. Il n'y aurait jamais eu l'espoir d'un mariage heureux pour Verity avec cet homme. Et pourtant…

La silhouette massive de Prudie interrompit le cheminement de ses pensées.

— Que voulez-vous ? s'enquit Demelza.

— Vous êtes dans la lune, hein !

— Non, Prudie, mais je suis fatiguée et contrariée. Et j'ai du mal à rester assise.

— Pas étonnant… Je dis toujours qu'on n'est pas faites pour monter à cheval, que ce soit en amazone ou à califourchon. J'étais venue vous dire que Mark Daniel est dans l'office, à se demander s'il va entrer vous voir ou non.

— Que me veut-il ? dit Demelza en se levant avec une grimace de douleur.

— Honnêtement, rien. Il est venu vers midi. Je lui ai dit que vous étiez partis tous les deux, que vous ne rentreriez que pour dîner.

— Et il a insisté pour me voir ce soir ?

— Oui, mais je lui ai déclaré qu'il ne fallait pas vous déranger pendant le dîner.

— Il doit y avoir une raison ! dit Demelza en bâillant et en lissant sa robe. Faites-le entrer.

Mark entra en tortillant sa casquette.

— Vous vouliez voir mon mari, Mark ? Il est absent et couchera ce soir à Bodmin. Était-ce important ou pouvez-vous attendre à demain ?

— Ce n'est pas facile à expliquer, madame. J'aurais dû venir voir le capitaine hier, mais ce n'était pas encore décidé.

Demelza savait que Ross estimait particulièrement Mark qui venait après Jacky Martin dans son amitié, et cette visite la troublait un peu.

— Asseyez-vous, Mark, dites-moi ce qui vous tracasse.

— Madame Poldark, j'envisage de me marier.

— J'en suis très contente, Mark ! s'écria-t-elle avec un petit sourire soulagé. Pourquoi cela vous inquiète-t-il ? À qui pensez-vous ?

— À Karen Smith… La jeune fille qui est avec les comédiens ambulants, madame, cette brune aux longs cheveux et au teint clair.

— Je vois ! Et qu'en dit-elle ? La troupe est toujours dans les parages ?

Debout près de la porte, sérieux et calme, Mark raconta son histoire. Presque chaque nuit depuis leur rencontre, il avait suivi les comédiens, guettant Karen, la rejoignant ensuite, essayant de la convaincre de la sincérité de son amour. Au début, elle s'était moquée de lui, mais quelque chose dans sa force et dans l'argent qu'il la pressa d'accepter finit par éveiller son intérêt. Elle avait consenti à ses avances presque comme une plaisanterie et soudain elle s'était aperçue que ce qu'il lui offrait comptait en définitive ! Elle n'avait jamais eu de foyer, ni de soupirant comme lui. Karen avait solennellement promis à Mark de l'épouser, à une condition : il devait leur trouver un endroit pour vivre, car elle refusait de partager, fût-ce un jour, la maison si encombrée des Daniel.

— Que pensez-vous faire, Mark ?

Mark avait l'intention de construire sa maison avant dimanche. Ses amis étaient prêts à l'aider. Ils avaient choisi un coin possible, un bout de terrain vague appartenant au domaine Poldark. Mais le capitaine étant absent…

— Qu'attendez-vous de moi ? demanda-t-elle.

Il le lui dit. Il lui fallait la permission de construire. Il pensait pouvoir louer la terre, mais s'il attendait jusqu'au lendemain, c'était un jour perdu de plus.

— N'est-il pas déjà trop tard? remarqua-t-elle. Vous ne bâtirez jamais une maison pour dimanche.

— Nous pouvons y arriver, affirma-t-il. Il y a de l'argile à portée de la main et en douce, j'ai rassemblé des matériaux pendant des nuits entières. Quatre murs et un toit nous suffiront.

— Quelle est la terre que vous désirez, Mark?

— De l'autre côté de Mellin, il y a un bout de terrain envahi par de vieux buissons et des débris provenant d'une ancienne fosse minière.

— Je vois... Je n'ai pas vraiment pouvoir pour vous donner cette terre, reprit-elle après réflexion.

Mark la considéra un moment et lentement secoua la tête.

— S'il n'est pas en votre pouvoir de me donner cette autorisation, reprit-il, il faut que je cherche un terrain ailleurs.

Demelza constata qu'elle ne pouvait plus distinguer que ses yeux et la ligne saillante de ses pommettes.

— Mesurez un arpent à partir du bief desséché, Mark, déclara-t-elle, je ne peux rien vous dire de plus. Je n'ai aucune notion du prix que vous pourriez offrir pour la location, car je ne connais rien aux chiffres. C'est à vous et à Ross de voir. Mais je vous promets que vous ne serez pas délogé.

L'homme demeura silencieux pendant que Demelza allumait les chandelles.

— Je ne sais comment vous remercier, madame, dit-il soudain, mais si je peux quoi que ce soit pour vous ou pour les vôtres, faites-le-moi savoir.

Elle leva la tête pour lui sourire.

— Je le sais, Mark...

Karen avait entassé ses affaires dans un panier et, vers minuit, elle se faufila discrètement au-dehors. Il faisait beau et, coiffée d'un châle, elle s'accroupit près d'une roue de la roulotte pour attendre Mark. C'était long et elle manquait de patience, mais elle était résolue à quitter la troupe. Blottie, la tête contre le moyeu, elle s'endormit.

Lorsqu'elle s'éveilla, elle se sentit raide et glacée. Derrière l'église, sur la colline, une lueur dans le ciel, l'aube.

La jeune fille se redressa. Ainsi, Mark l'avait laissée tomber ! Tout ce temps, il s'était moqué d'elle, multipliant des promesses qu'il n'avait pas l'intention de tenir. Des larmes de fureur et de déception lui montèrent aux yeux. Sans se soucier de faire du bruit, elle s'apprêta à rentrer dans la roulotte. Mais, au moment où sa main se posait sur la poignée, une haute silhouette surgit dans le champ.

Elle ne bougea pas jusqu'à ce qu'il s'approche pour s'appuyer contre la roulotte, cherchant son souffle.

— Karen...

— Où étais-tu ? riposta-t-elle sèchement. Toute la nuit, je t'ai attendu ! Où étais-tu ?

— Tu as tout ? Alors, viens.

Sa voix était si étrange, dénuée du respect habituel, qu'elle le suivit sans discuter.

— Où étais-tu, Mark ? demanda-t-elle, furieuse quand ils furent à l'église. Je me suis glacée jusqu'à la moelle, à t'attendre toute la nuit.

— J'étais en retard, Karen. Ce n'est pas facile de construire une maison... Je ne suis parti qu'à

22 heures. J'ai cru que j'y arriverais en courant le long du chemin... Mais je me suis trompé de route. J'ai fait des kilomètres...

Il parlait si lentement qu'elle comprit qu'il était mort de fatigue, qu'il tenait à peine sur ses jambes.

Ils marchèrent sans hâte toute la journée. Puis une brise fraîche soufflant de la mer parut rendre à Mark une énergie nouvelle et, dès lors, il revint à lui. Elle avait mis de côté quelques galettes du dîner de la veille qu'ils partagèrent sur le bord de la route. Avant d'atteindre Saint Michael, Mark était redevenu le plus fort des deux.

Ils s'arrêtèrent à un bureau de péage où ils négocièrent un petit-déjeuner et prirent le temps de se reposer. Il ne restait qu'une douzaine de kilomètres à parcourir, ils les feraient d'ici midi. Karen était maintenant très animée, toujours séduite par la nouveauté. Dans ses rêves les plus sinistres, elle n'avait jamais songé à épouser un mineur, mais elle découvrait un certain romantisme dans cette fuite, la visite à l'église, les vœux solennels qu'ils allaient prononcer, l'idée de rentrer au bras de cet homme dans une maison spécialement construite pour elle.

Deux kilomètres jusqu'à Mellin, trois encore jusqu'à l'église de Sawle. Ils n'avaient pas le temps d'aller voir le pavillon. Ils se lavèrent le visage dans un petit bassin. Elle se coiffa avec un peigne « emprunté » aux accessoires de la troupe et ils repartirent jusqu'au centre de Mellin.

Maggie Martin fut la première à les apercevoir, et elle entra chez sa mère crier qu'ils arrivaient enfin. Quand ils atteignirent le premier pavillon, tout le monde était dehors pour les accueillir. La plupart des hommes travaillaient, mais les vieux et les très jeunes, ainsi que quelques femmes, firent de leur mieux pour leur offrir un accueil chaleureux. Comme il n'y avait pas de temps à perdre en bavardages, Mark et sa fiancée se mirent aussitôt en route pour Sawle, en tête d'un cortège.

Ils se hâtèrent, Mark avançant à grandes enjambées et distançant Karen pendant les derniers mètres, et il n'était que 11 h 40 quand ils parvinrent à l'église de Sawle. Betsy découvrit le pasteur derrière un buisson de cassis, il était 11 h 50. Odgers objecta la légalité et la précipitation, mais Mme Martin le prit par le bras d'un air persuasif et le conduisit respectueusement à l'église.

Ainsi fut scellé le lien spirituel. Lorsque l'horloge de la sacristie égrena les douze coups, Mark passa un anneau de cuivre à la longue main fine de Karen. Il apposa une croix sur le registre et la jeune femme signa fièrement de son nom. Ils durent ensuite rendre une visite à Ned Botrell dont le pavillon était voisin de l'église, pour boire du vin et de la bière.

La fête terminée, il était près de minuit. À la demande de Mark, personne ne suivrait le couple jusqu'à sa nouvelle demeure et on ne leur ferait pas de farce.

En descendant vers le pavillon, Karen s'arrêta.

— C'est celle-ci ?

— Oui.

Il attendit. Elle avança vers la maison et il la suivit. Il songea que la construction devait paraître misérable. Ils entrèrent et Mark s'aperçut que l'on avait allumé un feu dans la cheminée. Les flammes crépitaient et ronronnaient, rendant la pièce joyeuse et chaude.

— C'est l'œuvre de Beth, remarqua-t-il, reconnaissant.

— Quoi donc ?

— Le feu. Je me demande pourquoi elle a disparu. C'est quelqu'un de bien et de rare.

— C'est bien ! dit-elle. C'est une gentille maison. Cinquante fois mieux que tous ces vieux pavillons de l'autre côté de la colline.

— Nous l'améliorerons avec le temps, promit-il. Il y a… beaucoup à faire. Je voulais seulement te donner un toit.

Il la prit dans ses bras et, quand elle leva la tête, il l'embrassa. Avec douceur. Il eut l'impression d'embrasser un papillon frêle et insaisissable.

Elle tourna la tête.

— Qu'y a-t-il là ?

— C'est là que nous dormirons, expliqua-t-il. J'avais l'intention de faire une chambre à l'étage, mais elle n'est pas encore achevée. Provisoirement, j'ai installé ce coin.

Elle pénétra dans la pièce voisine et sentit à nouveau la paille sous ses pieds. Elle avait l'impression de se trouver dans une étable.

— Tu dis que tu as entièrement bâti cette maison depuis notre dernière rencontre ? demanda-t-elle.

— Oui.

— Seigneur, j'ai peine à y croire !

Cela enchanta Mark qui l'embrassa à nouveau. Elle se tortilla pour se dégager.

— Laisse-moi maintenant, Mark. Va t'asseoir près du feu. Je te ferai une surprise.

Il sortit, courbant sa haute taille pour franchir la porte. Elle posa sa main sur le lit. Du moins la paille était-elle sèche. Il n'y avait pas si longtemps que Karen avait dormi sur de la paille humide ! Cela aussi pouvait encore s'améliorer. Le premier désappointement passé, le moral remontait. Plus de querelle avec Tupper, plus d'haleine empestée d'alcool à proximité d'Ottway, plus d'estomac tiraillé par la faim ni de parcours lugubre à travers la lande et les bruyères. Plus de spectacles donnés dans des porcheries pour des rustres simples d'esprit. Ici, Karen était chez elle.

Elle savait que Mark l'attendait. Elle ne comptait pas fuir son rôle dans le marché conclu, mais elle l'envisageait avec une certaine lassitude. Elle se déshabilla lentement et, une fois nue, frissonna un peu. Dans la pénombre de la chambre, elle passa des mains caressantes sur ses flancs lisses, s'étira et bâilla, enfila un peignoir noir et rose fané et ébouriffa ses cheveux. Ce serait bien ainsi. Mark serait fasciné.

Ses pieds nus faisant crisser la paille, elle se rendit dans la cuisine et crut un instant que Mark était sorti. Puis elle le vit assis parmi les ombres sur le sol, la tête appuyée contre le banc de bois. Il s'était endormi.

La colère gagna la jeune femme.

— Mark !

Il ne répondit pas. Elle s'approcha, s'agenouilla auprès de lui et fixa son visage sombre. Il s'était rasé à Mellin, mais déjà sa barbe drue bleuissait son menton. Son visage creux était cerné de fatigue, sa bouche restait entrouverte. Elle le trouva laid.

— Mark !

Il continua à respirer régulièrement. L'agrippant par le col de sa veste, elle le secoua. La tête de l'homme heurta le banc et son souffle se fit moins fort, mais il ne s'éveilla pas.

Elle se leva et le toisa. La colère fit place au mépris. Il était aussi minable que Tupper, gisant là, mou et idiot. Qui était cet homme qu'elle avait épousé, qui s'endormait le soir de son mariage ? Il lui faisait insulte. Une grave insulte.

Eh bien, il en serait comme il en avait décidé. Elle n'y tenait pas tellement après tout. S'il préférait ronfler comme un gros chien, eh bien... c'était lui qui y perdait, pas elle ! Ce n'était pas elle qui manquait à ses engagements. Elle eut un petit rire, comme si elle ressentait le côté drôle de l'incident. Elle ricana tout en s'éloignant lentement. Et même son rire ne réveilla pas Mark.

18

Demelza attendait Ross depuis une heure. À 18 heures, elle prépara le dîner, un repas léger car elle savait qu'il rentrait de ces ventes aux enchères repu de nourriture et de boisson, et grommelant sur la perte de temps.

Vers 19 heures, elle dîna et envisagea de remonter la vallée à la rencontre de son mari. Julia avait été nourrie, le jardin ne réclamait aucun soin, Demelza avait joué de l'épinette avant le dîner, elle avait l'esprit en repos, elle pouvait donc partir.

Elle remonta la vallée en prêtant l'oreille aux premiers criquets qui se faisaient entendre dans le sous-bois.

— Madame Poldark, fit une voix derrière elle.

Elle sursauta. C'était Andrew Blamey.

— Excusez-moi, madame, je n'avais pas l'intention de vous effrayer.

Sous le choc de cette apparition, elle avait juré à haute voix, oubliant ses bonnes manières, et elle le regretta.

— Je venais vous présenter mes excuses et me voilà obligé d'en formuler d'autres comme entrée en matière. Mauvais début ! remarqua-t-il.

— Qu'est-ce qui vous amène, capitaine ?

— Depuis votre visite, je n'ai plus connu la paix de l'esprit.

— Comment… vous êtes venu à pied de Falmouth ? s'étonna-t-elle.

— De Grambler, en espérant me faire moins remarquer si vous aviez des visites. J'étais à Truro ce matin et j'y ai vu votre mari ainsi que… Francis Poldark. Sachant qu'ils étaient absents, le désir de vous voir a été le plus fort. Notre première rencontre a dû vous laisser une mauvaise impression, madame.

— J'ai été un peu déconcertée…

— Votre visite m'avait surpris. L'idée ne m'en était pas venue… Et votre apparition ravivait toute l'amertume du passé. J'ai un caractère violent, il m'a fallu toute une vie pour le maîtriser. Parfois encore, je dois lutter. Mais Dieu m'interdit de me quereller avec ceux qui me veulent du bien. Le jour où vous êtes venue chez moi j'ai d'abord eu l'impression d'une intrusion. Plus tard, j'ai mesuré l'effort que vous aviez fait. J'aurais voulu vous voir revenir pour vous remercier de tout.

— Ce n'était rien ! Ce n'était pas ce que je souhaitais, si vous me comprenez…

— Depuis, je n'ai plus connu de paix. J'ai ruminé ce que vous m'aviez appris sur Verity. Elle ne s'en est jamais remise, n'est-ce pas ? Vous savez, j'ignore l'âge de Verity. Je l'aimais et nous ne songions pas à des détails de ce genre. J'ai quarante et un ans, madame, et quand je l'ai connue, elle ne paraissait pas âgée. Je n'aurai plus de repos tant que je ne l'aurai pas revue. Vous avez fait beaucoup, quel que soit le dénouement, mais j'étais venu vous demander d'agir à nouveau.

Elle se tourna vers la plaine de Grambler et se leva.

— Il arrive, capitaine. Il vaut mieux qu'il ne vous trouve pas ici.

— Est-il contre moi, maintenant ? fit Blamey, le visage crispé. Il ne l'était pas autrefois.

— Pas contre vous, mais contre moi parce que je voulais remuer des cendres qu'il aurait mieux valu laisser s'éteindre. Il serait furieux contre moi s'il apprenait !

— Verity a en vous une véritable amie, madame. Vous prenez des risques pour elle.

— Elle m'a aussi témoigné son amitié. Ne restez pas là, sinon il vous verra. Cachons-nous derrière le mur.

— Quand puis-je vous revoir ? Quelles dispositions faut-il prendre pour cela ?

Elle réfléchit.

— Pour le moment, je ne vois pas. Tout dépend de… Verity… Si…

— Lui direz-vous ? demanda-t-il.

— Je ne crois pas. Pas au départ. Je… je n'y ai pas beaucoup réfléchi parce que depuis ma visite à Falmouth j'avais renoncé à tout espoir de faire quoi que ce soit.

— Écrivez-moi aux bons soins de la compagnie de navigation, je viendrai.

Elle se mordit la lèvre, car elle avait du mal à écrire.

— Entendu, promit-elle. Je vous le ferai savoir. Et si vous êtes parti ?

— Je m'embarque obligatoirement samedi. Nous pourrions envisager la troisième semaine du mois prochain si c'est possible. Si…

— Écoutez… disons à Truro, ce sera plus sûr. Je vous enverrai un mot pour vous fixer le lieu et l'heure, je ne peux pas faire plus. Après, ce sera à vous de jouer.

— Dieu vous bénisse, madame, murmura-t-il en lui baisant la main. Je serai au rendez-vous.

Le soleil s'était couché avant que Ross ne la rejoignît. La fumée de Grambler s'élevait et soufflait au-dessus des maisons vers Sawle.

En voyant sa femme, Ross descendit de sa monture et son visage préoccupé s'éclaira d'un sourire.

— J'espère que tu ne m'attends pas depuis long-temps, mon amour.

— Quatre heures de retard, remarqua-t-elle.

— Qu'est-ce qui ne va pas ? ajouta-t-il en la scrutant.

— Rien, affirma-t-elle en caressant le museau de la jument noire. Si ce n'est que je t'imaginais jeté à terre par la brave Ténébreuse ou attaqué par des brigands.

— Mais tes yeux brillent. De loin, j'ai cru que c'étaient des scarabées.

Sans quitter Ténébreuse du regard, elle prit son mari par le bras.

— Ne me taquine pas, Ross, je suis heureuse de te revoir, c'est tout.

— Flatté mais non convaincu. Quelque chose t'a perturbée. Embrasse-moi.

Elle obéit.

— Ah, je sais maintenant que ce n'est pas le rhum ! observa-t-il.

— Traître ! s'exclama-t-elle en s'essuyant les lèvres avec dégoût. Quelle insulte ! Si c'est pour m'espionner que tu m'embrasses…

Il la saisit dans ses bras et l'installa en biais sur sa selle, et elle dut se cramponner à lui pour ne pas tomber, tout en plongeant son regard noir dans les yeux gris de Ross.

— C'est toi qui me parais éméché, observa-t-elle en passant à l'attaque sans lui donner le temps de riposter. Tu as fait des tiennes aujourd'hui, j'en jurerais. As-tu jeté le docteur Choake dans un bassin ou cambriolé la banque de George Warleggan ?

Il se tourna et dirigea son cheval vers le fond de la vallée, sa main ferme était agréablement posée sur la jambe de Demelza.

— J'ai des nouvelles, dit-il, mais ce sont des sottises qui ne te captiveront pas. Raconte-moi d'abord comment tu as passé ta journée ?

— Les nouvelles d'abord !

— Toi, la première.

— Ce matin, je suis allée voir Karen Daniel...

— Elle te plaît ?

— Eh bien... elle a une jolie petite poitrine, de ravissantes petites oreilles...

— Et un charmant petit cerveau ?

— Difficile à dire. Elle se surestime. Elle a de l'ambition. Pour moi, elle s'imagine que, si seulement elle t'avait rencontré la première, je n'aurais pas eu l'ombre d'une chance.

Il éclata de rire.

— Qu'en penses-tu ? fit-elle curieuse.

— J'ai été habitué à supporter les insultes, dit-il, mais je ne me résigne pas à la sottise.

Ils poursuivirent leur course. Quelques oiseaux chantaient encore dans le soir coloré qui s'installait.

— Et tes nouvelles à toi ? reprit-elle.

— Un projet pour rivaliser avec les compagnies de cuivre en constituant une compagnie à nous, que je dirigerais.

— Qu'est-ce que cela signifie, Ross? demanda-t-elle en le dévisageant.

Il le lui expliqua. Ils traversèrent le cours d'eau et gagnèrent la maison. Jud sortit sans se presser pour s'occuper de Ténébreuse, et ils entrèrent dans le petit salon où un souper attendait Ross.

Demelza voulut allumer les chandelles, mais il l'en empêcha. Elle s'assit sur la carpette en s'adossant contre les genoux de son mari. Il lui caressa le visage tout en continuant à parler dans la nuit qui se faisait plus dense.

— Au début, Francis ne voulait pas s'associer à nous. Et je ne l'en blâme pas, car l'existence même de Grambler dépend de la bonne volonté des Warleggan. Je… Il se peut que je m'absente plus souvent. C'est difficile à prévoir.

— Fais ce que tu crois être le mieux pour nous, Ross, déclara-t-elle tranquillement.

Il se pencha et appuya sa tête contre la chevelure de la jeune femme, qui embaumait vaguement la senteur de la mer.

— Une lettre est arrivée pour toi cet après-midi, dit-elle.

— Ah! De George Warleggan que j'ai rencontré ce matin. Il m'a prévenu m'avoir écrit pour m'inviter à une de ses soirées.

Elle garda le silence. Quelque part dans la maison, Jud et Prudie discutaient.

— Cela va créer une intimité entre toi et George, cette affaire?

— Probablement.

— Je ne sais si le résultat sera bon, avoua-t-elle. Il a une énorme fortune, n'est-ce pas?

— Oui. Mais il y a en Cornouailles des familles plus anciennes et plus riches.

On entendit un bruit de casseroles dans la cuisine.

— Dis-moi ce que tu faisais quand je t'ai retrouvée à Wheal Maiden ? insista Ross.

— Ces deux vieux corbeaux vont réveiller Julia, dit-elle en se levant. Je vais aller les séparer.

Le docteur Dennis Enys accomplit le parcours à cheval dès le lendemain. Il allait avec Ross voir la loge de garde au milieu des arbres au-delà du cottage des Treneglos. De sa fenêtre, Karen les regarda passer, en proie à d'étranges pensées.

Ross fut surpris d'apprendre qu'Enys avait reçu une invitation de Warleggan.

Parmi les invités, il y avait quelques dames et Ross ouvrit tout grand ses yeux et ses oreilles. La société chuchotait à propos d'une femme à laquelle s'intéressait Francis, mais jusqu'à présent Ross ne l'avait pas rencontrée. Cary Warleggan, l'oncle de George, était présent – il n'était pas aussi respectable que son frère Nicolas et son neveu George et, bien qu'appartenant au trio qui avait la haute main sur l'ouest des Cornouailles, il restait généralement au second plan. Grand, mince et pâle, avec un long nez – il nasillait d'ailleurs –, il avait une bouche avide. Parmi les invités, il y avait également un minotier du nom de Sanson, aux mains grasses et au regard rusé à demi masqué par un continuel clignotement des paupières.

Ross flâna un moment à travers les salons avec Dennis. Il parla de Jim Carter et de son emprisonnement à Bodmin. Dennis déclara qu'il serait content d'aller voir le jeune homme. En retournant dans la maison illuminée, Ross vit une grande jeune femme à la chevelure noire et brillante assise près de Francis à la table de jeu. L'empressement de Francis ne laissait aucun doute.

— À vous de couper, dit la dame d'une voix basse et profonde qui n'était pas désagréable. Et je ne vous souhaite rien, Francis, vous avez toujours eu de la chance à ce jeu.

Elle tourna la tête pour regarder autour d'elle et Ross eut l'impression d'avoir effleuré un métal brûlant.

Des années plus tôt, après avoir quitté un bal, écœuré et désespéré, il s'était rendu à l'auberge de l'Ours et avait tenté de noyer son chagrin dans l'alcool. Une grande jeune femme maigre, insolite et misérable, à l'œil hardi et à la voix traînante, s'était avancée vers lui. Et il l'avait accompagnée dans sa masure délabrée pour essayer d'oublier son amour pour Elizabeth.

Il n'avait jamais su d'elle autre chose que son prénom, Margaret. Et il l'avait oubliée. Maquillée et parfumée, elle faisait tinter à chaque geste les bracelets et les bagues qui couvraient ses bras et ses mains.

À cet instant, George Warleggan entra dans le salon. Magnifiquement vêtu et aimable, il s'approcha aussitôt des deux hommes qui se tenaient près de la porte. En le suivant des yeux, Margaret tomba sur Ross. Vu sous cet angle, le visage barré d'une cicatrice, elle ne pouvait s'y tromper. Elle écarquilla ses prunelles, puis fit entendre un éclat de rire.

— Qu'y a-t-il, mon ange ? s'enquit Francis. Je ne vois rien de drôle dans ce trois et ce quatre que vous tenez en main alors qu'il vous faudrait un dix pour gagner.

— Puis-je, madame Cartland, vous présenter le capitaine Poldark, le cousin de Francis ? dit George. Voici Mme Margaret Cartland.

— Votre serviteur, madame, dit Ross.

Margaret lui tendit la main dans laquelle elle tenait le cornet de dés. Comme il se rappelait bien maintenant ses dents fortes et blanches, ses larges épaules, ses yeux sombres, son regard félin et avide !

— Monseigneur, dit-elle, usant hardiment du surnom qu'elle lui avait donné, il y a des années que je recherche cette rencontre ! J'ai tant entendu parler de vous !

— Madame, croyez seulement les faits réels ou alors ceux qui sont amusants !

Plus tard, Ross joua au whist, mais, vers la fin de la soirée, il rencontra la dame seule, au pied de l'escalier.

Elle esquissa une révérence moqueuse dans un bruissement de soie et un cliquetis de bijoux.

— Quelle heureuse rencontre, capitaine !

— Surprenante, en effet.

— Vous êtes devenu poli, à ce que je vois !

— Comme toujours avec une vieille amie !

— Amie ? Le mot n'est-il pas un peu faible ?

Il constata que le regard qu'il avait toujours cru noir était d'un bleu sombre.

— Faible ou trop fort, cela dépend, dit-il.

— Vous avez en effet toujours été volontaire. Êtes-vous marié ?

Il acquiesça.

— Comme c'est triste ! railla-t-elle d'un ton qui le hérissa.

— Mépriseriez-vous le mariage, vous qui semblez être mariée ?

279

— Ah ! vous parlez de Cartland ! Il m'a épousée et il est mort.

— C'est son épitaphe ?

Elle éclata de rire avec une bonne humeur teintée de sensualité.

— Il est mort de maladie, mais il avait déjà quarante ans. Enfin, puisse-t-il reposer en paix sachant que j'ai dépensé sa fortune !

George Warleggan apparut au pied de l'escalier.

— Trouvez-vous notre nouvel invité distrayant, Margaret ?

— Pour parler franchement, dit-elle en bâillant, quand j'ai si bien dîné, un rien peut me distraire.

— Et moi, je n'ai pas encore dîné, remarqua Ross. Cela explique certainement la différence de nos humeurs, madame.

Il était minuit quand Ross partit, mais Francis resta. Il avait beaucoup perdu au pharaon et il jouait encore. Les joueurs n'étaient plus que quatre, avec Cary Warleggan, qui avait également perdu, Sanson qui était le banquier et avait gagné toute la soirée et George qui avait tardivement pris part au jeu. La main posée sur l'épaule de Francis, Margaret considérait la partie. Elle n'accorda pas un regard à Ross quand il s'en alla.

Dennis Enys emménagea dans la maison à demi en ruine de Gatehouse et prit ses fonctions de médecin consultant à la mine. Karen Daniel s'installa dans son existence d'épouse de mineur avec un mécontentement contenu. Apparemment en proie à une nouvelle lubie, Demelza mettait un zèle extraordinaire à faire des pages d'écriture et Ross passait de longues heures à l'extérieur à discuter avec l'habile et persuasif Richard Tonkin, à prendre diverses dispositions, à établir des estimations, en un mot à faire du rêve une réalité.

La vie continuait, Julia grandissait, et sa mère commençait à effleurer les petites gencives de l'enfant pour tâter les dents qui poussaient. Le prix du cuivre tomba à soixante-sept livres, deux autres mines fermèrent. À Paris, les émeutes se multipliaient et les provinces mouraient de faim.

Le moment vint pour Demelza d'écrire sa lettre – ce qu'elle fit avec beaucoup de soin et après plusieurs essais.

Cher capitaine Blamey,
Ayez la bonté de nous rencontrer dans la mercerie de Mme Trelask, dans Kenwen Street, le 20 octobre, au matin. Verity ne sera pas au courant, je vous prie donc de nous retrouver comme par hasard. Je reste, monsieur, votre dévouée servante.
Demelza Poldark.

Elle n'était pas très sûre de la formule de politesse, mais elle l'avait copiée dans un livre de correspondance prêté par Verity, ce devait donc être la formule convenable.

Il restait à patienter une semaine. Demelza avait obtenu la promesse de rencontrer Verity sous le prétexte qu'elle voulait son avis pour l'achat d'un manteau pour l'hiver.

En redescendant la vallée avec le chien Garrick sur les talons, elle croisa Karen Daniel au moment de traverser la vallée.

Ce matin-là, elle ne portait pas de chapeau, ses cheveux noirs et bouclés volaient au vent, elle était vêtue d'une toilette écarlate coupée dans un tissu médiocre qu'elle avait dû chiper au magasin d'accessoires de la compagnie théâtrale.

— Bonjour ! lança Demelza.

— Bonjour, répondit Karen. Quel vent ! J'ai horreur du vent ! Ne connaissez-vous que le vent dans cette contrée ?

— Rarement. Pour ma part, maintenant, cette petite brise me plaît. Elle entraîne les senteurs et les promène en les renforçant. Un endroit sans vent me paraîtrait comme un pain sans levure. Vous êtes allée faire des courses ?

Karen la scruta d'un regard rusé comme pour s'assurer de ses intentions.

— À Sawle, oui. Quel village misérable ! Vous devez faire vos courses à Truro ?

— J'aime aller m'approvisionner chez Mary Rogers quand c'est possible ! C'est une si brave femme. Je pourrais vous en raconter des choses sur elle…

Karen avait l'air de s'en désintéresser.

— Madame Poldark, ne croyez-vous pas que Mark vaut mieux que d'être un banal mineur ?

Surprise, Demelza resta un instant sans voix.

— Oui…, peut-être, dit-elle enfin. Je n'avais pas envisagé la question.

— Personne ne le fait ! Mais regardez-le, il est fort comme un bœuf, malin aussi, et travailleur. Mark ne peut s'escrimer sans fin à Grambler pour un salaire de misère jusqu'à ce qu'il soit vieux et infirme comme son père. Que deviendrons-nous alors ?

— Je ne savais pas que la misère était si grande, je pensais que Mark percevait un salaire convenable.

— Cela nous permet de vivre, c'est tout.

Demelza vit un cavalier s'approcher.

— Mon père était mineur comme Mark, dit Demelza. Il l'est toujours du reste. Il gagne assez bien sa vie. Il y a des hauts et des bas, évidemment, mais nous aurions pu nous en tirer s'il n'avait pas bu tout son salaire. Mark ne boit pas, n'est-ce pas ?

— Je me demandais si le capitaine Poldark aurait un poste vacant et meilleur dans sa mine, avoua Karen. On ne sait jamais…

— Je n'ai rien à voir avec les mines, mais je lui en parlerai.

Le cavalier qui arrivait n'était pas Ross.

— Mark est si discret ! Je lui ai dit un jour : « Pourquoi ne vas-tu pas en parler au capitaine ? Tu es de ses amis, il ne te mordra pas, peut-être n'a-t-il simplement jamais pensé à toi pour un poste supérieur. Qui ne risque rien n'a rien ! » Il s'est contenté de secouer la tête sans répondre. Je suis furieuse quand il ne me répond pas.

Le cavalier serpentait maintenant entre les arbres et Karen tourna la tête pour le voir. Elle rougit légèrement et parut un peu contrariée. C'était Dennis Enys.

— Madame Poldark, je rentre de Truro. Le capitaine est-il là ?

— Non, je crois qu'il est à Bodruth.

Dennis mit pied à terre. Il était jeune et beau.

— Harris Pascoe m'a demandé de remettre une lettre à votre mari, reprit Dennis. Puis-je vous la confier ?

— Certainement… Merci… Voici Mme Karen Daniel, la femme de Mark Daniel. Madame, je vous présente le docteur Enys.

Dennis s'inclina.

— Votre serviteur, madame.

Sous le regard du médecin, l'expression de Karen se transforma comme une fleur lorsque le soleil paraît. La jeune femme parla en gardant les yeux baissés, ses longs cils noirs formant une ombre sur la peau de pêche de ses joues. Elle connaissait le jeune homme pour l'avoir deux ou trois fois aperçu de sa fenêtre après l'avoir vu la première fois en compagnie de Ross. Elle savait qu'il était installé dans cette maison à tourelle nichée au milieu des arbres de l'autre côté de la vallée. Elle savait aussi qu'il la voyait pour la première fois, et elle connaissait la valeur des premières impressions.

Ils descendirent ensemble vers la maison de Nampara, Karen résolue à ne pas se séparer des deux autres à moins d'y être contrainte. Une fois chez elle, Demelza les invita à prendre un verre de vin, mais, au grand désappointement de Karen, Dennis refusa. Décidant en un éclair que quelques instants de la compagnie du médecin valaient mieux que l'avantage de pénétrer dans la demeure de Nampara, Karen refusa également et elle s'éloigna avec Dennis, le jeune homme marchant à son côté, en tenant son cheval par la bride.

Le 20 octobre 1788 fut un jour où le vent balaya la poussière et les feuilles mortes, annonçant la pluie. Demelza se sentait les nerfs en pelote comme si elle devait prendre une diligence pour entreprendre un long voyage. Verity s'amusa de son désir d'être à Truro pour 11 heures au plus tard. Demelza dit qu'elle n'était pas personnellement nerveuse, mais que Julia ayant eu un sommeil agité, elle la soupçonnait d'être fiévreuse.

Verity proposa de remettre la visite à un autre jour, ce qui l'aurait elle-même mieux arrangée, car c'était l'époque de la réunion trimestrielle des actionnaires de Grambler. Mais Demelza parut plus que jamais pressée de partir...

Cette fois, ce fut Bartle, le domestique de Trenwith qui les accompagna, Jud étant devenu de plus en plus cabochard.

À mi-chemin, il se mit à pleuvoir, une bruine fine qui recouvrait la région d'une pellicule de soie plus douce que les épais nuages qui la projetaient. À quatre kilomètres de Truro, ils aperçurent une foule de gens en travers de la route. C'était si insolite, à cette heure de la journée, qu'ils ralentirent leurs montures.

— On dirait un groupe de mineurs, madame, observa Bartle. C'est peut-être un jour de fête que nous avons oublié.

Verity lui fit part de ses doutes. Ces gens ne semblaient pas en train de se préparer à festoyer.

Debout sur une charrette, un homme s'adressait à un groupe réuni autour de lui. Il se trouvait à quelque distance, mais il était évident qu'il exprimait ses doléances. D'autres groupes s'assirent à terre ou bavardèrent entre eux, Il y avait autant de femmes que d'hommes, tous pauvrement vêtus et certains accompagnés d'enfants. Ils paraissaient furieux, glacés et désespérés. Il y en avait d'autres sur cette route qui était bordée de haies. Des regards hostiles suivirent les deux femmes élégantes qui passèrent à cheval, accompagnées d'un valet bien nourri.

Verity avança hardiment en tête ; on les regarda en observant un silence grave.

— Ouf! soupira Demelza après avoir dépassé le dernier. Qui étaient-ils, Bartle?

— Des mineurs d'Idless et de Chacewater, je crois, madame. Les temps sont difficiles.

Demelza rapprocha son cheval de celui de Verity.

— Vous avez eu peur?

— Un peu. Ils auraient pu nous causer des ennuis.

Demelza se tut quelques instants.

— Je me souviens d'un jour où nous manquions de blé à Illuggan, dit-elle finalement. Nous avions des pommes de terre et de l'eau pour une semaine – et si peu de pommes de terre!

Truro avait, en ce jeudi matin, un aspect un peu plus désordonné que d'habitude à cause du marché au bétail qui avait eu lieu la veille. Les deux jeunes femmes laissèrent Bartle dans le centre de la ville et poursuivirent leur route à pied, se frayant avec peine un passage sur les pavés, au milieu de la boue et des ordures.

Nulle part la solide silhouette en costume bleu paré de dentelle n'était en vue. Demelza et Verity entrèrent dans la petite boutique de la couturière. Demelza hésitait, ce qui chez elle était insolite, mais Verity la persuada de choisir un drap vert bouteille qui s'adapterait aux vêtements qu'elle possédait déjà et qui seyait à son teint.

Le choix fait, Demelza s'inquiéta de l'heure. Midi, annonça la couturière. Demelza avait joué son rôle, elle ne pouvait rien de plus. Elle traîna en examinant quelques rubans de soie, mais Verity avait hâte d'aller faire ses courses.

Quand elles quittèrent la boutique, les rues étaient encore plus encombrées.

— Mademoiselle Verity! lança une voix connue derrière les deux jeunes femmes.

Verity se retourna. La chevauchée et la marche dans les rues avaient légèrement teinté ses joues habituellement pâles. Mais, en voyant Andrew Blamey, elle devint livide et seuls ses yeux de couleur gris-bleu ressortirent dans son visage blanc comme la mort.

Demelza lui prit le bras.

— Mademoiselle… madame…, fit Blamey en se tournant vers Demelza. Pendant des années, je me suis permis d'espérer sans jamais rencontrer cette chance, reprit-il. Ensuite, j'avais commencé à renoncer à l'idée que…

— Capitaine Blamey, dit Verity d'une voix blanche, puis-je vous présenter à ma cousine Demelza Poldark, la femme de Ross?

— Très honoré, madame. Vous faites des courses? demanda-t-il. Disposez-vous d'une heure? Dans ce cas, cela me donnerait plus de plaisir que je ne peux l'exprimer…

La vie revenait lentement sur le visage de Verity.

— Cette rencontre n'amènera rien de bon, capitaine, déclara-t-elle. Je n'ai rien contre vous, mais… après tant d'années, nous ferions mieux de ne pas renouer, de ne rien provoquer, ne rien rechercher…

— Je vous en prie, riposta Andrew. Cette rencontre est si heureuse! Elle m'apporte du moins l'espoir d'une… amitié pour remplacer… l'espérance enfuie. Si vous voulez…

— C'est fini, Andrew. Pardonnez-moi, mais nous avons beaucoup à faire ce matin.

Elle allait s'éloigner, mais Demelza ne bougea pas.

— Je vous en prie, ma cousine, ne vous souciez pas de moi, dit-elle. Je peux faire mes courses seule. Si... si votre ami désire bavarder avec vous, il n'est que poli de lui accorder cette grâce.

— Non, il faut aussi que vous veniez, madame, intervint le marin. Verity, il se trouve que je dispose d'une salle dans cette auberge. Nous pouvons y aller prendre un café ou n'importe quoi. En souvenir du passé...

— Non ! s'écria la jeune femme avec nervosité en libérant son bras de celui de Demelza. J'ai dit non !

Elle se détourna et s'éloigna d'un pas rapide. Après avoir regardé Blamey, Demelza suivit sa cousine. Elle était furieuse contre Verity dont les sentiments ressemblaient à ceux de Blamey le jour de la visite de Demelza à Falmouth, une timidité née d'une ancienne blessure, une hostilité affectée pour éviter d'étendre la blessure.

Des bruits et des cris divers leur parvinrent aux oreilles alors que Demelza disait :

— Verity, vous auriez dû lui donner une chance de se faire entendre !

Verity garda une expression fermée. Elle suffoquait de sanglots qui lui restaient dans la gorge, seuls ses yeux restaient secs. Soudain, elles trouvèrent la route obstruée par la foule des mineurs qui criaient et agitaient des armes. Cinq ou six d'entre eux, ainsi que des passants, avaient été poussés par le courant de la foule, d'autres résistaient dans la boue. Le vieux pont de pierre était surchargé de gens qui s'efforçaient de le traverser. Demelza et Verity se trouvaient dans ce tourbillon, brindilles roulant dans le courant et sur le point d'être entraînées.

— Verity, regardez !

— Par ici, fit une voix cependant qu'un bras les attirait à travers la rue sous le porche d'une maison, qui était étroit, mais où ils se trouvaient en sécurité.

Tout en résistant, Verity avait suivi. Andrew plaça Demelza derrière lui et Verity à son côté, les protégeant de son bras en travers de la porte.

Les mineurs marchaient à huit, dix, quinze, vingt de front, des femmes criaient. Cette horde grise et hagarde s'étendait aussi loin que l'on pût voir. Des hommes se pressaient contre les murs des maisons comme s'ils voulaient les repousser. Des vitres se brisaient aux fenêtres. Blamey usa de toute sa force pour réduire la pression contre la porte.

Bientôt ils s'éloignèrent en colonnes désordonnées.

— Verity, dit Andrew en baissant son bras, je vous demande de réfléchir…

Elle le repoussa et plongea dans la foule. Le geste avait été si vif et si spontané qu'aucun des deux autres n'eut le temps de la suivre.

— Verity ! Verity ! cria Blamey au-dessus des têtes qui les séparaient.

Une seconde avait suffi à laisser des gens s'infiltrer entre eux, et lui, se débattait pour rattraper Verity, élargissant bientôt la brèche au point que Demelza le perdit de vue.

En parvenant au pont, Demelza n'avait ni la place ni la force de chercher ses amis, elle ne pouvait plus que lutter pour éviter d'être poussée dans la rivière. Elle perdit plusieurs fois l'équilibre et avança, portée par la masse. À d'autres moments, elle trébuchait et devait s'accrocher à ses voisins pour ne pas glisser. Près d'elle, une femme tomba et fut piétinée. Une autre s'évanouit, mais elle fut ramassée et traînée à l'écart par un de ses voisins.

Blamey était un peu plus loin sur la droite, Demelza s'en aperçut brusquement et s'efforça de le rejoindre tout en cherchant à reprendre haleine.

La cohue grandissait à nouveau, portant Demelza en avant et l'amenant jusqu'à une halte où des mineurs avec leurs femmes grondaient de fureur.

Devant les grandes portes des entrepôts, des notables et des bourgeois de la ville étaient réunis pour défendre leurs droits de propriété. Un gros homme sobrement vêtu, un haut magistrat de la ville, se tenait debout sur un mur, il se mit à crier sans qu'on l'entendît dans ce tumulte.

Comme Demelza s'efforçait de gagner le coin où était Blamey, elle vit Verity. Il l'avait retrouvée ! Ils se tenaient ensemble contre la porte d'une étable, incapables de bouger au milieu de cette foule qui les cernait.

On entendit des cris de « Honte aux assassins ! ».

— Nous ne réclamons que nos droits ! Nous voulons du blé pour vivre comme le font les bêtes des champs ! Vendez-nous du blé à un prix honnête et nous rentrerons chez nous.

Demelza se fraya un passage entre deux mineurs, qui la dévisagèrent avec hostilité. Elle avait songé à appeler pour attirer l'attention de Verity, mais elle changea d'avis.

La jeune femme parvint enfin à portée de voix de ses amis, mais elle en restait séparée par une voiture à bras où un groupe de femmes étaienet assises. Elle ne voyait pas le moyen de s'approcher davantage. Ni

Andrew ni Verity ne la virent, car ils considéraient sans y attacher vraiment d'intérêt les pourparlers qui se déroulaient près de la porte de l'entrepôt.

Avant même que le magistrat se fût tourné, le minotier eut un geste expressif des mains. Un murmure monta de la foule hostile et soudain, dans le silence qui s'ensuivit, Demelza capta la voix d'Andrew qui parlait sur un ton bas et un débit rapide :

— … vivre, ma chérie. N'ai-je rien expié, rien appris durant ces années ? S'il y a du sang entre nous, c'est de l'histoire ancienne et depuis longtemps oubliée. Francis a changé, je le sais sans lui avoir parlé. Vous, vous n'avez pas changé, votre cœur est resté le même…

Un autre rugissement de colère masqua sa voix.

— Huit shillings ou rien ! hurla un mineur. Parlez maintenant, monsieur, si nous devons demeurer en paix.

Verity se cacha les yeux de sa main gantée.

— Oh ! Andrew, que puis-je dire ? Allons-nous… revivre… la rencontre, la séparation, le déchirement ?

— Non, chérie, je vous le jure, jamais plus de séparation…

Le reste se perdit dans le grondement de la foule qui accueillit le refus obstiné de Sanson. Le petit mineur descendit de son perchoir et une nouvelle ruée se produisit. En quelques minutes, les mineurs fracassèrent à coups de bâton le cadenas de la porte de l'entrepôt, et rapidement les battants s'ouvrirent et la foule se précipita à l'intérieur.

Demelza s'agrippa à la voiture à bras pour éviter d'être entraînée vers l'entrepôt, mais les hommes s'en emparèrent pour la charger de grain et la jeune femme dut céder et se presser contre la porte d'une étable.

— Demelza ! cria Verity qui venait de l'apercevoir. Andrew, aidez-la ! Ils vont la jeter à terre !

Verity s'accrocha au bras de sa cousine comme si c'était elle qui l'avait abandonnée. Les larmes avaient séché sur son visage. Ses beaux cheveux noirs étaient ébouriffés, sa jupe était déchirée. Elle paraissait malheureuse et douloureusement vivante.

À l'intérieur de l'entrepôt, des hommes passaient des sacs de grain à ceux qui les attendaient et les chargeaient sur des mules qui descendaient la rue avec le butin.

— Par ici, nous avons maintenant une chance, observa Blamey. Mieux vaut ne pas attendre, car ils se mettront peut-être à boire quand le blé aura disparu.

Il les ramena vers l'hôtel de la Monnaie qui était à peu près vide.

— Où sont vos chevaux ? s'inquiéta Blamey.

— Nous devions déjeuner chez les Pascoe.

— Je vous conseille de remettre ce déjeuner à un autre jour.

— Pourquoi ? protesta Demelza. Ne pourriez-vous venir déjeuner avec nous ?

— Non, madame, répondit-il, je ne le pourrais pas et vous seriez certainement en sécurité dans l'immeuble solide de la banque, mais vous risqueriez d'avoir plus tard des difficultés pour quitter la ville à cheval. Si vous tenez à déjeuner chez les Pascoe, arrangez-vous pour passer la nuit chez eux.

— C'est impossible ! affirma Demelza. Julia a besoin de moi et Prudie est si maladroite !

— Andrew, dit Verity en ralentissant l'allure, vous devriez nous quitter ici. Si Bartle vous voit, Francis apprendra notre rencontre…

— Non, dit le marin. Il pourrait y avoir d'autres émeutiers dans les parages. Je refuse de vous abandonner tant que vous ne serez pas à l'abri.

Bartle était aux écuries et tandis que l'on sellait les chevaux, ils envoyèrent un message aux Pascoe. Puis ils se mirent en selle et s'éloignèrent.

19

Enfoncé dans le meilleur fauteuil de Ross, Jud avait posé ses pieds sur la cheminée. Sur sa tête, dissimulant sa tonsure, il avait mis un chapeau à bord retourné appartenant à son maître. Il tenait dans une main une bouteille de gin et dans l'autre, une cravache avec laquelle il remuait doucement le berceau dans lequel dormait Julia.

— Jud ! Sors de ce fauteuil ! cria Prudie.

L'homme tourna la tête.

— Entrez, bonnes femmes ! dit-il d'une voix de fausset. Que c'est charmant de votre part de me rendre visite !

Il donna une secousse au berceau pour maintenir le balancement. Prudie empoigna son balai.

— Va finir ton travail, petite, ordonna-t-elle à Jinny. Je vais m'occuper de lui.

— C'est moi le maître ici, moi, Jud Paynter, seigneur de Nampara, maître d'équipage, des cimetières, et juge de paix, s'écria Jud après le départ de Jinny. Bois un coup !

— Ou tu sors de ce fauteuil, ou je te frotte la tête avec mon balai, menaça Prudie. Laisse le bébé tranquille.

Dans la cuisine, Jinny entendit le fracas et le tumulte de la punition de Jud, tout en poursuivant sa tâche. Depuis que sa plus jeune fille, Katie, commençait à attraper les objets qui l'entouraient, elle avait renoncé à l'amener à Nampara et la confiait à sa mère. Jinny se trouvait donc seule dans la cuisine. Son travail achevé, elle chercha autre chose à faire. Les fenêtres avaient besoin d'être lavées. En prenant un seau pour aller chercher de l'eau à la pompe, elle vit son aîné, Benjamin, qui arrivait en trottinant à travers les champs. Trois ans et demi, il était grand pour son âge, il portait toujours la cicatrice qui lui barrait la joue comme trace du drame dont il avait été une des victimes.

— Alors, mon chéri, que dit grand-père ?

— Il dit que la mine sera fermée le mois prochain, maman.

Jinny avait toute sa vie vécu dans l'ombre de Grambler. La mine fonctionnait depuis des années, elle existait déjà avant la naissance de Mme Martin, et c'était autour d'elle que s'était constitué le village.

Ross apprit la nouvelle en rentrant d'une réunion avec Richard Tonkin, Ray Penvenen et sir John Trevannance. Ce fut un vieux mineur qui la lui cria quand il passa près de lui.

Il rentra sans hâte et, parvenu chez lui, ne conduisit pas aussitôt Ténébreuse à l'écurie. Il avait vaguement l'intention d'aller voir Francis.

Dans le hall, il prêta l'oreille aux voix qui venaient du petit salon. Demelza avait-elle des visites ? Il ne se sentait pas d'humeur sociable ce soir. Mais c'était la voix de Jud… et celle de Jinny Carter qui… mais oui, qui criait !

— C'est un mensonge ! criait Jinny en larmes. Un horrible mensonge ! Jud Paynter, vous mériteriez d'être fouetté pour être assis dans le fauteuil du maître à boire son cognac en proférant de telles sottises. Vous mériteriez d'être châtié, écrasé comme les scorpions ainsi qu'on le dit dans la Bible. Vous êtes une bête puante, vous...

— Vas-y, ma petite, marmonna Prudie, prends le balai, donne-lui un coup sur la tête...

Jinny jaillit hors du salon, le visage ruisselant de larmes. Elle avait saisi la main de Benjamin pour l'entraîner. Ross s'était reculé, mais elle le vit et pâlit. Elle se rua dans la cuisine.

Demelza rentra peu après, ayant traversé la colline à pied. Elle trouva Julia profondément endormie malgré le tapage et Prudie qui sanglotait près du berceau, la tête enfouie dans son tablier. Le salon empestait, deux bouteilles cassées gisaient sur le parquet, et Demelza commençait à soupçonner la vérité. Mais elle ne tira rien de Prudie qui se lamentait et qui se contenta de répondre que c'était la fin de Jud.

Elle se précipita dans la cuisine. Pas trace de Jinny. Mais des bruits venaient de la cour. D'une main, Ross y actionnait la pompe et de l'autre, il tenait une cravache. Jud se trouvait sous la pompe ! Chaque fois qu'il tentait de s'esquiver, il prenait un coup de cravache. Il finit par renoncer à fuir et se laissa doucher.

— Ross, que se passe-t-il ? Qu'a-t-il fait ?

— La prochaine fois que tu t'absenteras pour faire des courses, lança Ross, nous tâcherons de prendre de meilleures dispositions pour notre enfant.

— Je ne comprends pas... Qu'est-il arrivé ? Julia me paraît en bonne santé...

Verity arriva chez elle sans connaître la décision concernant la fermeture de Grambler. Les deux jeunes femmes, avec Bartle, s'étaient séparées de Blamey à la fourche de Saint Ann et Demelza avait abandonné son cheval devant les grilles de Trenwith que Verity et Bartle avaient franchies.

Elizabeth fut la seule à remarquer le retour de sa belle-sœur.

— Les Pascoe vous ont laissée partir si vite? s'étonna Elizabeth avec un sourire contraint.

— Nous ne sommes pas allées chez eux, expliqua Verity en retirant ses gants. Il y avait une émeute de mineurs dans la ville et… nous avons jugé plus sage de partir avant que la situation ne se dégrade.

— Ah! dit Francis. Une émeute? Il y en aura bientôt d'autres ailleurs.

— Je n'ai pas pu aller chercher votre broche non plus, Elizabeth. J'en suis navrée, mais je retournerai peut-être en ville la semaine prochaine…

— Toutes ces années, gémit Agatha. C'était bien avant ma naissance. La vieille grand-mère Trenwith, je m'en souviens, disait que son grand-père par alliance avait ouvert la première galerie un an avant sa mort.

Avec une soudaine subtilité insolite chez elle, Verity comprit la situation.

— Si je comprends bien, je n'en étais pas sûre… Cela signifie-t-il que la mine tout entière… Absolument tout?

— Comment faire autrement? répliqua Francis. Nous ne pouvons épuiser une partie sans l'autre.

— Que signifie tout cela, Francis? s'enquit Verity. Jusqu'à quel point en serons-nous affectés? Pourrons-nous continuer à vivre comme avant?

— En tant qu'actionnaires, cela ne nous affectera pas si ce n'est en détruisant l'espoir d'un rétablissement et en nous empêchant de dilapider du bon argent. Nous n'avons tiré aucun dividende depuis cinq ans. Pour les droits, nous avons renoncé à huit cents livres par an qui ne nous seront plus versées désormais. C'est la différence.

— Nous aurons donc du mal à continuer à…

— Cela dépend de nos autres engagements financiers, riposta Francis, irrité. Nous disposons de la ferme. Nous possédons le village de Grambler et la moitié de Sawle pour lequel les loyers prendront de la valeur. Si nos créanciers sont indulgents, un revenu minimum rendra la vie supportable.

Elizabeth se leva, laissant glisser Geoffrey sur le sol.

— Nous nous organiserons, déclara-t-elle paisiblement. D'autres connaissent une situation pire que la nôtre. Nous pouvons économiser dans certains domaines. Cela ne durera pas toujours. Il suffit de nous maintenir la tête hors de l'eau quelque temps.

Francis la dévisagea avec une certaine surprise. Peut-être s'était-il vaguement attendu à lui voir adopter une attitude différente, à se plaindre en le blâmant. Mais en période de crise, Elizabeth retournait toujours une carte maîtresse.

Verity les quitta en murmurant une excuse. Elle monta lentement les larges marches et regarda autour d'elle d'un œil neuf. Tout dans la maison était solide, bien construit, pour plaire autant que pour durer. Verity pria le Ciel pour que cela ne disparût jamais.

Ross se montra intraitable, Jud et Prudie durent partir. Il fallait songer à l'enfant. On ne pouvait plus désormais faire confiance au couple Paynter pour s'occuper d'elle.

À l'heure prévue, ils s'en allèrent chargés d'un tas de vieux meubles et de vêtements. Ils avaient trouvé une cabane délabrée, mi-pavillon mi-hangar, qui avait été la première maison de Grambler. C'était triste et abandonné, mais le loyer était pratiquement nul et la maison voisine était un cabaret, ce qui était pratique pour eux !

Pour remplacer les Paynter, Ross engagea un couple, John et Jane Gimlett. Cinq ou six ans plus tôt, ils étaient arrivés dans le nord des Cornouailles pour chercher du travail dans cet ouest encore prospère. Ils semblaient actifs, pleins de bonne volonté, efficaces, propres, de caractère égal et respectueux, tout l'opposé de Jud et de Prudie. Le temps montrerait si cette perfection durerait.

Deux jours après la fameuse scène d'ivrognerie, Ross avait eu d'autres ennuis avec son personnel.

— Où est Jinny, ce matin ?

— Elle est partie hier soir, répondit tristement Demelza. J'avais l'intention de t'en parler, mais tu es rentré si tard ! Je n'y comprends rien.

— Que t'a-t-elle dit ?

— Qu'elle serait plus heureuse de s'occuper de ses trois enfants. C'est en relation avec l'histoire de jeudi. Je pourrais peut-être quelque chose si je savais de quoi il s'agit. Enfin, elle n'avait pas bu, elle. Pourquoi tient-elle à partir ?

— J'en ai une idée. Je vais aller voir son père pour cela et aussi pour lui faire une proposition.

Au même moment, Karen était juchée sur une échelle. Il avait plu pendant deux jours et, à travers le toit de chaume, l'eau avait, la nuit précédente, dégouliné dans la cuisine et la chambre.

Karen était furieuse. Mark avait passé la majeure partie de son temps de repos sur l'échelle, mais elle pestait parce que, selon elle, il aurait dû consacrer davantage de temps à protéger la maison contre les intempéries.

Le mariage était une déception pour la jeune femme. L'amour sincère de Mark était rude et dénué de romantisme et de délicatesse; de plus, ils n'avaient aucune conversation en dehors des relations amoureuses. Il y avait aussi les longues heures qu'il consacrait à la mine, les changements d'horaires d'équipe selon lesquels il se levait pour déjeuner à 5 heures pendant une semaine et, la semaine suivante, rentrait se coucher à 6 h 30 en la réveillant et se refusant par contre à ce qu'elle le réveillât quand elle se levait. Même lorsqu'il était de service à 14 heures, il laissait Karen seule toute la soirée. Au début, cet horaire avait été le plus agréable, car Mark rentrait vers 23 heures pour se laver, se raser, et ils allaient se coucher. Mais la nouveauté de cet emploi du temps avait vite perdu son charme et Karen trouvait toujours une excuse pour éviter les caresses maladroites de son mari.

Mark venait de partir, en se hâtant pour être à l'heure, et Karen avait neuf heures à tuer. Il n'avait pas eu le temps de ranger l'échelle et elle se dit qu'elle allait essayer de renforcer le chaume. Il faisait beau ce matin, mais la pluie s'annonçait. Voir la tête de Mark quand il rentrerait ce soir sous l'averse pour trouver la maison entièrement sèche à l'intérieur!

D'où elle était assise, elle apercevait la maison du docteur Enys. Depuis leur rencontre à Nampara, elle avait par trois fois vu le médecin, mais ils n'avaient pas échangé un mot.

Depuis quelque temps, Karen commençait à douter de la sagesse de sa décision de quitter la compagnie théâtrale pour cette existence d'enterrée vivante. Elle s'efforçait de se rappeler les privations et les découragements de sa vie précédente, simplement pour se rassurer, mais le temps brouillait les perspectives.

Et maintenant que Grambler fermait…

Karen se pencha pour fixer un morceau de chaume et perdit l'équilibre. Doucement, elle se mit à glisser en bas du toit.

— C'est une offre généreuse, dit Jacky Martin en se frottant le menton. J'aimerais bien essayer. La mère sera ravie d'apprendre que l'argent continue de rentrer sans interruption. Mais je ne pourrai accepter une telle somme, pas au début. Donnez-moi ce que je gagne actuellement, ce sera honnête.

— Comme employé de la compagnie, vous prendrez ce que l'on vous donnera, répliqua Ross. On vous fera savoir quand on aura besoin de vous. Cela peut représenter quelques absences de votre poste pendant la dernière semaine.

— Aucune importance, de toute façon, le cœur n'y est plus. Je me demande ce que feront les hommes l'hiver prochain.

— Et maintenant, j'aimerais dire deux mots à Jinny.

— Elle est dans la maison avec sa mère, dit Jacky, l'air gêné. Je ne sais pas ce qu'elle a, mais elle paraît résolue. Nous ne pouvons discuter avec elle comme lorsqu'elle était jeune fille. Jinny ! Viens un instant, un monsieur désire te voir.

— Capitaine, salua Jinny sans lever les yeux.

— Je sais pourquoi vous nous avez quittés, Jinny, dit Ross franchement, et je comprends vos sentiments. À travers Jud et son ivresse, ces commérages pouvaient laisser une trace déplaisante sur ma maison et votre réputation. C'est pour cela que je me suis débarrassé de lui. Vous commettriez une erreur en prêtant foi à cette histoire. Je voudrais que vous veniez demain comme d'habitude.

Elle leva les yeux et rencontra son regard.

— Non, monsieur, si de telles histoires circulent, Dieu sait jusqu'où elles iront !

— Elles retourneront où elles ont pris naissance, dans le ruisseau !

Elle paraissait si embarrassée qu'il eut pitié d'elle. Il la laissa et retourna vers son père que sa femme avait rejoint.

— Laissez-la quelque temps, monsieur, conseilla Mme Martin. Elle reprendra ses esprits. Bobby vient de me dire que Karen Daniel a eu un accident. Il faut que j'y aille.

— Que lui est-il arrivé ?

— Elle est tombée du toit et s'est fracturé un bras. Je vais voir si je peux l'aider. Oh ! je ne la tiens pas particulièrement en sympathie, mais il faut entretenir des relations de bon voisinage à cause de Mark.

— Elle est seule ? s'enquit Ross. Je vous accompagne pour voir si elle a besoin de soins.

— Inutile, monsieur. D'après Bobby, le docteur Enys est là.

Dennis était là depuis vingt minutes. Par chance, il avait entendu crier la jeune femme et avait été le premier à arriver sur les lieux.

Il l'avait transportée à l'intérieur et couchée, ses mains l'avaient palpée sur tout le corps avec une habileté professionnelle, mais elle avait eu la sensation que c'étaient les mains d'un amant bienvenu dans sa maison.

— Vous souffrez d'une fracture du bras, déclarat-il. Votre cheville s'arrangera avec du repos, mais il faut que je réduise cette fracture. Cela vous fera mal, mais j'agirai aussi vite que possible.

— Allez-y, murmura-t-elle en le regardant.

Il avait une bande dans sa poche et prit deux attelles dans le matériel de Mark. Il fit avaler un verre de cognac à Karen et réduisit la fracture. Elle serra les dents et ne broncha pas. Des larmes lui emplirent les yeux et, quand il eut terminé, elles roulèrent sur ses joues.

— Vous avez été très courageuse, remarqua-t-il. Buvez un autre verre.

Il s'assit ensuite sur le lit et lava l'autre coude de Karen, lui baigna la cheville et la pansa. Elle éprouvait une étrange béatitude et son regard l'aurait laissée transparaître si Dennis n'avait été uniquement préoccupé par sa tâche. Les soins donnés, il lui parla d'un ton devenu nettement plus sec et professionnel, lui suggérant d'appeler son mari.

Mais elle était décidée à ne pas le faire et, quand le large visage à lunettes de Mme Martin apparut sur le seuil, elle l'accueillit si aimablement que celle-ci songea que les gens de la région avaient porté sur la femme de Mark un jugement trop hâtif.

Grambler devait fermer le 12 novembre 1788, et ce jour vint, paisible et brumeux.

À midi, un petit groupe se rassembla dans la grande salle des machines. Il y avait Francis Poldark, le capitaine Henshawe, Dunstan, le docteur Choake, les deux chefs des machines Brown et Trewinnard, et quelques autres officiels. Ils restèrent là, toussotant ou se raclant la gorge, évitant de se regarder. Francis consulta sa montre.

— Messieurs, dit-il, élevant le ton, le moment est venu de fermer la mine. Nous avons travaillé ensemble pendant des années, mais l'époque que nous vivons nous a vaincus. Un jour, peut-être, cette mine sera remise en activité et nous nous retrouverons. Si nous n'avons pas cette chance, nos fils pourront le faire à notre place.

Saisissant le levier qui contrôlait la vapeur de la chaudière géante, il l'abaissa. Le moteur s'arrêta, le piston hésita et stoppa définitivement.

Chacun garda le silence. On avait déjà vu la machine s'arrêter, chaque mois, pour le nettoyage des chaudières ou pour des pannes. Mais le silence d'aujourd'hui portait un autre sens.

Sous une impulsion pour lui insolite, Francis prit un morceau de craie et sur le flanc de la chaudière inscrivit ces mots : « Je renaîtrai. »

Tous sortirent.

Le dernier changement d'équipe avait été prévu pour midi et au moment où le groupe d'hommes se dirigeait lentement vers les bureaux, les mineurs apparurent par deux ou trois à l'entrée du puits, portant pour la dernière fois pics, pelles et forets.

Mêlés les uns aux autres, ils formèrent une longue et lente chenille qui défila devant le caissier pour recevoir leur dernier salaire.

20

Dans la première semaine d'avril 1789, deux invitations parvinrent au capitaine Poldark. La première des notables de la ville, « À l'occasion du jour national d'actions de grâce célébrant le retour à la santé du roi », pour un grand bal, le 23 avril, dans la Salle des Conseils. La seconde provenait des Warleggan pour une réception le même jour, avant la grande cérémonie officielle.

Ross voulait refuser mais, pour Demelza, aller dans la maison des Warleggan était une étape dans son accession à une forme de légitimité et elle souhaitait vivement assister à cette fête.

La joie de Demelza étant facilement contagieuse, l'atmosphère de Nampara devint celle des veilles de fête. Pour se joindre à l'unisson de la maisonnée, Julia gigotait dans son berceau en riant et gazouillant.

Le 16 avril, Ross alla à la mine. Demelza prépara de l'hydromel en compagnie de Jinny et de Jane. Toutes trois s'amusaient lorsque l'ombre de Jacky Martin tomba en biais dans le soleil de l'après-midi. Dès qu'elle le vit, Demelza comprit que quelque chose allait mal.

— Père, qu'est-ce qui ne va pas ? fit Jinny en se précipitant derrière lui. Cela concerne Jim ?

— Non, ne t'inquiète pas. Je voulais seulement voir le capitaine pour une ou deux questions. Il faut t'habituer à me voir aller et venir dans la maison, Jinny. Je travaille pour le capitaine, tu ne l'ignores pas.

Martin trouva Ross à la mine.

— C'est à propos de Jim, monsieur. Vous vous souvenez de ce que disait cet homme, à propos de la prison de Bodmin ? J'ai appris ce matin que beaucoup des prisonniers les plus anciens avaient été transférés dans d'autres prisons pour faire de la place. Jim va aller à Launceston... Il paraît que c'est une sale prison.

— Elle a mauvaise réputation, admit Ross. Mais ce transfert d'un homme qui doit être libéré prochainement est révoltant. Qui l'a ordonné ?

— Je ne sais pas. Peter Mawes revenait de Bodmin et il m'a alerté. J'ai cru bon de vous prévenir.

— Je vais y réfléchir, Jacky. Il doit y avoir un moyen de s'assurer rapidement de la véracité des faits.

Pendant le reste de l'après-midi, Ross fut occupé à la mine, mais quand il eut terminé, il alla voir le docteur Dennis Enys.

En passant devant la fenêtre ouverte du salon, il entendit chanter une voix féminine, pas très forte, mais distincte.

Ross cogna à la porte du bout de sa cravache. La chanson s'interrompit.

La porte s'ouvrit sur un Dennis qui rougit quand il reconnut son visiteur.

— Capitaine, quelle surprise ! Entrez, je vous prie.

Ross le suivit dans le salon d'où trois minutes plus tôt parvenait la chanson. Il n'y avait personne. Il exposa le motif de sa visite, les nouvelles concernant Jim, ajoutant qu'il se proposait de prendre le coche du lendemain pour découvrir la vérité. Il demandait si Dennis voudrait bien l'accompagner. Le médecin accepta aussitôt.

Les deux hommes partirent après un petit-déjeuner matinal et, à Truro, Ross fit quelques courses. Ils arrivèrent à Bodmin tôt dans l'après-midi. Le coche s'y arrêtait assez longtemps pour permettre aux voyageurs de déjeuner, et à Ross d'aller voir si le bruit qui avait couru était exact : oui, Jim avait été transféré ailleurs.

La suite du voyage se fit sans incidents et ils atteignirent Launceston peu après 19 heures. La prison se trouvait sur une colline, à l'intérieur des terres d'un vieux château normand en ruine. Cherchant leur chemin à travers un dédale de rues, les deux hommes arrivèrent enfin au pied du mur de ce qui autrefois avait été le donjon du château. Une grille de fer cadenassée conduisait à une arcade, mais personne ne répondit.

— Il y a un vacher près de cette haie brisée, remarqua Dennis. Je vais l'interroger.

Tandis que Ross secouait vainement la grille, il alla parler à l'homme au visage sombre. Il ne tarda pas à revenir.

— D'après lui, tous les prisonniers souffrent de fièvre. Il ne pense pas que nous pourrons entrer ce soir.

— Et le geôlier ? s'enquit Ross en regardant à travers les barreaux.

— Il habite plus loin, derrière Southgate Street.

Ils redescendirent la colline. Il leur fallut un moment pour découvrir la maison du gardien et de longues minutes pour se faire entrouvrir la porte. Un homme en loques, couvert de boutons, barbu, cligna des yeux en les voyant.

— Vous êtes le geôlier ? demanda Ross.

— Ouais.

— Avez-vous un détenu du nom de Carter qui vient de Bodmin ?

— Peut-être.

— Nous voulons le voir immédiatement.

— C'est pas l'heure des visites !

Ross glissa son pied dans l'entrebâillement de la porte.

— Prenez vos clés ou je vous ferai chasser pour avoir négligé votre travail.

— Où est votre autorisation ? Il en faut une.

— Nous l'avons. Prenez vos clés.

Dix minutes plus tard, le groupe avançait dans les ruelles pavées vers le sommet de la colline, le geôlier en tête portant quatre grosses clés suspendues à un anneau. Les trois hommes gagnèrent la grille et le geôlier s'avança à pas lents vers un bâtiment carré planté au milieu de la pelouse.

— L'heure d'entrer est passée, dit-il. Montrez-moi votre permis. Il y a les fièvres un peu partout. Hier, il en a un qui est mort, je ne suis pas sûr de son identité. Mon copain…

Des cris retentirent soudain, de plus en plus nombreux, de plus en plus forts, des cris de bêtes et non d'humains, des gémissements et des grognements.

— Vous voyez, observa le geôlier, c'est impossible pour des gens bien de s'approcher. Il y a les fièvres…

— Ouvrez la porte, mon vieux ! ordonna Ross. Donnez-moi les clés.

— Il fera nuit dans dix minutes, coupa Dennis. Nous n'avons pas de temps à perdre si nous voulons le voir aujourd'hui.

— Écoutez, dit Ross, ce monsieur est médecin. Nous voulons voir Carter. Ouvrez cette porte ou je vous écrase la tête.

La porte s'ouvrit en grinçant. À l'intérieur, il faisait tout à fait sombre et, quand ils entrèrent, la puanteur les prit à la gorge.

— Y a-t-il une lanterne ici ?

— Ouais, je crois, derrière la porte.

Lorsque enfin la chandelle s'alluma, Ross découvrit des cages dont chacune renfermait une douzaine de détenus. Des visages terrifiants épiaient les visiteurs entre les barreaux.

— Un lieu pour la peste, observa Dennis en descendant avec son mouchoir sous le nez. Quelle offense à la dignité humaine ! Y a-t-il des égouts ? Leur donne-t-on des soins médicaux ? Dans quelle cellule se trouve Carter ?

— Je n'en sais rien, je vous le jure. Je ne sais pas comment ils sont répartis. Vous feriez mieux de le chercher vous-mêmes.

Poussant devant lui le geôlier avec la lanterne tremblotante, Ross suivit Dennis. Dans la dernière et la plus petite des cages, il y avait une douzaine de femmes. Empestant, émaciées, en loques, semblables à d'étranges démons, elles poussaient des cris et celles qui parvenaient à se tenir debout quêtaient du pain.

Écœuré et horrifié, Ross retourna du côté des hommes.

— Silence ! cria-t-il pour apaiser la clameur qui renaissait. Jim Carter est-il parmi vous ? Jim, es-tu là ?

Pas de réponse. Puis on entendit un bruit de chaînes et une voix :

— Il est ici, mais pas en état de parler.

Les démons du puits s'éloignèrent des barreaux et la lanterne du geôlier montra deux ou trois silhouettes gisant sur le sol.

— Il est… mort ?

— Non, mais l'autre l'est. Carter est très malade. Son bras…

Ross vit un homme qu'il n'aurait pas reconnu. Le visage maigre et rongé par une longue barbe noire et crasseuse était couvert de taches rouges. De temps à autre, Jim remuait, marmonnait et se parlait à lui-même dans son délire.

— Il en est au stade le plus bas, murmura Enys. Depuis quand est-il malade ?

— Je ne sais pas, répondit l'autre détenu. On ne parvient plus à compter les jours, vous comprenez. Peut-être une semaine.

— Qu'a-t-il au bras ?

— On a essayé de chasser la fièvre en le saignant. Malheureusement, la plaie s'est infectée.

— Ouvrez cette porte, ordonna Ross en se redressant.

— Quoi ? s'écria le geôlier. Pourquoi ?

— J'emmène cet homme. Il a besoin de soins médicaux. Ouvrez-moi cette porte !

Le geôlier tâtonna avec ses clés, déverrouilla hâtivement la porte et se tint là, le dos tourné, transpirant.

Dennis et le geôlier entrèrent, glissant sur les immondices qui jonchaient le plancher humide. Heureusement, Jim n'était pas enchaîné à un autre prisonnier. Ils le portèrent hors de la cage, puis hors de la prison. Ross les suivit. Dehors, sur l'herbe douce, ils étendirent le malheureux Jim et le geôlier retourna verrouiller les portes.

— Alors ? s'enquit Ross.

Il regardait cette épave humaine qui remuait vaguement à ses pieds. Il avala de grandes bouffées de l'air frais du soir qui soufflait de la mer.

— Il survivrait à la fièvre, mais cet idiot qui est intervenu là-bas… Le bras est en train de se gangrener, dit le médecin.

— Il faut l'emmener quelque part à l'abri. Il ne survivrait pas à une nuit passée dehors.

Pendant que les deux hommes le déshabillaient, Jim riait, un son rauque, brisé, très particulier. De temps à autre, il parlait, de façon décousue, prenant Nick Vigus ou Jinny comme interlocuteurs imaginaires.

Ils avaient trouvé une grange et en avaient pris possession après avoir chassé des volailles et deux mules, en avoir sorti une charrette à bœufs. Un pot-de-vin et des menaces avaient eu raison de la colère du propriétaire. Ils avaient acheté pour Jim deux couvertures et deux tasses de lait arrosé de cognac. Ils avaient allumé un feu à l'extrémité de la grange ; le fermier était venu protester, mais terrifié par la maladie, il n'avait pas insisté.

Maintenant, Dennis auscultait son malade à la lueur de deux chandelles. Ross avait jeté les loques dont Jim était vêtu. Il rentra pour voir Dennis palper délicatement le bras gangrené du garçon. Il avait élevé une des chandelles pour voir par lui-même. Lorsqu'il se redressa, il avait compris, il avait vu trop de cas similaires en combattant en Amérique.

— S'il ne reste qu'une chance, Ross, il faut que je la prenne en amputant ce bras. Encore la chance est-elle infime.

— Vous avez déjà fait ce genre d'opération ?

— Non, mais c'est un travail simple. Il faut éviter l'hémorragie et l'extension de la gangrène. Nous avons un feu et beaucoup d'eau.

— Et la fièvre ?

— Elle est en régression. Le pouls se ralentit.

Ross s'approcha et fixa le visage émacié de Jim.

— Il a eu avec Jinny un ou deux ans de bonheur. Désormais, en admettant qu'il survive, il sera infirme. Je crois pourtant que nous devons lui donner une chance.

— Remarquez comme nos propres vêtements empestent ! fit Dennis en se levant. Après cela, nous aurons intérêt à les brûler... Vous pouvez m'aider pour l'opération ?

— Certainement. La vue du sang ne me fait pas défaillir. Ce qui me rend malade, c'est que l'on ait gâché cette jeune existence.

— Je vais aller en ville chercher un barbier pour lui emprunter divers objets.

Attrapant son chapeau, Dennis sortit. Ross s'assit auprès de Carter et remplit une tasse de cognac. Il voulait autant que possible enivrer le malade ; lui-même boirait dans une autre tasse. Plus ils seraient ivres l'un et l'autre, mieux cela vaudrait.

Le matin du 22, Ross était toujours absent et Demelza avait passé une nuit d'insomnie. Julia aussi s'était montrée nerveuse, comme ressentant le malaise de sa mère, mais c'étaient les dents qui la tourmentaient.

Demelza se leva avec le jour et décida de renouer avec son ancienne habitude de sortir dès l'aube. Ce jour-là, au lieu de parcourir la vallée, elle marcha jusqu'à la plage et Garrick la suivit.

Deux ou trois hommes touchèrent le bord de leur casquette en passant près d'elle. Elle s'aperçut que Mark Daniel les suivait. Grand et raide, un pic sur l'épaule, il avançait sur le sable doux. En croisant la jeune femme, il leva la tête comme s'il ne l'avait pas remarquée auparavant.

— Eh bien, Mark, comment allez-vous ? Êtes-vous confortablement installé dans votre nouvelle maison ?

— Oui, madame, c'est très bien, je vous remercie de vous en inquiéter.

— Comment va Karen, Mark ? Je ne l'ai pas vue ce mois-ci.

— Karen va assez bien... Le capitaine est-il de retour, madame ?

— Non, il est parti depuis plusieurs jours.

— Ah ! C'était pour le voir que j'étais venu ici !

— Aviez-vous une raison précise ?

— Vous... vous m'avez aidé en août dernier, hésita-t-il, et je ne l'ai pas oublié, madame. Mais... c'est un problème dont il vaut mieux discuter entre hommes.

— J'espère qu'il sera là demain soir, nous devons nous rendre à une réception...

Ils se séparèrent et elle longea lentement la plage. Des algues crissèrent derrière elle et, en se retournant, elle s'aperçut que Mark la suivait. Elle croisa son regard sombre.

— De vilains bruits courent sur Karen, madame, lança-t-il comme par défi. Des bruits qui se répandent... On dit qu'elle fréquente un autre homme.

— Il existe toujours des ragots de ce genre, Mark ! Vous savez, les vieilles femmes n'ont rien de mieux à faire qu'à papoter devant leur porte.

— Oui, mais cela me met mal à l'aise.

— Et comment Ross pourrait-il vous aider ?

— Je voulais son avis sur la meilleure conduite à suivre.

— Mais… avez-vous entendu un nom à propos de cet homme ? En avez-vous parlé à Karen ?

— Je n'en ai pas eu le courage, madame. Nous ne sommes mariés que depuis huit mois. J'ai bâti cette maison pour elle… Je ne parviens pas à y croire.

— Alors ne le croyez pas, conseilla la jeune femme. Si vous n'avez pas le cran de lui poser directement la question, laissez tomber, tout simplement. Il y a toujours de méchantes langues. Peut-être savez-vous ce que l'on a chuchoté à son sujet ?…

— Non, fit Mark, levant la tête. Je n'ai jamais prêté attention aux ragots… pas avant que…

— Pourquoi le faire maintenant ? Savez-vous, Mark, que l'on a prétendu que le capitaine était le père du premier enfant de Jinny Carter, simplement à cause de cette cicatrice ?

— Non, dit-il en crachant sur le sable. Je vous demande pardon, madame, mais ce mensonge est ignoble ! J'en suis sûr, comme n'importe quel honnête homme.

— Oui, mais si j'avais choisi de croire que c'était la vérité, je pourrais être aussi malheureuse que vous, Mark !

Le grand gaillard la regarda, l'espoir hésitant à renaître sur son visage.

Demelza trouva Ross dans le petit salon en train de retirer ses gants.

— Ross, je croyais que tu ne rentrerais jamais, que... Ross, qu'y a-t-il ?

Il leva la tête vers elle.

— Jim est mort, dit-il, lugubre.

Les traits de la jeune femme s'altérèrent, elle baissa les yeux. S'approchant, elle prit la main de son mari.

— Oh ! mon chéri... je suis désolée ! Pauvre Jinny !

— Ne m'approche pas. La contagion a pu m'atteindre.

— Qu'est-il arrivé ? murmura-t-elle. Tu l'as vu ?

— As-tu du cognac ?

Elle se leva et lui en servit. Elle comprit qu'il avait déjà beaucoup bu. Ross lui conta la triste histoire et conclut après avoir avalé une gorgée de cognac.

Ross avala une gorgée de cognac.

— Dennis a fait de son mieux. Jim a vécu jusqu'à l'aube, ce matin, mais le choc était trop grand. À la fin, je crois qu'il m'a reconnu. Il a souri et a paru vouloir parler, mais il n'en avait plus la force. Nous l'avons fait enterrer au cimetière de Lawhitton et nous sommes revenus.

Le silence plana. La véhémence et l'amertume de Ross effrayèrent Demelza. À l'étage, venant d'un monde familier, on entendait gazouiller Julia. Brusquement, Ross se redressa et, s'approchant de la fenêtre, considéra son domaine bien ordonné.

— Dennis ne t'a pas quitté ? demanda-t-elle.

— Hier, nous étions si fatigués que nous avons passé la nuit à Truro. C'est pour cela que nous sommes ici de bonne heure ce matin. En chemin, j'ai vu Jacky. Il partait à cheval pour les affaires de la compagnie, mais il a fait demi-tour.

— Mieux aurait valu que tu ne sois pas allé là-bas, Ross, je…

— Il est dommage que je n'y sois pas allé quinze jours plus tôt. Il y aurait alors eu de l'espoir.

— Que vont dire les magistrats, la police ? Tu as forcé la porte de la prison et aidé un prisonnier à s'évader, Ross. Tu n'auras pas d'ennuis pour cela ?

— Si. Les abeilles vont bourdonner si je ne les fais pas taire avec du miel. Je leur souhaite bonne chance. Je serais presque résolu à aller me mêler à eux comme prévu pour les festivités de demain si je pensais pouvoir leur transmettre la maladie.

— Ne parle pas ainsi, Ross, supplia-t-elle. Tu ne te sens pas bien ? Tu crois que tu es atteint ?

— Non, mon amour, je me sens plutôt bien. J'irai bien, car Dennis a pris d'étranges précautions. Mais ne compte pas me voir danser et m'amuser avec ces gens demain alors que leur crime est présent à mes yeux.

À 17 heures, il alla voir Jinny. L'idée de la rencontrer lui était intolérable, mais il était le seul à pouvoir le faire.

Il resta absent une heure. À son retour, le dîner l'attendait, mais il fut d'abord incapable d'y toucher. Plus tard, en le cajolant, Demelza réussit à le faire dîner bouchée par bouchée. À 19 heures, Jane débarrassa la table et Ross s'installa dans son fauteuil près du feu, les jambes étendues, l'esprit non encore apaisé, mais les muscles commençant à se détendre.

21

Lorsque finalement Ross, sans consulter qui que ce soit, décida de participer aux festivités, et que, après une chevauchée sans histoire, Demelza se vit conduire dans une des chambres de la demeure des Warleggan, un certain sentiment de gêne persistait à gâcher les premiers éclairs de son excitation.

Il y avait d'abord sa compassion pour Jinny qui, la veille au soir, avait tenté de se pendre à une poutre de sa cuisine. Puis il y avait l'angoisse pour Ross qui n'avait pas été sobre depuis son retour et portait son ivresse comme un baril de poudre que la moindre étincelle suffirait à allumer. Enfin, il y avait le malaise de Julia confiée à Mme Tabb, à Trenwith.

Demelza avait suivi avec ahurissement le sillage d'une femme de chambre pour monter à l'appartement qui lui était réservé. Elle attendait maintenant qu'on vînt l'aider à enfiler sa robe neuve et à se coiffer.

Elle s'assit devant la coiffeuse et fixa dans le miroir son visage rougissant. Elle était donc vraiment là.

On frappa à la porte et d'instinct Demelza voulut se lever quand une servante entra.

— Ceci vient d'arriver pour vous, madame. Une femme de chambre va monter dans quelques minutes.

Demelza scruta le paquet. Demelza tira de l'emballage une petite boîte, écarta le coton qui la bourrait et soupira. Au bout d'un moment, avec précaution, comme redoutant de se brûler, elle saisit entre le pouce et l'index une broche. Elle la posa sur sa poitrine pour voir dans le miroir l'effet produit. Le rubis étincela et cligna vers elle. Ce geste de Ross était fantastique, il bouleversait la jeune femme. Elle se contempla, les yeux humides d'émotion. Ce présent lui donnait de l'assurance. Avec cette robe neuve et ce bijou, personne certainement ne pourrait la dédaigner.

Sir Hugh Bodrugan tapota sa tabatière de ses mains velues.

— Bon sang, qui est donc cette pouliche qui vient d'entrer, Nick ? Celle aux cheveux noirs et à la jolie nuque ? Elle est avec un des Poldark, non ?

— C'est la première fois que je la vois. Un fameux morceau à contempler !

— Vous qui connaissez les Poldark, Enys, qui est cette belle créature que Mlle Verity vient d'amener ?

— C'est la femme du capitaine Poldark, monsieur. Ils sont mariés depuis deux ans.

Les épais sourcils de sir Hugh se rapprochèrent sous l'effort qu'il fit pour rassembler ses souvenirs.

— Ah ! N'a-t-on pas raconté qu'il avait fait une mésalliance en épousant une fille de ferme ou je ne sais qui ?

— Je ne pourrais le préciser, rétorqua Dennis, je n'étais pas dans la région à cette époque.

Demelza était descendue en pensant qu'elle pourrait trouver Ross, mais dans cette foule, c'était impossible. Verity et elle prirent un verre de porto sur le plateau que présentait un valet de pied. En voyant Dennis Enys s'incliner devant elle, elle se sentit soulagée. Avec lui se trouvait un homme d'un certain âge, trapu, au front bombé, que Dennis présenta sous le nom de sir Hugh Bodrugan. Elle considéra l'homme avec intérêt et croisa un regard qui l'étonna.

— Madame, le docteur Enys m'apprend que vous êtes de Nampara. Nous sommes voisins depuis deux ans et nous ne nous étions pas rencontrés ! J'ai hâte de réparer cette omission...

— J'ai souvent entendu parler de vous, monsieur !

— Vraiment ? J'espère que ce n'était pas en mal ?

— Non, monsieur, pas du tout. J'ai entendu dire que vous éleviez de gros faisans qui causaient bien des ennuis aux braconniers qui venaient les voler.

Elle s'aperçut que Dennis la dévisageait avec surprise.

— Hughie ! intervint la belle-mère de sir Hugh, je vous croyais parti sans moi, vieux démon.

La douairière toisa Demelza.

— Qui est-ce ? persifla-t-elle. Je n'ai pas le plaisir, mademoiselle...

— C'est la femme du capitaine Poldark, de Nampara.

— Vous chassez, madame ? s'enquit Constance Bodrugan.

— Non, madame, dit Demelza en vidant son verre. J'ai de la sympathie pour les renards.

— Ah ! votre religion, sans doute ! Voyons, n'étiez-vous pas la fille d'un mineur ?

— En effet, madame. Mon père a été pendu à Bargus pour servir de perchoir aux corbeaux. Ma mère, qui était une voleuse de grand chemin, est tombée de la falaise.

Hugh rugit de rire.

— Vous ne l'avez pas volé, Constance, avec votre ironie. Ne vous occupez pas de ma belle-mère, madame Poldark. Elle aboie comme ses chiens, mais elle y met peu de méchanceté.

— La barbe, Hugh ! Gardez vos excuses pour vous-même. Tout cela parce que vous éprouvez…

— Bonsoir à tous ! cria John Treneglos en se frayant maladroitement un chemin jusqu'au petit groupe.

— Voici le capitaine Poldark, annonça Dennis avec une note de soulagement dans la voix.

En se tournant, Demelza vit son mari entrer avec Francis et Elizabeth.

Puis George Warleggan surgit, souriant et suave, au milieu de ses invités.

La nuit était belle, Demelza persuada Ross de se rendre à pied à la Salle des Conseils. La distance était courte et, en regardant où ils posaient le pied, ils arriveraient sans s'être salis.

Durant un instant, l'éclat du regard de Ross avait changé et s'était réchauffé quand le jeune homme avait vu sa femme revêtue de cette robe, mais elle n'avait pas su l'éloigner des pensées qui l'obsédaient.

Les réunions auxquelles assistait le lord lieutenant revêtaient une certaine importance. Il était le représentant du roi et de lui venaient toutes choses, grandes ou petites.

Ce soir, on jouerait aux cartes, on porterait des toasts, on danserait et on boirait des litres de boissons diverses. La salle avait été tendue de banderoles rouges, blanches et bleues. Derrière l'estrade sur laquelle jouait l'orchestre, on avait accroché un grand portrait du roi.

Dès son arrivée, Demelza vit Andrew Blamey. Il s'était blotti dans un coin tranquille d'où il surveillait la porte et elle comprit qu'il guettait Verity. Son cœur battit plus vite, car Verity venait avec Francis et cela pouvait annoncer des ennuis.

Soudain l'orchestre fit entendre un roulement, les bruits cessèrent, comme effacés, et les invités s'immobilisèrent. Demelza réalisa qu'on jouait *God Save the King*. Tous entonnèrent le chant en chœur. Après, le bruit recommença. Quelqu'un avait proposé à Demelza une place entre Prudie Teague et Joan Pascoe, et elle s'efforça de jouer de l'éventail que lui avait prêté Verity.

Dennis Enys survint, accompagné d'un jeune homme et, plus loin, Demelza crut apercevoir la couleur de la robe de Verity.

Au bout de la salle, quelqu'un parlait, mais en restant assise, elle ne pouvait voir l'orateur, elle ne perçut çà et là que quelques mots, à propos de « Sa Gracieuse Majesté », de « la divine providence » et de « reconnaissance du fond du cœur ». Plusieurs hommes s'approchèrent de Demelza, réclamant le droit de l'entraîner dans le premier menuet. Où était Ross ? Elle observa les visages et accepta l'invitation de Sir John Peter. Puis un certain Whitworth, bien vêtu mais avec une certaine prétention, s'empressa pour la deuxième danse. Demelza accepta, mais refusa d'accorder la troisième, Ross allait revenir.

— Vous n'auriez pas dû venir ce soir, Andrew, lui reprocha Verity. Les gens nous ont déjà surpris. Dans un jour ou deux le pays entier sera au courant.

— C'est ce que je souhaitais. Il ne peut rien sortir de bon du secret, mon amour. Faisons ensemble face au grand jour.

— J'ai peur pour Francis. S'il vous voit ce soir, il est capable de faire des histoires. Il est de méchante humeur.

— Devons-nous éternellement attendre qu'il soit dans un bon jour ? Il ne peut rien nous interdire. Peut-être d'ailleurs n'est-il plus aussi fortement opposé à nos projets. Il a mûri, ce n'est plus un jeune homme impétueux. Nous ne pouvons continuer à nous rencontrer clandestinement. Notre amour n'a rien d'hypocrite. Pourquoi devrait-il être faussé et déformé par mes anciennes fautes pour lesquelles j'ai largement payé ? J'ai l'intention de voir Francis ce soir.

— Non, pas ce soir, Andrew. Je vous en prie, j'ai un pressentiment…

Ross aperçut Mme Teague dans une surprenante toilette de voile vert et or bordée de feuilles vertes et de paillettes d'or. Elle conversait avec la mère d'Elizabeth, Mme Chynoweth, que Ross détestait. À cet instant, George Warleggan survint, en compagnie de Francis et d'Elizabeth.

— Ah ! Sanson, s'écria-t-il, ce n'est pas agréable de danser dans cette cohue ! Avez-vous une table ?

— J'ai pu sauver quelques places, mais elles seront prises si nous ne nous dépêchons pas. Je cherchais à persuader le capitaine de se joindre à nous.

— Venez, insista George. Avec Francis, nous serons quatre.

— Le capitaine n'a pas envie de jouer ce soir, expliqua Sanson. J'ai perdu soixante guinées contre lui et j'espérais pourtant me refaire…

— Ou perdre soixante guinées de plus ? insinua George. Venez, Ross, vous ne pouvez refuser sa revanche à cet ami.

— Où est Francis ? s'enquit, maussade, Mme Chynoweth un peu plus tard. Le bal a commencé et tu ne danses pas, Elizabeth. Ce n'est vraiment pas bien. Il pourrait au moins être ici avec sa femme au début de la soirée. Cela va faire jaser ! Va voir où il est, Jonathan.

— Restez assis, père, dit Elizabeth. Francis est dans la salle de jeu avec Ross et George, je les ai vus entrer.

— Ce n'est pas bien, vraiment pas ! Puisque Francis ne devait pas revenir, pourquoi as-tu refusé les invitations du docteur Enys et des autres ? Tu es trop jeune pour passer ton temps à faire tapisserie. La première soirée que tu t'offres depuis des années et c'est pour perdre ton temps !

Mme Chynoweth s'éventa avec vigueur pour manifester son dépit. Elle avait beaucoup changé au cours des dernières années. Lors du mariage de sa fille, c'était une belle femme, mais la maladie et les traitements médicaux lui avaient depuis tordu l'orbite de l'œil qu'elle avait perdu et ses traits s'étaient enflés et tirés. C'était également une femme amère. Le mariage d'Elizabeth dont elle espérait beaucoup de bien s'était effrité tout comme le sien.

— Elizabeth, accordez-moi la faveur de la deuxième danse, dit George Warleggan en revenant soudain vers eux.

La jeune femme lui sourit.

— Je vous avais promis la première, mais vous étiez occupé à jouer.

— Non, je veillais à installer les autres. Je ne pensais qu'à revenir à temps. Madame Chynoweth, ajouta-t-il en s'inclinant, vous êtes absolument exquise ce soir. Vous n'avez que le tort de vous asseoir auprès d'Elizabeth dont la beauté est sans rivale.

Lorsque les couples s'alignèrent et qu'Elizabeth les eut rejoints, Mme Chynoweth soupira.

— Quelle honte, Jonathan, qu'Elizabeth ait jeté son dévolu sur un Poldark. Nous étions trop pressés. Quelle belle alliance elle aurait faite avec George !

La danse commença.

Demelza reprenait confiance, mais sa gorge était desséchée.

— Clergyman ? dit-elle d'une voix intriguée, regardant la veste croisée de son cavalier, le gilet jaune brodé, la culotte de soie marron et les bas rayés. Non, je ne l'aurais pas deviné.

Le nouveau vicaire de Saint Trudy et de Saint Wren lui pressa la main.

— Pourquoi pas ?

— Celui que je connais à Grambler porte un costume rapiécé et une perruque de paille.

— Quelque pauvre petit sous-fifre travaillant pour son maître !

— Et vous, vous êtes évêque ? riposta-t-elle.

Whitworth s'inclina très bas.

— Non, madame, pas encore. Mais avec un peu d'appui, cela ne tardera pas.

— J'ignorais que les ecclésiastiques dansaient.

— C'est un art que certains d'entre nous pratiquent, madame.

Les yeux du jeune homme s'allumèrent. Il attendit avec impatience l'instant de la danse qui le rapprocherait de sa cavalière.

George et Elizabeth avaient dansé dans un silence de gens bien élevés.

— Vous êtes ravissante dans cette robe, Elizabeth. J'aimerais être peintre ou poète !

Elle lui sourit avec plus de chaleur qu'elle ne l'avait fait jusqu'ici. Elle pensait à Geoffrey resté à Trenwith, loin de ses soins attentifs, mais les mots de George lui firent reprendre ses esprits.

— Vous êtes très bon, George, dit-elle paisiblement. Comme toujours. Je crains que l'attention dont vous m'entourez ne soit peu récompensée. Je suis sinistre, ces temps-ci !

— Ma récompense, je la trouve dans votre amitié et votre confiance. Et ne dites pas que vous êtes sinistre, un être aussi paré de qualités que vous ne peut l'être ! Vous êtes seule, d'accord. Vous passez trop de temps à Trenwith, votre enfant est grand maintenant, vous devriez venir plus souvent à Truro. Amenez Francis si vous voulez…

— Ramener Francis aux tables de jeu ? Désormais, il voit moins les tapis verts et davantage sa famille ! Hélas, il joue en ce moment, George.

Dans la salle de jeu, un mauvais coup se préparait.

Quatre tables étaient occupées : une de pharaon, une de basset et deux de whist. Francis jouait toujours au pharaon quand il le pouvait. Mais, en entrant, la première personne qu'il vit fut Margaret Cartland. Assise à la table de pharaon avec Vosper, son nouvel ami, elle se retourna pour lui adresser un signe désinvolte de la main. Francis s'inclina et aussitôt se dirigea vers une table de whist disponible, négligeant les quatre places que Sanson leur avait réservées. Indifférent, Ross le suivit. Ils s'assirent l'un en face de l'autre et Sanson prit un des sièges libres. George discuta avec un homme en noir debout près de la porte et vint annoncer qu'il cédait sa place à l'un de ceux qui attendaient avant lui, en l'occurrence le docteur Halse que tous connaissaient.

Chez les Warleggan, Ross avait fui le bonhomme. Étant leur invité, il voulait éviter un incident, mais avec l'horreur de Launceston encore fraîche en mémoire, la vue de cet ecclésiastique – magistrat qui, plus que tout autre, avait été responsable de la condamnation de Jim – retournait le fer dans la plaie.

La danse prit fin. Demelza chercha en vain Ross. Verity et Andrew s'étaient assis dans la salle du buffet.

— Aucun obstacle n'encombre notre route, affirma Andrew. Certains n'oublieront pas, ils tiennent aux vieux souvenirs. Mais c'est insignifiant auprès de ceux, nombreux, qui ont oublié ou n'ont jamais su. Il ne vous reste qu'à sauter le pas. J'ai une demeure dans le centre de Falmouth, très pratique et confortable. Nous pouvons nous y installer en attendant mieux.

— Je n'ai besoin d'aucun luxe, Andrew. Je vous aurais épousé autrefois, avec bonheur, j'aurais travaillé et vécu dans n'importe quel pavillon. Je serais heureuse et fière de partager votre existence. J'ai… j'ai toujours pensé que je pourrais vous créer un foyer… comme vous n'en avez jamais eu. Je le désire toujours…

— Ma chérie, c'est ce que j'attendais de vous.

— Oui, mais écoutez-moi. La dernière fois, notre attachement s'est brisé à cause de l'opposition de ma famille, de mon père et de Francis. Mon père est mort. Il me déplaît de penser que j'irai à l'encontre de ses opinions les plus fortes, que je désobéirai à sa volonté la plus formelle. Mais je… pourrai m'y faire. Il me semble aujourd'hui… qu'il me pardonnerait et comprendrait. Pas Francis.

— C'est pour cela que je désire le voir.

— Pas ce soir, Andrew. Mon chéri, je sais ce que vous éprouvez, mais essayez d'être patient. Je tiens à avoir son consentement à notre mariage. Je ne veux pas provoquer une rupture entre nous, surtout aujourd'hui où il connaît de multiples difficultés. Je veux seulement saisir le bon moment pour lui parler, je pense alors parvenir à le convaincre. Je voudrais que vous partiez, Andrew, murmura-t-elle, j'ai l'impression que les choses tourneront mal si vous vous rencontriez ici.

On joua un autre menuet. Verity persuada enfin Andrew de prendre congé, en lui promettant de parler à Francis avant la fin de la semaine. Un peu imprudemment, peut-être guidée par le sentiment qu'il fallait lui prouver sa sincérité, elle l'accompagna jusqu'au bord de la piste de danse, évitant soigneusement la salle de jeu, pour gagner les portes principales du hall. Un valet de pied leur ouvrit et ils sortirent. À ce moment, ils virent Francis qui, revenant de la rue, montait à leur rencontre.

L'enseigne Carruthers, qui lui avait été présenté par Joan Pascoe, était venu grossir le nombre des cavaliers de Demelza. Un jeune homme du nom de Robert Bodrugan avait aussi fait une apparition, mais son oncle l'avait rapidement renvoyé. Les rires faisaient écho à chacune de ses réflexions comme si elle faisait montre d'un humour incomparable. En un sens, c'était très agréable, mais elle aurait préféré que pour un début ce fût plus discret. Et de temps à autre, elle tendait le cou pour chercher Ross.

Ce fut ainsi qu'elle vit Verity revenir de l'extérieur ; à son regard, elle comprit aussitôt que cela allait mal. Verity se dirigeait vers le vestiaire des dames. Contournant la piste, Demelza la suivit de sa démarche souple, avec une assurance qu'elle n'avait pas une heure plus tôt.

Parvenue à son but, elle trouva le chemin barré par Prudie Teague et sa sœur Ruth Treneglos, en compagnie de deux autres dames.

— Permettez-moi, madame, de vous présenter à deux amies impatientes de vous connaître, dit Prudie. Madame Poldark, voici lady Whitworth et Mme Maria Agar.

Demelza jeta un coup d'œil à Ruth et salua d'une révérence comme le lui avait appris Mme Kemps. Lady Whitworth lui déplut, mais elle jugea l'autre petite femme sympathique.

— Ma chère enfant, dit lady Whitworth, nous admirons votre toilette depuis le début de la soirée. Tout à fait remarquable ! Nous pensions qu'elle venait de Londres jusqu'à ce que Mme Treneglos nous eût affirmé le contraire.

— Ce n'est pas seulement la robe, renchérit Mme Agar, mais votre façon de porter la toilette !

— Merci, madame, s'empressa Demelza. Votre compliment m'enchante. Voulez-vous m'excuser, j'ai hâte de retrouver ma cousine.

— À propos, demanda Ruth, où est votre père, ma chère ? Nous ne l'avons pas revu depuis le baptême.

— En effet, madame, mon père rencontre peu de monde.

Elle les salua et entra dans le vestiaire. Dans la petite pièce mal aérée, il y avait deux femmes de chambre et trois invitées. Verity se tenait tête basse devant un miroir et contemplait ses mains.

Demelza s'approcha d'elle. Verity déchirait en bandes son mouchoir de dentelle.

— Verity, que se passe-t-il ?

Incapable de répondre, la jeune femme secoua la tête. Demelza regarda autour d'elle. Quand les deux dames sortirent, elle empoigna une chaise et contraignit sa cousine à s'asseoir.

— Dites-moi maintenant, chuchota-t-elle. Qu'y a-t-il ? Se sont-ils rencontrés ? Je craignais que cela n'arrive.

Verity secoua de nouveau la tête. Ses cheveux rebelles étaient en désordre. Comme trois femmes survenaient, Demelza se planta derrière la chaise de Verity.

— Laissez-moi remettre de l'ordre dans votre coiffure, proposa-t-elle. En dansant, vous avez dû perdre les épingles. Restez tranquillement assise un instant, je vais vous arranger cela.

Elle continua à babiller, retirant ou remettant des épingles à cheveux. Une ou deux fois, elle sentit la tête de Verity frémir sous ses doigts.

— Dites-moi ce qui est arrivé.

— Ils se sont rencontrés en haut des escaliers au moment où Andrew partait. Je savais que cela irait mal ce soir. Ils ont eu une terrible altercation, Andrew s'est efforcé de se montrer conciliant, mais il était impossible de discuter avec Francis. Il a frappé Andrew et j'ai cru que celui-ci allait le tuer. Au lieu de cela, il s'est contenté de regarder Francis, j'ai eu l'impression que son mépris me concernait autant que...

— Ne soyez pas stupide !

— Si, c'est vrai. Parce que je tenais à conserver l'affection de mon frère en même temps que celle d'Andrew et que j'avais peur de parler à Francis... J'ai été timorée. J'ai l'impression qu'Andrew ne tolère pas la faiblesse...

— Vous vous trompez, Verity.

— Ensuite, il est parti, sans un regard ni un mot pour moi. C'est pire que la dernière fois ! Je sais maintenant que je ne le reverrai jamais...

Dans la salle de jeu, Ross avait perdu trente guinées en quelques minutes et Francis, presque autant en deux fois moins de temps.

Francis était rentré de sa promenade avec un visage furieux. Il s'était assis à la table de pharaon sans un mot et personne ne lui avait adressé la parole. Même le banquier, qui s'appelait Page, semblait mal à l'aise. Margaret Cartland finit par bâiller et se leva, glissant quelques pièces d'or dans son sac.

Parvenue à la porte, Margaret posa une main possessive sur le bras de Vosper et scruta la piste de danse.

— Ces danses délicates m'ennuient profondément, dit-elle. Toutes ces simagrées pour rien !

Margaret continua à examiner la piste. Elle observa en particulier deux femmes, l'une avait la trentaine, paraissait sympathique et triste, et l'autre plus jeune, séduisante, aux cheveux sombres, montrait des épaules très dénudées au-dessus d'une robe à parements cramoisis.

— Va t'asseoir dans la salle de jeu, chérie, proposa Vosper, j'irai te chercher quelque chose à boire.

— Dis-moi plutôt qui est cette jeune femme là-bas, celle qui lève le menton. Est-elle de la région ?

— Aucune idée, avoua Vosper. Jolie silhouette. C'est même une très belle fille ! Je vais aller chercher des pâtisseries.

Après son départ, Margaret arrêta un homme qu'elle connaissait et apprit de lui l'identité des deux femmes. Un sourire un peu étonné se dessina sur ses lèvres. La femme de Ross Poldark ! Il jouait au pharaon avec un visage amer et furieux tandis qu'elle flirtait sans se soucier de lui avec une demi-douzaine d'hommes.

Margaret ne regrettait pas que ce mariage fût apparemment un échec. Elle se demanda si Ross possédait de la fortune. Il avait pour les petites sommes le mépris des aristocrates, elle le savait. Mais c'était le revenu qui comptait, pas la menue monnaie. Elle se le rappelait cinq ans plus tôt, dans cette cabane près de la rivière, et elle se demanda si elle avait quelque chance de lui offrir à nouveau sa consolation.

Dix minutes plus tard, le banquier tira les deux dernières cartes et, cette fois, Ross gagna. Comme il ramassait ses gains, il s'aperçut que Margaret se penchait vers lui.

— Avez-vous oublié que vous avez une épouse, monseigneur ?

Il leva la tête vers elle.

— Je ne plaisante pas, je vous assure. Elle fait sensation ! Si vous ne me croyez pas, venez voir.

Ross se dressa et s'approcha de la porte. Quand il avait évoqué Demelza au cours de la dernière heure, il l'avait imaginée sous l'aile de Verity.

— Par là, monseigneur, dit Margaret. Du moins me suis-je laissé dire que c'était votre femme, mais peut-être est-ce une erreur ?

Ce fut vraiment la faute de Demelza si à ce moment le tumulte s'accentua. Obsédée par Verity et par son inquiétude pour Ross, elle avait parlé sans réfléchir, et trois hommes au moins étaient persuadés qu'elle leur avait promis cette danse. John Treneglos avait pendant quelques minutes été entraîné ailleurs par sa femme mécontente. Mais sir Hugh Bodrugan faisait partie des trois essayant d'user de son droit d'aînesse et de son poids pour l'arracher à Whitworth. Le troisième candidat était l'enseigne Carruthers qui transpirait beaucoup mais, fidèle à la tradition de la Marine, refusait de baisser pavillon.

Un peu dépassée, Demelza promena son verre et déclara qu'ils devraient jouer la danse à pile ou face. Frappé par l'équité de cette solution, Carruthers précisa qu'il préférait risquer sa chance aux dés. De plus en plus furieux, sir Hugh affirma qu'il n'avait pas l'intention de « jouer » sa cavalière. Il refusait tout autant de céder sa place auprès d'elle. Demelza lui suggéra de prendre Verity, qui se récria. Sir Hugh s'inclina devant Verity et remercia en affirmant qu'une prochaine danse le comblerait.

À ce moment, un homme de haute taille intervint et Demelza se demanda avec la sensation de défaillir s'il s'agissait d'un quatrième soupirant. Elle redressa la tête et comprit que c'était le cas.

— Pardonnez-moi, monsieur, dit Ross en s'avançant. Excuse-moi…, ajouta-t-il en s'inclinant assez froidement devant sa femme. Je suis venu voir si tu avais besoin de quelque chose, ma chère.

— Ah ! Je savais bien que j'avais promis cette danse à quelqu'un ! s'exclama Demelza en se levant.

Il y eut un éclat de rire général, auquel sir Hugh ne se joignit pas. Il avait bu toute la soirée et ne reconnut pas aussitôt Ross qu'il avait rarement rencontré.

— Non, monsieur, non, madame, ce n'est pas juste, par le Ciel ! Cette danse m'était promise.

Ross toisa l'homme. Sir Hugh était autant que les autres responsable de la mort de Jim. Et le voir danser avec Demelza eût été un affront.

— As-tu promis cette danse ? demanda-t-il à sa femme.

Demelza plongea son regard dans celui glacial de Ross, cherchant une explication qu'elle ne trouva pas. Son cœur défaillit.

— Oui, avoua-t-elle, peut-être à sir Hugh. Venez, monsieur. Je sais à peine danser convenablement la gavotte, mais vous me montrerez.

Elle se détourna et elle s'éloignait avec le baronnet pour rejoindre les couples qui se formaient, mais Ross la saisit soudain par la main.

— Je revendique mes droits, tu vas donc décevoir tous tes amis.

Sir Hugh l'avait maintenant reconnu. Il ouvrit la bouche pour protester. Mais Ross était parti, entraînant une Demelza furieuse et désespérée. Ils se saluèrent quand la musique commença. Ils ne dansaient pas bien du tout ensemble.

— Peut-être aurais-je dû demander des présentations, lança Demelza en tremblant. Il y a si longtemps que nous ne nous sommes rencontrés.

— Tu t'es certainement consolée de mon absence, persifla Ross. Et il ne m'a pas semblé que j'étais le bienvenu en arrivant.

— Ces gens ne se sont en effet pas montrés aussi désagréables ou négligents que toi !

— Dans ce genre d'endroits, on peut toujours rencontrer des parasites prêts à guetter le moindre encouragement.

— Non, Ross, tu m'as fait du tort, et à eux aussi ! L'un est un baronnet et habite Werry House, il m'a invitée à prendre le thé et à jouer aux cartes. Un autre, ecclésiastique, a voyagé sur tout le continent. Un troisième est officier de marine. Il y en a même un qui est de ta famille ! Non, Ross, tu ne peux pas dire cela d'eux !

— Je les déteste tous ! poursuivit Ross sur un ton moins âpre. Ces gens et leur stupidité ! Je ne comprends pas le plaisir que tu éprouves à te mêler à eux. Si ce sont ceux de ma race, alors j'ai honte d'appartenir à ce clan !

Ils se séparèrent et, comme le voulait la danse, s'avancèrent ensuite l'un vers l'autre. Demelza soudain attaqua :

— Eh bien, si tu les juges tous stupides, gros et laids, tu te trompes comme tout le monde ! Parce que Jim a eu de la malchance et qu'il en est mort, parce que lui et Jinny sont de braves gens, tu voudrais croire que tous les pauvres sont comme eux. Là aussi tu te trompes terriblement, je peux te l'affirmer. J'ai vécu avec eux, chose qui ne t'est jamais arrivée. Il y a du bon et du mauvais dans toutes les classes de la société, et tu ne redresseras pas le monde en pensant qu'il faut blâmer pour la mort de Jim tous ceux qui sont ici ce soir.

— Ils sont en effet responsables, par leur égoïsme et leur indolence…

— Et tu ne redresseras pas le monde en buvant du cognac toute la soirée et en jouant, quitte à m'abandonner pour mon premier bal, quitte à revenir te conduire grossièrement avec ceux qui ont essayé de veiller sur moi…

22

Lorsque le bal prit fin, la nuit n'était pas terminée. Les invités avaient entonné des chants patriotiques et le *God Save the King*. Ensuite, le groupe Warleggan partit.

Mais en arrivant à la maison Warleggan, personne n'avait envie de se coucher. Un buffet attendait les invités. Les amateurs s'installèrent rapidement pour jouer au whist, au trictrac et au pharaon, Sanson harcela Ross pour le pousser à se joindre à lui à une table de whist français.

Demelza regarda anxieusement son mari s'éloigner.

La soirée, trépidante, s'était déroulée dans une atmosphère d'excitation vaguement trouble. Demelza s'était amusée, mais son plaisir n'avait jamais été total.

Chez les Warleggan non plus, elle n'était pas sans soupirants, bien que le nombre eût diminué. Sir Hugh était revenu se placer dans son ombre, comme John Treneglos qui avait échappé à sa femme et Carruthers qui s'entêtait. Verity disparut à l'étage, mais en dépit de l'absence de son mari, Demelza ne fut pas autorisée à imiter sa cousine. Elle se laissa entraîner en protestant vers la table de pharaon. On lui fournit un siège, on posa de l'argent devant elle, on lui souffla à l'oreille conseils et instructions. Peu importait qu'elle ne connût rien au jeu, n'importe qui pouvait jouer au pharaon.

Demelza gagnait. Sans éclat mais avec insistance. Elle ne misait pas plus d'une guinée sur une carte, mais chaque fois qu'elle misait, elle était suivie par les autres, et quand la carte était gagnante, des murmures de triomphe se produisaient derrière Demelza.

On avait prêté vingt livres à Demelza, qui l'avait soigneusement noté. Elle calcula que si elle parvenait à soixante-dix, cela lui laisserait cinquante livres pour elle, elle partirait avec ses gains et aucun homme au monde ne pourrait la retenir. Elle était arrivée à soixante et une quand elle entendit Hick dire à mi-voix à quelqu'un :

— Poldark perd gros.

— Vraiment ? Mais je croyais que le banquier venait de casquer ?

— Je parlais de l'autre Poldark, celui qui joue avec Sanson.

Quelque chose en Demelza se glaça. Elle misa et perdit, misa à nouveau et perdit encore, se hâta de miser et perdit cinq guinées. Elle se leva.

Dans l'angle de la seconde pièce, une foule était réunie autour d'une petite table à laquelle étaient assis Ross et Sanson, le gros marchand de grains. Elle s'approcha pour pouvoir voir les cartes.

Demelza étudia le jeu quelques instants, essayant de le comprendre. Le long visage mince de Ross, avec ses mâchoires volontaires, ne laissait rien paraître de son ivresse, mais une ride profonde s'était creusée entre ses sourcils. Oui, la chance s'obstinait à le fuir.

Lorsqu'il eut tiré des traites pour deux cents livres – tout l'argent dont il disposait et le maximum que pouvait honorer Harris Pascoe –, il s'arrêta et envoya un valet lui chercher à boire.

Ross offrit sa montre en or.

— Cinquante guinées ? proposa Sanson.

— Comme vous voudrez.

En quelques minutes, les cinquante guinées avaient disparu. Sanson se rejeta en arrière sur son siège et épongea la sueur sur son gros visage rond. Il loucha vers la montre.

— Donnez-moi un nouveau jeu de cartes, ordonna Ross.

— Avec quoi voulez-vous jouer ? s'enquit Sanson, un peu sarcastique.

— Avec l'actif que je pourrai réaliser.

Demelza comprit qu'il voulait parler des parts de Wheal Leisure. Elle se pencha brusquement en avant pour poser devant lui trente-quatre souverains.

— J'ai un peu d'argent liquide, Ross.

Il leva la tête, surpris, car il ignorait sa présence. D'abord, il la dévisagea et son regard se fit hostile.

— Fais-moi plaisir, Ross.

Le valet revint avec un jeu de cartes neuf.

Et la partie continua longtemps, acharnée.

— Avouez-vous battu, proposa Sanson après un moment. Ou avez-vous d'autres bijoux à vendre ?

— J'ai des actions.

— Non, Ross, protesta Demelza dans un murmure. Viens, le coq va bientôt chanter.

— Je t'en prie, Demelza.

Elle se tut. Elle vit le regard de Sanson se poser sur la broche de rubis que Ross lui avait offerte. Elle se recula un peu et, instinctivement, couvrit la broche de sa main. Ross distribuait déjà les cartes. Brusquement, Demelza posa la broche près de lui sur la table.

— Joue ce bijou, si tu veux.

— Reste en dehors de ceci, Demelza, ordonna Ross.

— Tu ne dois pas perdre le reste, chuchota-t-elle. Joue la broche, je te la donne librement, si tu tiens à poursuivre.

Et jusqu'à 5 heures, le jeu continua. S'agrippant fermement au fauteuil de Ross, Demelza essayait de suivre ce duel diabolique à travers les larmes qui embrumaient ses yeux.

— Une carte, demanda à un moment le marchand.

— Cinq pour moi.

Ross parut avoir oublié que Sanson devait être servi le premier, car il tendit la main pour tirer en même temps. Leurs doigts se rencontrèrent et, au lieu de prendre des cartes, ceux de Ross saisirent le poignet de Sanson. Celui-ci grogna pendant que Ross lui retournait lentement la main, paume en l'air, montrant le roi de cœur.

Il y eut un lourd silence.

— Je me demande comment vous expliquerez que vous tenez une carte en main avant d'avoir tiré.

Sanson paraissait au bord de l'évanouissement.

— C'est stupide, balbutia-t-il. J'avais déjà tiré la carte quand vous m'avez pris la main.

— Je le crois aussi, Ross, intervint George. Si…

— Non, c'est faux ! s'écrièrent ensemble Hick et Vosper.

Ross lâcha brusquement la main du joueur pour l'empoigner par le jabot de sa chemise, le soulever de son siège et le coucher à demi sur la table.

— Laissez-moi voir si vous avez d'autres trucs sur vous.

En une seconde, la situation devint confuse. La table fut renversée, les pièces de monnaie roulèrent à terre. Sanson se débattait, cependant que Ross ouvrait sa chemise et sortit deux autres cartes de la poche intérieure de l'habit qu'il lui enleva.

Ross se leva et se mit à examiner le vêtement, sortant ses propres traites pour les poser sur une chaise. Debout, muet, Sanson soudain se précipita pour récupérer son habit. Ross le retint, lâcha le vêtement et repoussa l'homme avec rudesse. L'autre se rassit, suffoqua et se redressa. Ross le bouscula, l'attrapa par le dos de sa chemise et le fond de sa culotte de soie.

— Ouvre la fenêtre, Francis ! ordonna-t-il.

— Écoutez, Ross, s'interposa George, nous ne voulons pas de bagarre ici…

Mais Ross passa outre, portant le marchand qui gigotait jusqu'à la porte-fenêtre. Ils sortirent et descendirent les quatre marches.

Dehors coulait la rivière. Près de la rive, Sanson se débattit avec plus d'énergie, s'efforçant de se libérer. Il hurlait et Ross le secoua pour l'obliger à se taire. Puis, bandant ses muscles, il souleva l'homme, le balança en arrière et le projeta en avant. L'effort manqua de le déséquilibrer. Les cris aigus de Sanson s'achevèrent dans un gros plouf.

Ross reprit son équilibre et regarda au-dessous de lui. Il ne pouvait rien distinguer. Il se détourna et rentra dans la maison. Près de l'escalier, George le prit par le bras.

— Il est parti dans la rivière ?

— Il est allé là où la rivière devrait être.

— Mais il va suffoquer dans cette boue !

— Je regrette d'avoir dû attaquer votre invité et d'avoir provoqué ce tapage, dit Ross. Mais cet individu le méritait.

Demelza était depuis dix minutes dans sa chambre lorsque Ross y pénétra. Elle s'était dévêtue, avait suspendu sa belle robe dans l'armoire d'acajou, libéré sa chevelure, enfilé une chemise de nuit avec un volant de dentelle à l'encolure. Assise dans le lit et fixant son mari avec une expression inquiète, elle avait l'air d'avoir seize ans.

Il ferma la porte, considéra la jeune femme de ses yeux devenus plus clairs comme chaque fois qu'il était en colère. Puis il baissa la tête vers ce qu'il tenait dans sa main.

— Je t'ai rapporté ta broche, déclara-t-il, maintenant parfaitement sobre, comme n'ayant pas bu de la soirée.

— Oh ! Merci !

— Tu l'avais laissée sur la chaise.

Il s'approcha de la coiffeuse et y posa le bijou.

— Merci de me l'avoir prêtée.

— Je... Il me déplaisait de penser que Wheal Leisure... tous tes projets et tes plans... Tu as récupéré tes pertes de la soirée ?

— Oh, oui ! répondit-il en commençant à se déshabiller.

— Quand t'es-tu aperçu qu'il trichait, Ross ?

— Je ne sais pas... Au moment où tu es arrivée. Non, plus tard, mais je n'en étais pas sûr.

— C'était pour cela que tu refusais d'abandonner ?

— Par moments, il ne trichait pas et je me mettais à gagner. Je savais que si je continuais assez longtemps, il se remettrait à tricher. Ses mains devenaient moites.

Elle se releva.

— Je vais mettre la broche en sécurité, je ne pourrais pas dormir la sachant là. Je vais la placer sous mon oreiller.

— Tes débuts dans la société n'ont pas dû être très agréables, ce soir.

— Non, avoua-t-elle, baissant la tête.

Il lui entoura la nuque de ses mains. Leurs regards se rencontrèrent.

— Tout ce que je t'ai dit dans la salle de bal... j'avais tort. Tu avais le droit d'accepter les attentions de ces hommes puisque je te négligeais.

— Oui... mais je connaissais la raison de ton attitude. J'étais inquiète. Ils tournaient autour de moi comme un essaim d'abeilles. Je n'avais pas le temps de réfléchir. Et tu es venu...

Elle retourna dans le grand lit et il s'assit à ses côtés. Elle remonta ses genoux et le contempla.

— Et il y a eu Verity...

Elle lui raconta l'incident. Un long silence s'ensuivit, un de ces silences amicaux qui les unissaient souvent.

— Quel monde tordu ! murmura-t-il.

Le lendemain, ils prirent congé des Warleggan à 13 heures. George descendit les marches, affable, distingué, pour les accompagner. Pas un mot sur la bagarre de la nuit, tout se passa comme si Sanson n'avait jamais existé. Ils se quittèrent sur des rires, des remerciements et des promesses hypocrites de se revoir bientôt.

Au moment de se mettre en selle, Demelza vit venir à elle un palefrenier de la taverne des Sept-Étoiles, qui lui remit une lettre cachetée. Comme elle était très entourée, elle n'eut que le temps de la glisser dans la poche de sa robe en espérant que personne n'aurait rien remarqué.

Francis n'avait pas adressé la parole à sa sœur depuis la veille, et tandis qu'ils chevauchaient côte à côte, aucun ne semblait enclin à parler. Mais quand ils atteignirent les landes, Ross et Francis passèrent en tête, suivis par les trois jeunes femmes qui marchaient de front et par les deux domestiques de Trenwith avec les poneys chargés de bagages. Ce fut à ce moment que Francis et Ross eurent, pour la dernière fois avant longtemps, une conversation amicale. Derrière eux, Verity n'ayant rien à dire, Elizabeth et Demelza discutèrent ensemble, en égales, pour la première fois de leur existence.

Évitant soigneusement ce qui concernait le capitaine Blamey, Ross et Francis parlèrent de Sanson. Francis ignorait sa parenté avec les Warleggan.

Ross s'aperçut que Demelza et Elizabeth bavardaient, le son de leurs voix porté par le vent lui procura du plaisir. Ce serait étrange et agréable si ces deux femmes se liaient d'amitié. Il l'avait toujours souhaité.

En arrivant à Trenwith, ils entrèrent prendre le thé. On examina Geoffrey ainsi que Julia. Il était donc tard lorsque Ross, portant l'enfant dans ses bras, et Demelza menant le cheval de son mari par la bride, entamèrent les cinq kilomètres qui les séparaient de Nampara.

— Verity prend de nouveau mal la situation, observa Ross. Elle n'a pas soufflé mot pendant le thé.

Son expression me fait mal à voir. Dieu merci, nous n'avons du moins pas été mêlés à cet épisode.

— Oui, Ross, répondit Demelza, la lettre lui brûlant la peau à travers la robe, dans sa poche.

Elle avait disposé d'un instant pour lire la missive.

Madame, puisque vous nous avez réunis, c'est vers vous que je me tourne pour vous demander encore votre assistance dans la crise que nous traversons. Francis est impossible, jamais il n'acceptera une réconciliation. Il faut donc que Verity choisisse, et rapidement, entre nous. Je ne redoute pas son choix, mais je n'ai aucun moyen de communiquer avec elle et de prendre les dispositions nécessaires. C'est en cela que j'ai besoin de votre aide…

Quand ils atteignirent leur vallée, le soleil se couchait.

— Je déteste l'idée de rentrer aujourd'hui dans notre maison et sur nos terres, dit soudain Ross. Cela me ramène au chagrin de Jinny et à mon échec.

— C'est merveilleux de voir la mer après une journée d'éloignement ! soupira-t-elle.

Comme ils repartaient, ils virent une silhouette de femme courant à flanc de colline. Ses longs cheveux noirs flottaient au vent et elle portait un sac qu'elle balançait en courant.

— C'est encore Karen Daniel ! remarqua Demelza. Lorsqu'elle va à Sawle, elle coupe à travers mon jardin.

— Personne n'a dû la prévenir de la différence. À propos, on m'a demandé ce matin si Dennis Enys fréquentait une femme du voisinage. As-tu entendu un bruit de ce genre ?

— Non, fit Demelza pour qui soudain tout se mit en place.

Ils traversèrent le pont. Ross eut brusquement envie de s'unir au désir de bonheur de Demelza, de réparer pour elle les désagréments de la nuit précédente. Pourquoi pas ? Étrange comme souvent les mots amers viennent aisément et comme il est dur d'entendre ceux qui sont doux.

— Tu m'as entendu parler de Harris Pascoe ?

— Ton banquier ?

— Oui. Il est l'homme le mieux informé du comté ! Sans avoir assisté à la réception d'hier, il n'ignorait rien du succès que tu y as remporté.

— Mon succès ?

— Oui, grâce aux réflexions des dames qui ont parlé de ta beauté et du fait que le lord lieutenant a demandé ton nom.

— Qui a pu raconter cela ?

— Cela venait de bonne source !

— Judas ! Je n'ai même jamais su qui était le lord lieutenant. Ross, je ne parviens pas à y croire, s'écria Demelza d'une voix aiguë. Personne ne pouvait remarquer qui que ce soit dans cette cohue. Il a dit cela pour te faire plaisir.

La porte de la maison était ouverte, mais il n'y avait personne pour les accueillir.

— Je... c'est drôle d'y penser, dit Demelza. Ce devait être la merveilleuse robe que tu m'as offerte.

— Un beau cadre ne fait pas un joli tableau.

— Pfutt... Je me sens toute bizarre. Je n'avais jamais pensé à...

John Gimlett surgit en courant et s'excusa de ne pas avoir été à la porte.

Karen avait une excellente raison pour se hâter. Elle avait dans son sac le souper de Mark. Elle courut presque tout le long du chemin, s'engouffra dans la maisonnette et se mit à rassembler des brindilles pour allumer le feu.

Elle n'avait pas vu Dennis Enys depuis près d'une semaine. Et il était de retour ! Elle prépara le repas, réveilla son mari et, tout en picorant, le regarda dîner. Elle était capricieuse à table comme partout, préférait mourir de faim quand le menu ne lui plaisait pas, et se goinfrait jusqu'à l'étouffement si un mets lui convenait.

Elle resta assise là, regardant Mark se préparer pour descendre dans la mine. Ces temps-ci, il s'était montré plus morose, moins soumis à ses quatre volontés. Parfois, elle se disait qu'il la surveillait. Mais elle ne s'en souciait pas, elle était persuadée d'être toujours en mesure de le déjouer, et elle s'efforçait de ne rien faire d'équivoque quand il se trouvait dans les parages. Elle n'était vraiment libre que lorsqu'il était de service de nuit et, jusqu'à présent, elle avait hésité à user de cette liberté, non qu'elle craignît d'être surprise, mais elle redoutait l'opinion de Dennis.

— N'oublie pas de verrouiller la porte pendant mon absence, conseilla Mark.

— Mais il faudra que je me lève pour t'ouvrir !

— Tant pis, tu feras ce que je te dis. Je ne veux pas que tu dormes ici la nuit, la porte ouverte. C'est curieux que cela ne t'inquiète pas davantage.

— Personne n'ose s'aventurer par ici, fit-elle, haussant les épaules. Et un mendiant ou un vagabond ne saurait pas que tu es absent !

Il prit ses affaires et se dirigea vers la porte. Avant de sortir, il se retourna pour la contempler, assise à la lueur de l'unique chandelle qui éclairait son teint pâle, ses paupières claires sous ses cils sombres, ses cheveux noirs. Une terrible crispation le tordit, où se mêlaient l'amour, le doute et la jalousie. Elle restait là, délicieuse comme un beau fruit. Il l'avait épousée, et pourtant il avait l'impression grandissante qu'elle n'était pas faite pour lui.

— Karen… n'ouvre à personne avant que je sois de retour.

— Non, Mark, répondit-elle en le fixant. À personne.

Après son départ, elle demeura longtemps assise immobile. Puis elle souffla la chandelle, s'avança vers la porte, l'ouvrit afin de pouvoir entendre la cloche de la mine sonner le changement d'équipes. Alors, elle referma la porte, la verrouilla, ralluma la chandelle qu'elle porta dans sa chambre. Elle s'étendit sur le lit.

Finalement, elle se releva, se coiffa, fouilla une boîte en quête d'un reste de poudre, enfila un manteau sombre, noua sur ses cheveux le foulard rouge que Mark lui avait offert et quitta la maison.

Comme elle s'y attendait, une lumière brillait à Gatehouse ; Karen ne frappa pas à la porte, mais se rendit sur la pointe des pieds parmi les ronces sauvages jusqu'à la fenêtre éclairée qui faisait face à la colline. Elle s'arrêta pour retirer son foulard et secouer sa chevelure, et cogna à la porte.

Elle attendit un instant, mais ne frappa pas une seconde fois, elle savait que Dennis avait l'ouïe fine. Soudain, on tira les rideaux, Karen se trouva face à Dennis.

— Karen ! Qu'y a-t-il ? Vous allez bien ?

— Oui. Je... je voulais vous voir, Dennis. Aidez-moi à entrer par ici.

Un feu crépitait dans la cheminée. Deux candélabres étaient allumés sur la table au milieu de paperasses éparpillées. Dennis portait une robe de chambre râpée et ses cheveux étaient ébouriffés. Il était beau, avait l'air très jeune.

— Pardon, Dennis, mais je... je ne pouvais pas venir à un autre moment. Mark est d'équipe de nuit. J'étais si impatiente... Inquiète... pour vous. On m'a raconté à propos des fièvres. Je vous savais rentré depuis mardi, mais je ne pouvais venir et vous ne m'aviez envoyé aucun message...

— Comment l'aurais-je pu ? Je ne savais pas quand travaillait Mark. Il n'y avait aucune raison de vous inquiéter pour moi. Nous nous sommes soigneusement désinfectés avant de rentrer. Enfin, vous êtes gentille de vous être fait du souci, fit-il en la dévisageant. Merci. Mais c'est risqué de venir à cette heure de la nuit.

— Pourquoi ? Mark est descendu à la mine.

Le bal de la veille et le soudain contact rafraîchissant avec les gens de son milieu l'avaient rasséréné. Il lui avait été salutaire de revoir Elizabeth Poldark, la plus belle femme qu'il eût connue. De voir aussi Joan Pascoe, et d'opposer sa féminité de jeune fille équilibrée au souvenir de l'impulsive créature capricieuse qu'était Karen. Il était revenu certain que ce jeu fantastique avec le feu devait cesser.

Mais en face de Karen, le choix n'était plus aussi facile. Joan et les autres femmes étaient à distance, lointaines ; c'étaient de jeunes dames, des êtres appartenant à cette société qui maquillait le monde. Karen était une réalité, il connaissait déjà le goût de ses lèvres, le contact de son corps.

— Eh bien, dit-elle comme lisant ses pensées, vous ne voulez pas m'embrasser ?

— Si… Et il faudra partir, Karen.

23

— Raconte-moi l'histoire du mineur égaré, tante Verity, demanda Geoffrey.

— Je te l'ai déjà lue.

— Encore une fois, s'il te plaît.

D'un air distrait, Verity ébouriffa la tête de l'enfant et reprit le livre. Elle ressentit un choc intérieur en songeant que le lendemain, à la même heure, elle ne serait plus là pour lui faire la lecture.

Les fenêtres du grand salon étaient ouvertes et les rayons du soleil de juillet dessinaient des stries sur la robe de soie beige d'Elizabeth qui brodait un gilet. Tante Agatha, qui n'aimait pas le grand air, était blottie auprès du feu qu'elle exigeait. Elle ronronnait comme un vieux chat fatigué, une bible ouverte abandonnée sur ses genoux. C'était dimanche.

Verity termina l'histoire et fit doucement glisser Geoffrey de ses genoux.

— Il a la mine dans le sang, Elizabeth, observa-t-elle, aucune autre histoire ne lui plaît autant !

La jeune femme sourit sans quitter son ouvrage des yeux.

— Il peut changer en grandissant, reprit Verity en se levant. Je n'irai pas aux vêpres, j'ai la migraine.

Francis entra tandis que sa sœur s'activait dans la cuisine. Cet été, il avait essayé d'aider à la ferme, mais le travail ne convenait pas à son caractère.

— Tabb est le seul à qui l'on puisse confier des travaux de ferme, remarqua Francis. Nous faisons de notre mieux pour les gens du pays, mais comment demander à des mineurs qu'ils deviennent du jour au lendemain des ouvriers agricoles !

— Je n'irai pas à l'église ce soir, Francis, dit Verity. J'ai mal à la tête, ce doit être cette chaleur.

— J'ai moi-même envie de ne pas y aller. Elizabeth peut y aller seule, elle représentera la famille.

Francis sortit sans insister et Verity s'aperçut que ses mains tremblaient. Elle avait choisi le dimanche à 16 heures, pensant que son frère serait absent.

Elle quitta vivement la cuisine et, au lieu de retourner dans la maison, traversa la cour en passant devant la fontaine en ruine. Dans le grand salon, elle monta l'escalier en courant. C'était peut-être la dernière fois qu'elle voyait Geoffrey, mais il lui était impossible de lui faire ses adieux.

Verity s'assit calmement sur la banquette sous la fenêtre. Un froid bizarre envahit son corps au contact de la vitre. Elle leur manquerait à tous, pas seulement ce soir, mais à l'avenir. Elle éprouvait le même sentiment à l'égard des siens. En des temps meilleurs, elle serait partie le cœur plus léger. Elizabeth n'était pas solide et il faudrait une autre femme pour aider Mme Tabb.

Mais quelle autre voie s'offrait à elle ? Elle ne pouvait exiger d'Andrew qu'il patientât davantage. Elle ne l'avait pas vu durant les trois mois qui avaient suivi le bal, ils avaient échangé des messages par l'intermédiaire de Demelza. Verity avait déjà remis son départ en raison d'une maladie de Geoffrey. Ce dimanche était presque aussi mal choisi, mais elle devait partir ou rester définitivement.

Son cœur bondit. Elizabeth descendait l'allée, élancée et fine, gracieuse dans sa robe de soie sous une ombrelle crème. Francis apparut... Verity se leva, puis tira son sac caché sous le lit. Elle se glissa vivement dehors et gagna l'escalier de derrière.

Ils rentrèrent à pied chez eux, accompagnés par la famille du pasteur Odgers. Francis s'était plié aux arguments de sa femme : avec dix enfants à charge, c'était probablement le seul repas digne de ce nom que prenaient les Odgers de la semaine.

Les dames marchaient devant les deux hommes qui commentaient un nouveau scandale provoqué par l'ex-valet de Ross.

— Jud Paynter est incorrigible, remarqua Francis. Je me demande pourquoi mon cousin ne l'a pas chassé plus tôt !

— L'homme est un gredin, monsieur. Il mériterait d'être jeté en prison.

— Et s'il ne faisait qu'inventer ce qu'il racontait ? Ce qu'il a dit sur la France est-il exact, par exemple ?

— Il y a du vrai, monsieur. Ma femme a eu l'occasion de rencontrer Mme Janet Trencrom – vous savez, la nièce par alliance de M. Trencrom – et... Maria, que te disait Mme Trencrom ?

— Que l'on regorgeait de tout à Cherbourg, mais c'était naturellement exagéré. Il paraît que la prison française – la Bastille, je crois – a été prise d'assaut par des émeutiers mardi ou mercredi dernier...

Le gouverneur et plusieurs de ses hommes ont été massacrés.

— Ces bruits sont-ils fondés ? demanda Francis au bout d'un moment.

— Je suis persuadé qu'il n'en est rien, protesta Odgers avec véhémence.

À Trenwith, tandis que les dames se rafraîchissaient le visage, Francis emmena le pasteur dans le jardin. Lorsqu'ils revinrent pour le dîner, les yeux de Mme Odgers luisaient à la vue de tant de nourriture.

— Où est Verity ? s'informa Francis.

— Je suis allée dans sa chambre dès mon retour, elle ne s'y trouvait pas, répondit Elizabeth.

— As-tu vu Verity ? cria Francis dans l'oreille de la vieille Agatha.

— Quoi ? Verity ? Je crois qu'elle est sortie.

— A-t-elle dit où elle allait ?

— Qui ? Verity ? Je n'ai rien compris de ce qu'elle disait, mais elle a laissé une lettre pour vous deux.

— Où est-elle, cette lettre ? s'enquit Elizabeth qui avait déjà compris.

Agatha boitilla jusqu'à la table en s'appuyant sur ses cannes et trouva le pli scellé.

— C'est un peu insultant de cacheter une lettre que l'on me confie, grommela-t-elle. Quoi ? Comme si je me souciais des secrets de Mlle Verity… Je me rappelle le jour de sa naissance. En hiver 1755. Juste après les réjouissances pour la prise de Québec.

— Lis ceci, coupa Francis en tendant la lettre ouverte à sa femme.

Une colère brutale et incontrôlable crispait maintenant ses traits fins. Les yeux d'Elizabeth parcoururent vivement la missive.

Je t'ai aimé toute ma vie, cher Francis, et vous, Elizabeth, depuis sept ans. Je vous supplie donc tous les deux de comprendre le chagrin que j'éprouve à l'idée de ce qui va être notre séparation. Pendant plus de trois mois, j'ai été déchirée par un double sentiment d'affection loyale qui grandissait en moi avec une force égale et qui en des circonstances plus heureuses, aurait pu exister sans conflit. Celui que j'ai choisi de détruire était profondément enraciné, mais je l'ai fait pour suivre ma propre destinée avec un homme en qui vous n'avez pas confiance. Cela va vous paraître le comble de la folie, mais, je vous en prie, ne considérez pas mon départ comme une désertion. Mes très chers, j'aurais été si heureuse si la distance seule devait nous séparer…

— Francis ! cria Elizabeth. Où vas-tu ?

— Voir s'il est encore temps de la ramener !

Il quitta brusquement la pièce.

— Qu'est-ce qui lui prend ? protesta Agatha. Que dit cette lettre ?

— Pardonnez-moi, expliqua Elizabeth à ses hôtes qui restaient bouche bée. Il y a… je crains qu'il n'y ait quelque malentendu. Dînez et ne nous attendez pas…

— À quelle heure Mlle Verity a-t-elle quitté la maison ? demanda Francis à Bartle, à la cuisine.

— Il y a une heure et demie, monsieur, répondit Bartle en dévisageant son maître avec curiosité. Juste après votre départ pour l'église.

— Quel cheval a-t-elle pris ?

— Le sien, monsieur. Ellery l'a accompagnée. Il vient de rentrer aux écuries et nourrit les chevaux.

Francis se ressaisit et se précipita aux écuries. Les chevaux étaient tous là.

— Ellery ! appela-t-il. J'apprends que tu es parti à cheval avec Mlle Verity. Est-elle revenue avec toi ?

— Non, monsieur. Un monsieur l'attendait à Bargus Cross, elle est montée sur le cheval qu'il avait amené et elle m'a renvoyé.

— Quel genre, ce monsieur ?

— Probablement un marin, monsieur, à en juger par ses vêtements…

Une heure et demie. Ils avaient déjà dû dépasser Truro. Et deux ou trois routes s'offraient à eux. Ainsi, elle était allée jusque-là ! Elle s'était décidée à rejoindre cet ivrogne, cet assassin, et rien ne l'arrêterait. Blamey exerçait sur elle un pouvoir démoniaque. Malgré son passé et ses façons, il lui suffisait de siffler pour la voir accourir.

En rentrant, Francis trouva Elizabeth dans la cuisine.

— Nous devons nous résigner à son départ, Francis, dit-elle. C'est sa décision. Elle est adulte et libre. En dernier ressort, nous n'aurions jamais pu l'arrêter si elle avait décidé de partir. J'aurais seulement préféré qu'elle agisse ouvertement, si elle devait finalement couper les ponts.

— Maudit soit Ross ! grinça Francis. C'est son œuvre, à lui et à cette gosse impudente qu'il a épousée. Tu ne comprends pas… Il a préparé son coup depuis des années. Il y a cinq ans, connaissant notre désapprobation, il les a autorisés à se rencontrer chez lui, il a encouragé Verity malgré tout ce que nous disions. Il n'a jamais surmonté sa défaite. D'ailleurs, il a toujours eu horreur de perdre. Je me demandais comment Verity avait de nouveau rencontré ce type, c'était certainement grâce aux machinations de Ross. Et pendant ces derniers mois, après ma querelle avec Blamey, il a agi au nom de Blamey, veillant aux intérêts de cette ordure et se servant de Demelza comme intermédiaire et facteur !

— Ton jugement me paraît trop hâtif, affirma Elizabeth. Jusqu'ici, nous ne savons même pas si Demelza y est mêlée.

— Les faits parlent d'eux-mêmes ! Blamey n'a pas pu organiser autrement sa fuite.

— Enfin, nous n'y pouvons rien maintenant. Elle est partie et je ne sais pas ce que nous ferons sans elle ! Et elle manquera terriblement à Geoffrey. Il faut retourner avec les Odgers, ils vont nous juger très grossiers. Il n'y a rien à faire ce soir, Francis. Que dois-je leur raconter ?

— La vérité. De toute façon, elle fera le tour du pays dans un jour ou deux. Ross sera ravi !

On frappa à la porte et Elizabeth alla ouvrir.

— S'il vous plaît, monsieur, M. Warleggan est là, annonça Mary Bartle.

— Qui ? Je me demande s'il a des nouvelles !

George entra, soigné, puissant et large d'épaules. Il se faisait rare depuis quelque temps.

— Ah ! je suis heureux que vous ayez fini de dîner ! Elizabeth, cette robe simple vous va à…

— Dieu du Ciel, nous ne sommes pas passés à table ! s'exclama Francis. Avez-vous des nouvelles de Verity ?

— Elle est partie ?

— Avec ce voyou de Blamey !

George les scruta tour à tour, essayant de deviner leur état d'esprit.

— Je suis navré. Puis-je quelque chose ?

— Non, c'est sans espoir, intervint Elizabeth. J'ai dit à Francis que nous devons nous résigner à la situation. Les Odgers sont ici, ils vont nous croire tous devenus fous. Pardonnez-moi, George, je vais voir s'ils ont commencé à dîner.

Elle passa devant lui et il la suivit d'un regard admiratif.

— Vous devriez savoir, Francis, que l'on ne peut raisonner avec les femmes, ce sont des entêtées! déclara-t-il.

Francis tira sur le cordon de la sonnette.

— Vous êtes entré dans une maisonnée qui ne sourira pas ce soir, George. Madame Tabb, servez le dîner ici. Écoutez, George, il y a dans cette fuite quelque chose qui décuple ma colère.

George caressa son gilet de soie fleuri.

— Je m'aperçois que je n'aurais pu choisir un soir plus inopportun pour venir. Nous nous voyons si rarement à Truro ces temps-ci que je suis contraint d'attendre l'occasion et de mêler les affaires au plaisir.

Bien que préoccupé et tendu, Francis comprit que George était guidé par des intentions précises. Depuis la partie de cartes d'avril, les relations entre eux n'étaient pas excellentes.

— Des affaires… agréables?

— On peut l'envisager ainsi! Cela concerne Sanson et l'affaire que vous avez soulevée il y a quelque temps.

Jusqu'alors, ni Francis ni les autres n'avaient tiré quoi que ce fût du marchand de grains. Il avait fui Truro le lendemain de sa bagarre avec Ross et on le croyait à Londres.

— Nous en avons discuté plusieurs fois, mon père et moi, dit George. Nous n'avons dans cette affaire aucune obligation, mais la conduite de Sanson nous embarrasse. Comme vous le savez, nous devons nous-mêmes fabriquer une réputation que nos ancêtres ne nous ont pas laissée en héritage.

George faisait rarement allusion à ses humbles origines.

— Comme je vous l'ai dit en mai, la plupart de vos reconnaissances de dettes signées à Sanson sont entre les mains de Cary. Il a toujours été le trésorier de la famille, comme Sanson en fut la bête noire, et vos traites ont été acceptées par Cary en échange d'avances en liquide faites à Sanson.

— Je n'en tire aucun bénéfice ! grommela Francis.

— C'est exact. Nous avons décidé entre nous d'annuler la moitié de ces reconnaissances. Ce ne sera pas énorme, mais cela marquera notre volonté de réparer le tort qui vous a été fait. Environ douze mille livres.

— Voulez-vous dire que… l'argent servira à réduire ma dette envers vous ? demanda-t-il.

— À vous d'en décider. Je suggère qu'une partie soit utilisée à cet effet et que l'autre vous soit versée en liquide.

— C'est très élégant de votre part, admit Francis, écarlate. Je ne sais vraiment que dire…

— Ne dites rien.

Francis se laissa tomber sur sa chaise.

— Dînez avec moi, George. Je vais déboucher en votre honneur une bouteille du cognac de mon père. Cela apaisera certainement ma colère et fera de moi un hôte plus aimable. Coucherez-vous ici cette nuit ?

— Volontiers, je vous remercie.

— Je ne peux supporter ces manigances sournoises, se plaignit Francis avec amertume. S'il avait eu le cran de venir ici m'affronter, cela ne m'aurait peut-être pas plu, mais je ne l'aurais pas méprisé à ce point. J'ai bien envie d'aller demain à Falmouth pour les chasser de leur nid d'amour.

— Et vous découvrirez sans doute qu'il vient de partir pour Lisbonne et qu'elle l'a accompagné, remarqua George. Non, Francis, laissez-les. Il ne sert à rien de vous mettre dans votre tort en essayant d'obliger Verity à revenir. Peut-être rentrera-t-elle bientôt en pleurant !

Francis se leva et commença à allumer les chandelles.

— Alors, ce n'est pas ici qu'elle rentrera, même si elle pleure pendant un an ! cria-t-il. Qu'elle aille à Nampara où ils ont favorisé sa fuite ! Qu'ils soient maudits, George !... S'il est une chose qui me dépasse, c'est l'hypocrisie de Ross ! J'aurais pu espérer plus d'honnêteté et d'affection de la part de mon unique cousin. Que lui ai-je donc fait pour qu'il me poignarde ainsi dans le dos ?

— Vous avez épousé la fille qu'il aimait, non ?

— Oui ! Mais c'est si loin... C'était arrangé depuis longtemps. Il a lui-même fait un mariage heureux, plus heureux que... Il ne servirait à rien de nourrir une rancune à ce propos.

— Vous connaissez Ross mieux que moi, Francis, je ne peux donc vous aider.

— N'êtes-vous pas en termes amicaux ?

— Je ne parviens pas à le comprendre. Mais je sais que, lors de l'ouverture de sa mine, les autres actionnaires voulaient que les affaires passent par ma banque et Ross s'est démené pour imposer Pascoe. On m'a parfois rapporté des remarques qu'il a faites, c'étaient les réflexions d'un homme que ronge un ressentiment secret. Enfin, il y a ce projet extravagant d'une fonderie de cuivre qu'au fond il a imaginé contre nous.

— Pas contre vous précisément! protesta Francis. Le but de cette compagnie est d'obtenir des prix normaux pour le produit des mines.

George le regarda en coin.

— Cela ne m'inquiète pas, car ce projet sera réduit à néant faute de fonds. Pourtant, Ross témoigne à mon égard d'une hostilité que je ne pense pas mériter, pas plus que vous ne méritez cette trahison familiale.

Un long silence s'établit. La pendule sonna 19 heures.

— Je ne crois pas que ce projet échouera faute d'argent, expliqua Francis. Il y a derrière tout cela des intérêts importants…

Quand ils atteignirent Falmouth, le soleil se couchait. Tandis qu'ils descendaient la colline, Andrew Blamey dit :

— Votre lettre me laissait décider de tout, chérie. J'espère que ce que j'ai fait vous plaira.

— Je ne veux que ce que vous voulez.

— Le mariage est fixé à demain 11 heures, en l'église du roi Charles le Martyr. J'ai pris rendez-vous avec le pasteur Freakes hier matin. Nos témoins seront ma vieille propriétaire et le capitaine Briggs, la cérémonie sera aussi simple que possible.

— Je vous en remercie.

— Quant à ce soir, dit Andrew après s'être éclairci la voix, j'avais d'abord pensé que le mieux serait de prendre pour vous une chambre à l'auberge. Mais quand j'en ai fait le tour, les hôtels m'ont tous paru trop misérables pour vous abriter.

— Peu importe !

— L'idée de vous savoir seule et peut-être environnée d'ivrognes m'a déplu… Je préfère que vous alliez dans votre nouvelle demeure, où Mme Stevens sera là pour veiller sur vous. Je dormirai à bord de mon bateau.

— Pardon si je vous parais sombre… Je ne suis pas triste. C'est seulement le fait d'avoir quitté ce que j'avais aimé toute ma vie.

— Je sais ce que vous pouvez ressentir, chérie. Mais nous disposons d'une semaine avant que je reprenne la mer. D'ici mon départ, les choses vous paraîtront différentes.

— Francis est imprévisible dans ses réactions, dit soudain Verity après un nouveau silence. En un sens, ils me manqueront beaucoup, mais je préférerais être loin d'ici.

— S'il vient, j'aurai vite fait de le calmer.

— Je sais, Andrew, mais c'est le contraire de ce que je souhaite.

Il sourit vaguement.

— J'ai été très patient jusqu'ici. S'il le faut, je saurai l'être encore.

Quand ils arrivèrent dans l'étroite rue principale, le port débordait de couleurs éclatantes.

Ils s'arrêtèrent et Andrew aida Verity à mettre pied à terre. Ils pénétrèrent dans la maison. Mme Stevens accueillit la jeune femme assez aimablement, non sans manifester un peu de jalousie et d'inquiétude.

Verity visita la salle à manger et la cuisine au rez-de-chaussée, le joli salon et la chambre au premier, les deux chambres mansardées au-dessus qui étaient réservées aux enfants quand ils venaient, ces enfants que Verity n'avait jamais vus. Esther, seize ans, qui était élevée par des parents, James, quinze ans, aspirant dans la marine. Verity avait eu à lutter contre tant d'opposition chez elle qu'elle avait à peine eu le temps de penser à celle qu'elle risquait de trouver ici.

Dans le salon, Andrew contemplait le spectacle coloré du port. Il se retourna pour la voir entrer, elle s'approcha de lui. Il lui prit la main, et le geste la réconforta.

— Lequel est votre bateau, Andrew ?

— C'est le plus grand des trois, là, derrière, dans le bassin de Saint Just.

— Oh, il est magnifique ! Pourrai-je aller le visiter un jour ?

— Demain, si vous le désirez... Verity, il faut que je parte maintenant. J'ai demandé à Mme Stevens de vous servir à dîner dès qu'elle le pourra. Vous devez être fatiguée par le voyage.

— Vous ne pouvez pas rester dîner ?

— Si vous insistez, dit-il après avoir hésité.

— Je vous en prie ! Que ce port est ravissant ! Je pourrai rester assise ici à regarder les bateaux entrer et sortir en guettant votre retour.

Ils descendirent à la salle à manger.

C'était la première fois qu'ils dînaient ensemble. Les silhouettes passaient et repassaient devant eux dans la rue.

Verity et Andrew discutèrent du bateau. Il lui parla de Lisbonne avec ses cloches carillonnantes, le soleil qui brillait continuellement, l'incroyable saleté des rues, les orangers, les plantations d'oliviers. Elle devrait parfois s'y rendre avec lui. Avait-elle le pied marin ?

Elle approuva avec enthousiasme, n'ayant jamais été en mer. Ils éclatèrent de rire. Quelque part dans la ville, une horloge sonna 22 heures. Andrew se leva.

— Je suis contente que vous soyez resté. Si vous m'aviez quittée plus tôt, je me serais sentie étrangement seule.

Le visage d'Andrew habituellement énigmatique ne montrait pas pour le moment la même impassibilité.

— Hier soir, j'ai refermé le livre contenant mon ancienne existence, Verity. Demain, nous en ouvrirons un nouveau. Nous devons l'écrire ensemble.

— C'est tout ce que je désire et cela ne me fait pas peur.

Au moment où, une chandelle à la main, Verity montait se coucher, Mark Daniel prenait son poste au fond de la mine.

Il était accompagné d'un des jeunes Martin, Matthew, qui devait l'aider à transporter la terre arrachée à la mine pour la déverser dans un puits de la galerie voisine. L'air était ici si vicié que les chandelles éclairaient mal et la moitié du temps les mineurs travaillaient dans le noir, pataugeant dans l'eau et la boue.

Généralement, Mark parlait peu en travaillant, mais ce soir il n'avait pas prononcé un mot. Le garçon ne savait pas ce qui n'allait pas et il redoutait de poser des questions. À neuf ans, il n'aurait pu tout à fait comprendre ce qui rongeait son compagnon.

Pendant des jours, Mark avait essayé de croire que rien n'allait mal. Pendant des semaines, sans se l'avouer, au fond de lui-même, il avait su. Les indices s'étaient accumulés, les allusions de ceux qui savaient et n'osaient parler, les regards en coin. Peu à peu, tout cela avait grandi, comme les flocons de neige qui en s'entassant sur un toit finissent par l'écraser. Maintenant, Mark savait définitivement.

Karen s'était montrée rusée. Il avait toujours cherché les traces du passage d'un homme dans le pavillon sans jamais en trouver. Il s'était efforcé de surprendre sa femme, mais elle réfléchissait plus vite que lui. Le léopard des neiges est plus vif que l'ours noir.

Seulement, durant le temps humide de la semaine écoulée, elle n'avait pas fait preuve d'autant d'astuce. Le sol était si mou que, tout en cherchant à marcher sur la pierre, elle avait laissé çà et là des empreintes de pas.

Il redoutait cette semaine de travail de nuit, parce que cela l'entraînerait vers quelque scène grave. La peur qu'il ressentait venait de ce qu'il ne parvenait pas à libérer sa colère des liens de son amour qui l'étreignaient toujours. Il se débattait au milieu de son chagrin.

C'était le moment d'utiliser l'explosif. Il l'annonça à Matthew, ramassa son grand marteau et son foret. Avec une assurance due à une longue pratique, il choisit son point dans la roche dure, fora un trou profond. Il y versa de la poudre d'explosif, planta une tige effilée comme un clou et boucha l'ouverture du trou avec de l'argile qu'il tassa. Cela fait, il retira le clou et le remplaça par un roseau creux rempli d'explosif pour l'allumage.

Il retira son chapeau, souffla doucement sur la chandelle qui fumait pour attiser la flamme et alluma la mèche. Ensuite, l'homme et l'enfant se reculèrent pour s'abriter derrière l'angle de la paroi.

Mark compta jusqu'à vingt. Rien. Encore vingt. Puis cinquante. Mark ramassa son bidon et jura.

— Raté, déclara-t-il.

— Attention, monsieur Daniel, fit l'enfant. Attendez encore un moment.

Mark s'avança vers la charge en grommelant. Le garçon le suivit. Au moment où Mark tirait sur la mèche, un éclair se produisit, précédant un grondement et les rochers lui sautèrent à la figure. D'instinct, il se protégea les yeux de la main tout en tombant à la renverse. La paroi s'effondra. Perdant la tête, l'enfant s'enfuit pour chercher de l'aide. Peu à peu il se contrôla et revint, se frayant un passage à travers les fumées noires et âcres jusqu'à l'endroit où Mark avait réussi à se hisser sur des débris de roches.

— Monsieur Daniel, dit-il en le prenant par le bras.

— Va-t'en, il en reste une partie qui va sauter.

Mais Matthew ne le quitta pas et ils s'éloignèrent ensemble jusqu'à la courbe que formait le tunnel. L'enfant activa la flamme de sa chandelle et à la lueur clignotante examina Mark. Le rude visage était noirci et taché de sang, les cheveux et les sourcils légèrement brûlés.

Un nouveau grondement se produisit dans le tunnel, le reste de la charge explosa. De la fumée noire se souleva autour d'eux.

— Nous allons attendre que cela s'éclaircisse et nous verrons ce qui est tombé.

Matthew s'accroupit et considéra la silhouette ensanglantée de Mark blessé aux mains et à la tête.

— Vous devriez voir le médecin, observa l'enfant. Il est bon pour les blessures et les plaies.

— Non, répliqua brutalement Mark. Je n'irais pas chez lui, même si j'étais mourant.

Il s'enfonça dans la fumée. Ils continuèrent à travailler pendant quelque temps, mais Mark constata qu'il peinait avec sa main blessée et l'hémorragie ne s'arrêtait pas. Au bout d'une heure, il avoua :

— Je crois que je vais remonter un moment. Tu ferais mieux de venir avec moi, petit.

Matthew le suivit avec empressement. Le travail de nuit le fatiguait plus qu'il ne voulait l'admettre. Ils gagnèrent le puits principal et remontèrent. Ils respirèrent bientôt l'air frais de la nuit en écoutant le mugissement de la mer. Quelques hommes qui se trouvaient là entourèrent Mark pour lui donner des conseils.

Il avait l'intention en remontant de se faire panser puis de redescendre. Mais, tandis que l'on soignait sa main, le souci qui l'obsédait lui revint, il comprit avec une fureur empreinte d'angoisse que le moment de l'épreuve était venu.

— Rentre chez toi, mon gars, commanda-t-il à Matthew. Il vaut mieux que je ne redescende pas aujourd'hui.

Mark marcha tranquillement jusque chez lui. Comme la cabane se dessinait sous les étoiles, il sentit quelque chose se crisper dans sa poitrine. Il s'approcha de la porte et la poussa. La porte s'ouvrit. Il entra en trébuchant. Il ne s'arrêta pas pour allumer, pénétra directement dans la chambre, et dans l'obscurité il tâtonna de sa main valide le long du mur jusqu'à son lit. Karen n'était pas là.

Avec un grognement de douleur, il s'assit, sachant que c'était la fin. Des sanglots lui nouaient la gorge. Il se leva et sortit.

La maison de Gatehouse paraissait plongée dans l'obscurité. Mark en fit le tour pour en juger. Une vague lueur se remarquait à une fenêtre de l'étage. S'arrêter, observer, essayer de lutter contre la douleur. Elle était dans son sang, elle vivait en lui, cette douleur. Mark s'immobilisa. Frapper pour entrer donnerait l'alarme. Le temps de réfléchir et Karen se glisserait au-dehors par une autre issue. Ils étaient tous deux si intelligents ! Cette fois, Mark avait besoin de sa preuve. « J'attendrai », décida-t-il. Il s'éloigna avec précaution, le dos voûté, et stoppa quand il fut précisément là où il pouvait surveiller les deux portes.

À l'est, une faible lueur jaune apparut enfin et s'étendit dans le ciel, froide.

La porte de Gatehouse s'entrouvrit et Karen se faufila dehors.

Pour une fois, elle était heureuse. Elle rêvait parfois qu'elle était la femme de Dennis – Mark ayant disparu –, charmante dans une blouse de travail féminine, assistant Dennis dans quelque cas grave. Ses mains, elle le savait, seraient fraîches et habiles, son attitude magnifique et utile. Il serait ensuite plein d'admiration pour elle. On parlerait d'elle partout. Elle n'ignorait rien de Mme Poldark qui avait remporté un immense succès aux réceptions de la mairie et qui depuis recevait un nombre incroyable de visiteurs sans que Karen en comprît la raison.

Elle s'enfonça dans le sous-bois en direction de sa cabane. Il était 3 h 30 à la montre de Dennis, elle disposait de tout son temps.

Cette nuit, tandis qu'elle était étendue nue entre ses bras, elle l'avait encouragé à parler, de son travail, du petit garçon qui était mort d'un mal de gorge pernicieux, des résultats du traitement auquel il soumettait une femme atteinte d'un abcès, de ses projets d'avenir. Tout cela servait un peu de ciment à leur passion.

La lune se couchait quand elle atteignit le pavillon ; à l'est, l'aube bleuissait. En traversant le fossé, elle avait eu l'impression qu'il était empli de lait, tout alentour était si clair !

Elle entra et se retourna pour refermer la porte. Mais une main derrière elle la maintint ouverte.

— Karen...

Le cœur de la jeune femme s'arrêta, avant de se mettre à battre à grands coups, presque à se rompre.

— Mark ! souffla-t-elle. Tu rentres de bonne heure. Quelque chose ne va pas ?

— Karen...

— Comment peux-tu me surprendre ainsi ? J'ai failli mourir de frayeur !

Déjà, elle réfléchissait plus vite que lui, elle se préparait à charger et à détruire son attaque.

— Où étais-tu, Karen ?

— Moi ? Je ne pouvais pas dormir, j'éprouvais une douleur, une douleur épouvantable ! J'ai pleuré après toi. Je me disais que tu aurais peut-être pu me préparer quelque chose de chaud pour me calmer. Mais j'étais seule et je ne savais que faire. J'ai pensé qu'une promenade me ferait du bien. Si j'avais su que tu rentrerais de bonne heure, je serais allée à ta rencontre.

Dans la pénombre, elle aperçut le bandage autour de sa main.

— Mark, tu es blessé ! Il y a eu un accident ! Faismoi voir ça.

Elle s'avança vers lui, et de sa main brûlée il la frappa en travers de la bouche. Elle tomba.

— Sale menteuse ! dit-il en sanglotant.

Elle pleurait, car elle s'était fait mal dans sa chute.

— Tu étais avec Enys, dit-il d'une voix terrible.

— Non ! hurla-t-elle. C'est toi qui es sale ! Et lâche ! Frapper une femme ! Bête puante ! Laisse-moi tranquille ! Je te ferai emprisonner, va-t'en !

— Tu étais avec Enys ! répéta-t-il.

— Non ! hurla-t-elle encore. Tu mens ! Je suis allée le voir pour ma douleur, il est médecin, non ? Je souffrais tellement...

— Depuis quand étais-tu là-bas ?

— Plus d'une heure. Il m'a fait prendre quelque chose et je devais attendre que...

— J'ai attendu plus de trois heures, coupa-t-il.

Elle comprit qu'elle devait fuir, et vite.

— Mark, dit-elle avec désespoir, ce n'est pas ce que tu crois, je te le jure devant Dieu. Va le voir, il t'expliquera. Allons chez lui. Mark, il ne m'aurait pas laissée tranquille. Il m'importunait toujours, sans arrêt. Lorsqu'une fois j'ai cédé, il m'a menacée de tout te raconter si je ne revenais pas. Je te le jure devant Dieu et sur la mémoire de ma mère. Je le hais, Mark, et je n'aime que toi. Va le tuer si tu veux, il le mérite. Je jure devant Dieu que c'est lui qui m'a forcée à être à lui.

Elle lui jetait les mots au visage, n'importe quels mots, comme des graviers à la tête d'un géant.

Il étendit une de ses grandes mains et la saisit par les cheveux, la ramena hurlante dans ses bras. Elle lutta de toutes ses forces, donnant des coups de pied, mordant, griffant. Il écarta les ongles qu'elle approchait de ses yeux, acceptant ses morsures comme s'il ne les sentait pas et lui serra le cou. Elle cessa de hurler. De ses yeux coulèrent de grosses larmes. Elle savait que c'était la mort qui l'attendait, mais la vie l'appelait, la vie empreinte de toute la douceur d'une jeunesse non encore enfuie. Elle se tordit et le bouscula, ils tombèrent contre le volet qui céda. Ils se pressèrent l'un contre l'autre, le grand corps de Mark écrasant celui de Karen penché à l'extérieur de la fenêtre.

Mark dégringola en arrière sur le plancher, tâtonnant et gémissant.

Mais Karen, elle, ne bougeait plus.

24

Ross rêvait qu'il discutait de la fonderie avec sir John et les autres actionnaires, rêve qui n'était ni insolite ni contraire à la réalité. Il passait la moitié de son existence à défendre la compagnie Carnmore contre une scission interne ou une attaque extérieure.

Ross rêvait qu'il y avait une réunion et, dès le début, tous se querellaient. Il frappait sur la table pour essayer de se faire entendre, mais personne ne l'écoutait. Plus il frappait, plus les autres parlaient, jusqu'à ce que, soudain, tout le monde fît silence. Brusquement, Ross s'éveilla dans la chambre silencieuse pour constater qu'on cognait à la porte.

Ross saisit sa montre ; comme d'habitude, il avait oublié de la remonter. Les cheveux sombres de Demelza étaient répandus sur l'oreiller près de lui et son souffle lui parvenait, régulier. Elle avait toujours eu un bon sommeil. Si Julia s'éveillait, elle se levait mais se rendormait en cinq minutes.

Ross sortit du lit et Demelza s'assit, comme toujours bien éveillée, comme si elle n'avait pas dormi du tout. Il alla ouvrir.

— S'il vous plaît, monsieur, dit Gimlett, Charlie, le fils du jardinier de Mingoose, demande à vous voir, il est bouleversé.

Demelza soupira entre les draps. Elle avait pensé qu'il s'agissait de Verity. La veille, une merveilleuse journée dont ils avaient passé la majeure partie au soleil sur la plage, elle n'avait cessé de songer à Verity. C'était le jour de la liberté pour Verity, ce jour que Demelza préparait depuis plus d'un an.

Lorsque Ross revint, elle comprit tout de suite qu'il se passait quelque chose de grave.

— Difficile de tirer des explications sensées de ce garçon, répondit-il à sa question. Il a dû se produire un incident à la mine.

Il redescendit et rejoignit le jeune garçon qui claquait des dents comme s'il avait froid. Il lui fit boire quelques gorgées de cognac et partit avec lui à travers les pommiers vers la colline.

Trois hommes se tenaient devant le pavillon, Paul Daniel, Jacky Martin et Nick Vigus.

— Voulez-vous venir avec moi, Jacky ? dit Ross.

Ils avancèrent ensemble vers la porte ouverte que Ross franchit en baissant la tête.

Karen gisait sur le sol sous une couverture.

— Nous l'avons déplacée. Il était indécent de laisser cette pauvre femme accrochée à la fenêtre.

Ross s'agenouilla et souleva la couverture. Karen portait le mouchoir rouge que Mark avait gagné au concours de lutte vingt mois plus tôt.

— Jacky, où était Mark quand c'est arrivé ?

— Il aurait dû être à la mine, capitaine. Mais il a eu un accident au début de son service. Matthew est rentré se coucher avant 1 heure, personne n'a vu Mark depuis lors.

— Avez-vous une idée de l'endroit où il se trouve ?

— Je ne saurais le dire.

Une ombre s'interposa. C'était Dennis, livide, les yeux brillants de fièvre.

— Sale affaire, Dennis.

Gentiment, Ross se détourna du médecin pour s'adresser à Paul Daniel.

— Viens, dit-il, laissons le docteur Enys seul faire son examen.

En se retournant, Ross vit Dennis se baisser pour soulever la couverture. La main du jeune médecin tremblait et on eût cru qu'il allait tomber évanoui près du cadavre.

On n'eut aucune nouvelle de Mark de toute la journée. Comme le tranquille mouvement du vent dans l'herbe, le murmure de la trahison de Karen s'était répandu dans les hameaux et les villages alentour. Et curieusement, personne non plus ne semblait douter de l'équité de cette fin. C'était la punition selon la Bible.

À 18 heures ce soir-là, Ross alla voir Dennis qui était assis à sa table, l'air désespéré, devant un monceau de papiers. Il ne s'était ni changé ni rasé depuis le matin. Il se leva en reconnaissant Ross.

— Pas de nouvelles, Dennis. Si j'étais vous, je ne resterais pas ici jusqu'à la tombée de la nuit. Mark Daniel est un homme dangereux. Croyez-vous que, s'il a envie de vous trouver, quelques portes fermées suffiront à l'arrêter ?

— Je n'oublierai jamais son visage ! Deux heures avant, je... l'embrassais !

Ross alla lui verser un verre de cognac.

— Buvez. Vous avez de la chance d'être en vie et il faut que nous vous gardions vivant ! Ce que je veux par-dessus tout, c'est éviter une autre catastrophe. Je ne suis pas venu pour vous juger.

— Je sais, Ross, je me juge moi-même.

— Et trop durement, sans doute. Tout le monde sait que cette femme est la vraie responsable de la tragédie. Je ne sais quels étaient vos sentiments pour elle.

— Je l'ignore moi-même, Ross... Je ne sais pas. Quand je l'ai vue étendue là-bas... j'ai pensé que je l'avais aimée.

Ross se servit à boire. Lorsqu'il revint près de lui, Dennis avait à peu près retrouvé sa maîtrise.

— Il faut que vous disparaissiez quelque temps, dit-il. Simplement une semaine. Les magistrats ont signé un mandat d'arrêt contre Mark et la police le recherche. C'est tout ce que l'on peut faire pour l'heure. Venez vous installer quelques jours chez nous, nous avons une chambre. Amenez votre valet.

— Non. Merci de votre bonté. Dès demain matin, je reprendrai ma tournée habituelle.

— Vous serez seul responsable de ce qui pourrait arriver, avertit Ross, sinistre.

— Je suis déjà responsable de la mort de Karen, murmura le médecin en mettant sa main devant ses yeux.

De Gatehouse, Ross se rendit directement chez les Daniel. Ils étaient assis en rond dans la semi-pénombre du pavillon, comme des gens en deuil lors d'une veillée. Tous les adultes de la famille étaient là, sauf Beth, la femme de Paul qui veillait seule Karen dans la cabane sur la colline.

Ils accueillirent Ross avec respect. La grand-mère en pleurs sauta de son tabouret pour l'inviter à s'asseoir. Paul aussi se leva.

— Je connais Mark depuis l'enfance, Paul, dit Ross. Je serais malheureux de le savoir traqué, peut-être par des chiens accompagnant les hommes, et enfin, se balançant à un gibet. Écoute, Paul… Tu connais la crique de Nampara, bien sûr. Il y a deux grottes, dans l'une se trouve un petit bateau, celui dont je me sers pour pêcher le long de la côte. Je range les rames sur une étagère dans le fond de la grotte. Les tolets sont chez moi et personne ne peut utiliser le bateau sans ma permission.

— Et alors ?

— Il y a aussi chez moi un mât amovible et une paire de voiles. Actuellement, Mark est en danger en Angleterre. Reste l'Irlande, la France également, qui est en plein trouble. Mark a des relations en Bretagne et il a déjà fait la traversée.

— Et pour les voiles et les tolets ?

— Ils pourraient se trouver dans la grotte après la tombée de la nuit ! Ainsi que des vivres. Ce n'est qu'une suggestion de ma part.

— Soyez-en remercié, dit Paul en s'essuyant le front d'un revers de main. Mais si…

— Je pose une condition, coupa Ross. C'est un secret entre nous, car il n'est pas bon d'être complice d'un meurtre.

— Non, je garderai l'affaire pour moi, monsieur. Inutile que d'autres s'en mêlent. Le vieux en mourrait si Mark se balançait… La grand-mère peut-être aussi…

— Sais-tu où il est maintenant ?

— Je sais où je peux lui laisser un message. On dit qu'il est bouleversé.

Ross rentra pensif à Nampara. John Gimlett nettoyait les vitres de la bibliothèque pour laquelle sa femme avait confectionné des rideaux. L'activité des Gimlett, contrastant avec la paresse des Paynter, surprenait toujours agréablement Ross. Le jardin prospérait. L'an dernier, Demelza avait acheté quelques graines de roses trémières et, durant l'été privé de vent, les fleurs avaient apporté leurs taches pourpres et cramoisies sur les murs de la maison. Julia était couchée dans son berceau à l'ombre des arbres et, la voyant éveillée, Ross alla la prendre dans ses bras. Elle gazouilla et rit en lui attrapant les cheveux.

Demelza jardinait. Juchant Julia sur ses épaules, Ross courut la rejoindre. Elle était vêtue d'une robe de mousseline blanche et il éprouva une étrange crispation de plaisir en constatant qu'elle portait des gants. Peu à peu, elle adoptait un certain raffinement.

Julia roucoula de joie et Demelza la prit dans ses bras.

— A-t-on des nouvelles de Mark ?

À mi-voix, Ross lui exposa la situation. Demelza jeta un coup d'œil sur Gimlett.

— N'y a-t-il pas un grand risque ?

— Non, pas si on agit rapidement.

— Je crains pour toi.

— J'espère seulement que Dennis demeurera enfermé chez lui jusqu'au départ de Mark.

— Il y a une lettre d'Elizabeth pour toi ! dit Demelza comme si elle venait de s'en souvenir.

Elle la tira de la poche de son tablier.

Cher Ross,
Comme vous devez le savoir, Verity est partie hier soir rejoindre le capitaine Blamey. Elle a pris avec lui la

route de Falmouth pendant que nous étions aux vêpres.
Ils doivent se marier aujourd'hui. Elizabeth.

— Elle y est arrivée ! s'exclama Ross. Je le redoutais terriblement.

Demelza parcourut la lettre.

— Pourquoi ne seraient-ils pas heureux ensemble ? Je l'ai toujours dit, mieux vaut prendre un risque que s'ennuyer toute son existence dans un confort sinistre.

— Je ne me représente pas sa vie avec Blamey. Pourtant, tu as peut-être raison de penser qu'elle sera heureuse avec lui. Le Ciel veuille qu'elle le soit… Il faut que j'aille les voir à Trenwith. Le ton de la lettre est bizarre, ils doivent être tourmentés.

Après le départ de Ross, Demelza laissa errer ses pensées tout en regardant le soleil descendre à l'horizon. Puis elle rentra. La jeune femme nourrit sa fille d'un bol de soupe au pain, la coucha et la regarda s'endormir avant de prendre conscience que l'absence de Ross se prolongeait. Elle descendit et alla jusqu'à la porte d'entrée.

Enfin, elle aperçut Ross entre les arbres. Ténébreuse hennit en la voyant à la porte. Ross mit pied à terre et attacha les rênes au lilas.

— Quelqu'un est venu ?

— Non, tu as été longtemps absent.

— J'ai vu Jenkins et aussi Will Nanfan qui sait toujours tout. Deux policiers assistent Jenkins. Apporte une chandelle, veux-tu ? J'aimerais descendre les voiles tout de suite. Le vent se lève. Il faut qu'il parte ce soir si c'est possible. Demain sera peut-être trop tard.

— Et… Verity ?

Le mât sur l'épaule, Ross s'immobilisa à la porte de la bibliothèque.

— Oh !… elle est partie, c'est certain ! Et j'ai eu une terrible querelle avec Francis. Il m'a accusé d'avoir organisé cette fuite et a refusé de me croire quand j'ai affirmé le contraire. Je n'ai jamais été aussi déconcerté de ma vie. Je lui accordais un certain degré de… d'intelligence.

Demelza s'agita soudain, comme s'efforçant d'écarter la sensation de froid qui l'étreignait.

— Mais, mon chéri, pourquoi toi ?

— Ils croient que je me suis servi de toi comme intermédiaire, pour prendre quelque part les lettres de Blamey et te charger de les remettre à Verity. J'aurais pu le frapper. De toute façon, nous sommes sérieusement brouillés.

Quelques instants plus tard, elle était de nouveau seule. Elle était un peu mal à l'aise, nerveuse, anxieuse – il était pénible d'aider un meurtrier à fuir. Sa tristesse se doublait d'une autre raison, nette, personnelle, solidement ancrée comme si elle ne devait jamais la quitter, car elle touchait au problème important des relations entre elle et Ross. Pendant un an, elle avait inlassablement travaillé au bonheur de Verity, les yeux ouverts, sachant que ce qu'elle faisait serait condamné par Ross, et plus encore par Francis et Elizabeth. Mais elle n'avait jamais imaginé que cela provoquerait une rupture entre les deux cousins.

Cette idée l'absorbait tellement qu'elle ne remarqua pas la silhouette qui traversait la pelouse. Elle allait refermer la porte derrière elle quand une voix s'éleva. Demelza recula et la lanterne dans le hall éclaira le seuil.

— Docteur Enys !

— Je ne pensais pas vous surprendre, madame…
Votre mari est-il là ?

— Pas pour le moment.

— Vous croyez qu'il sera long à revenir ?

— Une demi-heure.

— Me permettez-vous de vous déranger et de vous
demander de me laisser entrer ?

Elle le précéda dans le salon. Qu'il y ait ou non
danger, elle ne pourrait pas l'éviter.

— Que ma présence n'entrave pas vos activités,
dit-il. Je ne veux absolument pas vous interrompre.

— Je ne faisais rien, répondit-elle avec douceur.
Comme vous le constatez, nous sommes en retard pour
dîner, mais Ross a été occupé. Prendrez-vous un verre
de porto ?

— Non, merci. Je… Vous blâmez mon rôle dans la
tragédie de ce matin ? demanda-t-il.

— Comment puis-je blâmer qui que ce soit ? J'en
sais si peu !

— Je n'aurais pas dû l'évoquer. Mais j'y ai pensé
toute la journée sans en parler à personne. Ce soir, j'ai
éprouvé le besoin de sortir, d'aller quelque part. Et
cette maison est la seule que…

Il s'interrompit. Elle croisa son regard.

— Restez, Dennis ! Asseyez-vous ; ne vous tracas-
sez pas pour moi.

Il s'effondra dans un fauteuil, se passa les mains
sur la figure. Tandis que Demelza vaquait à diverses
tâches, il parla à bâtons rompus, expliquant, plaidant. Il
tentait d'établir la défense de Karen.

Lorsque pour la troisième fois Demelza quitta la
pièce et y revint, il ne poursuivit pas. Elle le regarda et
s'aperçut qu'il était tendu.

— Qu'y a-t-il ?

— J'ai cru entendre frapper à la fenêtre.

— Ne vous dérangez pas, je vais aller voir.

S'approchant de la porte, elle regarda à l'extérieur. On distinguait la lueur d'une lanterne sur la pelouse déserte. Quelque chose bougeait derrière le lilas.

— Excusez-moi, madame, dit Paul Daniel.

— Le capitaine vient de descendre à la crique, annonça-t-elle. Vous... vous êtes seul ?

— Vous êtes au courant ? s'enquit-il après une hésitation.

— Oui.

Il siffla. Une silhouette sombre apparut sur le flanc de la maison. Paul se pencha derrière Demelza et referma la porte du hall afin de rester dans l'obscurité.

Mark se dressa devant eux. Bien que son visage fût dans l'ombre, elle discerna ses yeux creux.

— Le capitaine est à la crique, expliqua Paul. Nous ferions mieux d'aller le rejoindre.

— Vous serez mieux dans la maison, affirma-t-elle. Et en sécurité dans la bibliothèque.

Elle ouvrit la porte et pénétra dans le hall, mais ils reculèrent et chuchotèrent entre eux.

— Mark ne veut pas vous compromettre plus qu'il n'est nécessaire, dit Paul. Il préférerait attendre dehors.

— Non, Mark. Cela n'a pas d'importance pour nous. Entrez tout de suite.

Paul obéit, suivi de son frère qui courba la tête pour franchir le seuil. Comme elle ramassait la lanterne, un mouvement se produisit de l'autre côté du vestibule. Leurs yeux se fixèrent sur Dennis Enys qui était planté à l'entrée du petit salon.

Le silence pesa sur le hall et explosa. Paul Daniel avait claqué la porte extérieure à laquelle il tourna le dos. Puissant et monstrueux, Mark resta immobile, les veines de son cou et de ses mains gonflées.

Demelza les dévisagea.

— Dennis, retournez immédiatement dans le salon ! Mark, voulez-vous m'entendre ! cria-t-elle d'une voix qu'elle ne se connaissait pas.

— C'est donc un sale piège ! grommela Mark.

Elle se dressa devant lui, légère et minuscule, sembla-t-il.

— Comment osez-vous dire cela ? Avez-vous perdu la tête ? Paul, emmenez-le par ici, et tout de suite !

— Voyou ! grinça Mark en regardant par-dessus la tête de la jeune femme.

— Tu aurais pu me juger avant, avant de la tuer, riposta Dennis.

— Chien maudit ! Escroc !

— Tu aurais dû venir me trouver et non pas t'attaquer à une femme incapable de se défendre, dit Dennis.

Demelza s'interposa quand Mark fit un pas en avant. Il la repoussa, mais elle resta sur sa position et lui martela la poitrine de ses poings serrés. Les yeux de Mark étincelèrent, errèrent pour finir par se poser sur elle.

— Réalisez-vous ce que cela représente pour nous ? fit-elle, haletante, le regard flamboyant. Nous n'avons fait qu'essayer de vous aider ! Tous les deux. Vous vous battriez, vous tueriez chez nous, sur notre terre ? N'avez-vous aucune loyauté, aucune amitié pour personne ? Qu'est-ce qui vous a amené ici ce soir, Mark ? Dennis, retournez immédiatement dans le petit salon !

— Je ne peux pas. Si Daniel veut me voir, je dois rester !

— Que fait-il ici ? demanda Paul.

— Mme Poldark a essayé de me faire partir, admit Dennis.

— C'est une mauvaise rencontre, dit Paul en s'avançant vers lui, mais nous n'y pouvons rien. Viens, Mark, il faut obéir à Mme Poldark.

Dennis leva une main et dit :

— Je ne te trahirai pas, Daniel. Ce que tu as fait à Karen concerne ta conscience, comme… ma mauvaise action intéresse la mienne.

Paul poussa lentement Mark vers la bibliothèque.

— Ce n'est peut-être pas le moment d'un règlement de comptes, Enys, mais le moment viendra, n'en doute pas.

Dennis ne leva pas la tête. Mark se tourna vers Demelza qui se tenait comme un ange gardien entre lui et sa proie.

— Madame, je ne salirai pas votre parquet en répandant davantage de sang. Je ne voudrais pas faire de tort à cette maison… Où voulez-vous que j'aille ?

Lorsque Ross rentra, Dennis était dans le petit salon, la tête enfouie entre les mains. Mark et son frère se tenaient dans la bibliothèque. Dans le vestibule, Demelza montait la garde. En voyant son mari, elle s'assit dans le fauteuil le plus proche et éclata en sanglots. Elle balbutia des explications. Il déposa la voile dans un coin.

— Ma chérie… Où sont-ils ? Et toi, tu…

Secouant la tête, elle désigna les pièces du doigt. Ross s'approcha d'elle.

— Et il n'y a pas eu d'effusion de sang ? Seigneur, je jurerais que nous n'en avons jamais été aussi près…

— Tu n'exagérerais pas !

Il la prit dans ses bras.

— C'est toi qui t'y es opposée, dis, chérie ?

— Pourquoi as-tu rapporté la voile ?

— Parce qu'il est impossible de naviguer.

Une heure avant l'aube, ils descendirent à la crique mais la mer était toujours démontée.

Dès les premières lueurs du jour, alors que la lune disparaissait à l'est, ils rentrèrent lentement. Vingt-quatre heures plus tôt, Mark avait été la proie d'une horrible fureur amère et néfaste. Maintenant, tout sentiment était éteint en lui.

— Je vais poursuivre ma route, dit-il. Je me moque d'être pendu ou de fuir. Rien ne peut plus m'atteindre désormais. Mais il y a une chose dont je suis absolument sûr, c'est que je refuse de me cacher là où cela risque d'amener des ennuis à mes amis.

Quelqu'un sortit de la maison.

— Demelza, je t'avais dit de te coucher ! s'irrita Ross. Il est inutile de t'inquiéter, ma chérie.

— J'ai préparé le thé, j'ai pensé que vous n'alliez pas tarder à revenir tous. D'en haut, on entendait la mer. J'en ai conclu que le départ ne pourrait avoir lieu.

À 18 heures, trois dragons et un civil descendirent à cheval la piste menant à Nampara. On n'avait encore jamais vu ce genre de procession. Demelza fut la première à l'apercevoir, elle se rua dans le petit salon où Ross réfléchissait à sa querelle avec Francis.

— Oh ! c'est certainement une visite de courtoisie ! affirma-t-il.

— Mais pourquoi ici, Ross ? Crois-tu qu'on leur ait parlé de nous ?

Il sourit.

— Va changer de robe, chérie, et apprête-toi à jouer à la grande dame.

Elle se précipita, prenant le temps de constater par la porte entrouverte que l'homme en civil était le policier Jenkins.

Elle se coiffa et piqua un peigne dans sa chevelure. S'abritant derrière le rideau de la fenêtre, elle s'aperçut qu'un seul des soldats était entré.

Elle descendit et, en parvenant à la porte, perçut un éclat de rire.

— Chérie, je te présente le capitaine McNeil, des Scots Greys. Ma femme.

Le capitaine semblait gigantesque dans son uniforme à tunique rouge et or sur un pantalon noir à galon or, avec des bottes brillantes ornées d'éperons. L'homme était jeune, fort, soigné, avec une grosse moustache blonde. Il s'installa avec une raideur toute militaire. Son regard vif parut dire : « Ces gentilshommes campagnards savent bien choisir leurs épouses ! »

— Tu connais le constable Jenkins, je suppose, Demelza.

Ils attendirent qu'elle se fût assise pour prendre place à leur tour.

— J'ai proposé au capitaine McNeil de venir résider chez nous, ajouta Ross.

— Merci beaucoup, dit McNeil en tordant sa moustache comme s'il se vissait un écrou sur la figure. En souvenir du bon vieux temps, je serais ravi d'accepter. Il se trouve en effet, madame, que le capitaine Poldark et moi nous sommes battus ensemble sur la James River en 1781. De très vieux compagnons de combat, pourrait-on dire. Mais si je suis ici près du champ d'action du meurtrier, je me trouve trop éloigné de la zone de contrebande que nous avons repérée à midi et j'ai été envoyé pour chasser les contrebandiers.

— Vraiment ? fit-elle en se demandant ce que l'on pouvait éprouver à être embrassée par un homme paré d'une telle moustache.

— Notre visite est destinée à vous demander ce que vous savez du présumé meurtrier. Le capitaine Poldark a connu l'homme dès l'enfance et je pensais qu'il aurait peut-être une idée de l'endroit où il se terre.

— Vous pourriez chercher pendant un an, intervint Ross, et fouiller tous les terriers ! De toute façon, je n'imagine pas Daniel traînant par ici, il se dirigera certainement vers Plymouth pour s'engager dans la marine.

25

Depuis le lundi soir, Demelza se débattait avec sa conscience, et lorsque Ross partit le vendredi, elle marcha jusqu'à Trenwith. Jamais de sa vie, elle n'avait été aussi nerveuse, mais il n'y avait pas d'échappatoire possible. La veille, elle avait espéré une lettre de Verity, mais rien n'était arrivé.

Commettant l'erreur de la plupart des gens matinaux, elle fut surprise de découvrir que Trenwith House paraissait endormie. Quand elle eut courageusement frappé à la porte, elle apprit de Mme Bartle que Mme Poldark était encore au lit et que M. Poldark déjeunait seul dans le salon d'hiver.

C'était plus qu'elle n'en espérait et elle dit :

— Pourrais-je le voir, je vous prie ?

— Je vais le lui demander, madame, voulez-vous patienter ?

La maison était très calme, on eût dit qu'il y manquait quelque chose. Elle réalisa soudain que ce qui manquait, c'était Verity. Elle s'immobilisa et s'aperçut pour la première fois qu'elle avait volé à cette maisonnée sa personnalité la plus vivante.

— M. Poldark va vous recevoir tout de suite, madame.

— Excusez-moi, dit Francis. Elizabeth déjeune dans sa chambre ces jours-ci.

— Ce n'était pas elle, mais vous que je désirais voir, précisa Demelza en rougissant.

Elle s'assit, mais il resta debout, une main posée sur le dossier d'un fauteuil.

— Je suis venue vous dire quelque chose. Je crois que vous vous êtes querellé avec Ross à propos du départ de Verity. Vous l'avez cru coupable.

— C'est lui qui vous envoie ?

— Non, Francis, vous le savez bien. Mais… il faut que j'éclaircisse cette histoire, même si vous devez après cela me haïr. Ross n'avait rien à voir avec la fuite de Verity, je le sais de façon formelle. Parce que je peux vous dire qui a aidé votre sœur. Le capitaine m'écrivait et je transmettais ses lettres à Verity, qui me donnait ses réponses. Ross ignorait tout.

— Maudite soyez-vous…, balbutia Francis.

— Il m'était pénible de venir me confesser ici, avoua-t-elle. Je sais ce que vous éprouvez maintenant à mon égard. Mais je ne pouvais laisser subsister cette mésentente entre vous et Ross. Je ne voulais aucun mal à vous ni à Elizabeth, sachez-le. Si j'ai eu tort, je l'ai fait en tout cas par tendresse pour Verity et non pour vous faire du mal…

— Sortez !

Elle se sentit chanceler. Elle n'avait pas songé que l'entrevue pourrait aussi mal tourner. Elle s'était efforcée de réparer une erreur, mais apparemment elle avait encore mal agi. Les sentiments de Francis pour Ross avaient-ils changé ?

— Je suis venue pour recevoir un blâme, reprit-elle. Si vous me haïssez, c'est peut-être que je le mérite, mais je vous en prie, ne vous laissez pas séparer de Ross par une querelle, j'en éprouverais…

Il posa sa main sur la poignée de la fenêtre comme pour l'ouvrir. Elle s'aperçut que sa main tremblait.

— Je vous prie de partir et de ne jamais revenir dans cette maison, ordonna-t-il. Comprenez-moi bien... aussi longtemps que je vivrai, vous ne reviendrez jamais à Trenwith. Ross en restera également éloigné. Puisqu'il a épousé une souillon ignorante, qu'il en subisse les conséquences.

Demelza était couchée, mais ne dormait pas. Lorsqu'elle parla, Ross renonça à se déshabiller dans le noir.

— Tu te couches de bonne heure, observa-t-il. J'espère que c'est le signe d'un nouveau mode d'existence.

Une lueur insolite brillait dans les yeux de la jeune femme à la lumière jaune de la chandelle.

— As-tu eu des nouvelles de Mark ?

— Non, c'est trop tôt.

— Des bruits divers viennent de France.

— Je sais.

— Comment s'est passée ton assemblée ?

Il lui dit combien la séance avait été tumultueuse.

— Tu vas donc connaître des difficultés accrues ? demanda-t-elle après un silence.

— C'est possible.

Elle resta étendue et muette, tandis qu'il achevait de se déshabiller. Une de ses tresses s'étalait sur l'oreiller de Ross quand il se coucha. Il la prit et la tortilla entre ses doigts avant de la poser près d'elle.

— N'éteins pas, pria-t-elle. J'ai à te parler.

— Tu ne peux pas parler dans le noir ?

— Pas pour cela. As-tu d'autres nouvelles de Verity ? s'enquit-elle.

393

— Je n'ai pas quitté la baie de Trevaunance aujourd'hui.

— Ross... je... je suis allée voir Francis. J'étais allée lui dire qu'il se trompait en pensant que tu avais encouragé la fuite de sa sœur. Je lui ai avoué la vérité : c'est moi qui, à ton insu, ai aidé Verity.

Elle demeura immobile et attendit.

— Ciel ! murmura-t-il enfin. Et qu'a-t-il répondu ?

— Il... il m'a chassée. Il m'a ordonné de... partir et... il était si furieux ! Je n'avais pas pensé...

— S'il manifeste de nouveau sa mauvaise humeur contre toi... Je ne pouvais comprendre son attitude à mon égard, lundi. Il me paraissait enragé et sauvage, comme tu dis...

— Non, Ross, non, fit-elle, pressante. C'est injuste. Ce n'est pas contre lui que tu dois être en colère, mais contre moi. Je ne lui ai d'ailleurs pas tout révélé.

— Que lui as-tu raconté ?

— Que... je transmettais les lettres d'Andrew Blamey à qui j'envoyais celles de Verity depuis le bal d'avril.

— Que lui as-tu caché ?

— Tu vas me frapper, Ross, chuchota-t-elle après un silence. J'ai agi ainsi parce que j'aime Verity et que je me refusais à la voir malheureuse.

Elle lui raconta tout. Sa visite secrète à Falmouth pendant l'absence de Ross, comment elle avait organisé une rencontre, entre Verity et Andrew, tout ce qui s'en était suivi.

Il ne l'interrompit pas une fois. Elle poursuivit jusqu'au bout, défaillante mais résolue. Il l'écouta avec un curieux sentiment d'incrédulité.

— Je ne parviens pas à y croire, dit-il. Si... si on me l'avait raconté, j'aurais affirmé que c'était un mensonge, je n'y aurais jamais cru. Je te croyais loyale et digne de confiance.

La colère maintenant grandissait en lui, impossible à refréner.

— Agir dans mon dos ! C'est ce que je ne parviens pas à digérer. Ni même à croire. Ainsi, tu as agi sournoisement. Rien ne comptait, pas plus la loyauté que la confiance, pourvu que tu puisses suivre ton idée.

— Ce n'était pas pour moi, mais pour Verity.

— La fourberie et le mensonge ! lança-t-il avec un mépris frémissant. Le mensonge continuel pendant plus d'un an. Nous ne sommes pas mariés depuis très longtemps, mais je me glorifiais de ce que notre association fût la plus belle chose de ma vie. La seule qui resterait inchangée et intouchable. J'aurais juré qu'entre nous la confiance était absolue. J'aurais basé mon existence sur cette idée : Demelza est sincère jusqu'au fond du cœur. Dans ce monde pourri... il n'y a pas en elle une faille...

— Ross, tu me brises le cœur ! fit-elle dans un sanglot.

— Tu croyais que j'allais te frapper ? C'est en effet tout ce que tu peux comprendre. Une bonne raclée et on n'en parle plus. Mais tu n'es ni un chien ni un cheval que l'on rosse pour le remettre dans le droit chemin. Tu es une femme, avec un instinct plus subtil de ce qui est bien ou mal. La loyauté ne s'achète pas, elle est librement donnée ou refusée. Toi, tu as choisi de la refuser...

Elle sortit du lit, machinalement, s'agrippa aux rideaux pour sangloter et contourna le lit en trébuchant. Tout son corps était secoué par ses hoquets.

Lorsqu'elle fut à la porte, il se redressa.

— Demelza, viens ici ! ordonna-t-il, toujours furieux.

Elle était déjà sortie et avait refermé la porte derrière elle. Il sortit du lit, attrapa la chandelle et rouvrit la porte. Demelza n'était pas dans l'escalier. Il descendit jusqu'au petit salon. Elle essayait d'en refermer la porte, mais il la bouscula.

Elle lui échappa pour se diriger vers l'autre porte, mais il la rattrapa et la retint. Elle se débattait entre ses bras, faiblement, comme si le chagrin lui avait retiré toute force. Il la prit par les cheveux et lui tira la tête en arrière. Elle se débattit.

— Laisse-moi partir, Ross !

Il la maintint, mais les larmes roulèrent sur les joues de Demelza et il lâcha sa chevelure. Elle demeura immobile, pleurant contre lui.

— Viens, tu vas prendre froid ! grogna-t-il.

La colère de Ross s'apaisait lentement, sans toutefois disparaître. Les Poldark étaient terribles quand on les trahissait. Au diable Francis qui était après tout responsable de tout, de la première brouille entre Verity et Blamey, de son refus récent de modifier sa position. Demelza avait certainement agi pour le mieux.

Elle avait cessé de sangloter et se dégageait de lui.

— Je vais mieux, affirma-t-elle.

— Ne reste pas ici toute la nuit.

— Monte, je te suivrai dans un moment.

Il lui laissa la chandelle et retourna dans la chambre. Il alluma une autre chandelle et s'approcha du berceau. Julia s'était débarrassée de ses draps. Il allait la recouvrir lorsque Demelza entra.

Elle étendit convenablement l'enfant au visage de chérubin encadré par un halo de boucles brunes. Ross contempla l'enfant et, quand il se retourna, il s'aperçut que Demelza était assise au fond du lit, contre les rideaux, et il ne voyait d'elle que ses genoux.

Il s'installa près d'elle, souffla la chandelle et s'étendit. Elle resta longtemps immobile.

— Ross… c'est si terrible ce que j'ai fait ?

— N'en parlons plus pour le moment.

— Il faut que je sache. À ce moment-là, je n'y voyais pas grand mal. Je croyais agir au mieux pour Verity. Sincèrement. Peut-être ai-je commis une erreur, mais c'était ce que je pensais.

— Je le sais. Mais ce n'est pas tout. D'autres choses sont arrivées.

— Quoi donc ?

— Je ne peux pas encore t'en parler.

— Je suis si désolée. Je n'ai jamais imaginé que je pourrais te séparer de Francis, sinon je n'aurais pas agi ainsi.

— Tu as épousé une étrange famille, soupira-t-il. Il ne faut jamais s'attendre à voir les Poldark réagir de façon rationnelle, j'y ai depuis longtemps renoncé. Nous sommes incroyablement emportés et coléreux. Nos affections et nos antipathies sont si fortes qu'elles peuvent être insensées, plus insensées encore que je ne le croyais. Peut-être, après tout, est-ce toi qui as le plus de bon sens. Si deux êtres s'aiment, laissons-les se marier et veiller à leur propre salut, en ignorant le passé et en maudissant les conséquences…

— Mais… je ne comprends toujours pas, avoua-t-elle. Tu parles par énigmes et je me sens si misérable et…

— Je ne peux pas t'en expliquer davantage pour le moment, tant que je ne suis pas sûr de ce que j'avancerais. Quant à ce que je t'ai dit… c'était sous l'empire de la colère. Oublie si tu le peux et dors.

Elle s'enfonça un peu dans le lit. Elle poussa un long soupir.

— Je voudrais… je ne serai pas heureuse tant que la brouille entre toi et Francis ne sera pas arrangée.

— Je crains alors que tu ne restes longtemps malheureuse.

Le silence cette fois ne fut pas rompu. Mais aucun d'eux ne s'endormit. Elle restait énervée après leur querelle, désespérée, et les larmes ne l'avaient pas soulagée. Au bout d'un moment, Demelza ferma les yeux et essaya de dormir. Lui n'essaya même pas.

DU MÊME AUTEUR
CHEZ LE MÊME ÉDITEUR

Poldark
**
Au-delà de la tempête

1790. Sept ans après avoir regagné son Angleterre natale, Ross Poldark est parvenu à sauver le domaine familial en déshérence et à relancer l'activité minière.

Mais des menaces planent en ce mois de septembre. Une famille de banquiers, les Warleggan, tente de prendre le contrôle de ses affaires, pourtant peu florissantes. Et Ross suspecte son cousin Francis d'être de leur côté pour assouvir sa vengeance. Ross est dans le même temps accusé d'avoir pillé deux navires qui se sont échoués non loin de chez lui. S'il est reconnu coupable, il risque la mort...

Demelza, qu'il avait recueillie puis épousée, se bat pour le défendre. Mais leur amour résistera-t-il à la tempête ? Monument de la littérature d'évasion, la saga *Poldark* plonge le lecteur dans les Cornouailles affamées de la fin du XVIIIe siècle. Décors naturels de toute beauté, trahisons et triangles amoureux, ce roman dépeint une Angleterre où les petits entrepreneurs vacillent sous l'influence croissante des puissances de l'argent. Figure contestataire avant l'heure, Poldark le rebelle personnifie la passion et la sensualité.

ISBN 978-2-37735-271-5 / H 4946132 / 400 pages / 7, 95 €

Poldark

***

La lune rousse

Le troisième volet de la saga culte, diffusé actuellement sur Netflix et RMC Story.

En ces années 1790, la vie de couple de Demelza et de Ross, déjà pleine de péripéties, traverse une de ses périodes les plus orageuses au moment où le dernier pari en date de Ross, une spéculation minière, semble aboutir à un échec.

Les relations de Ross avec Elizabeth, veuve de son cousin Francis, deviennent telles que Demelza, poussée par le chagrin et la colère, se laisse dangereusement tenter par un bel officier écossais, et doit faire un choix dramatique entre celui-ci et sa fidélité à Ross. D'autres personnages surgissent autour d'eux, notamment Drake, l'un des frères de Demelza, qui aime d'un amour partagé, mais apparemment impossible, Morwenna, une nièce d'Elizabeth.

En contrepoint de ces événements, il y a la haine qui oppose depuis toujours Ross à George Warleggan, et la périlleuse expédition que Ross entreprend pour délivrer son vieil ami, le docteur Dwight Enys, d'un camp de prisonniers de guerre anglais en France.

ISBN 978-2-8098-2609-8 / H 4948839 / 22 €

*Cet ouvrage a été composé
par Atlant'Communication
au Bernard (Vendée)*

Dépôt légal : mars 2019

Dépôt légal : mars 2019

Imprimé en France par EPAC Technologies
N° d'impression : 4550414308521
Dépôt légal : mars 2019